Le Guide des CHATEAUX de France

71 *SAÔNE ET LOIRE*

Le Guide des CHATEAUX de France

71 SAÔNE ET LOIRE

Présentation de Yvan Christ

Direction éditoriale : Jean-Jacques Brisebarre
Fabrication : William Baguet, Claire Svirmickas
Couverture : Daniel Leprince

© Hermé
3, rue du Regard — 75006 Paris
ISBN : 2 86665 014 X
Pour la présente édition et le texte de Yvan Christ

Première édition pour les textes des notices et l'illustration :
© Berger-Levrault, 1981.

Photos de couverture :
• Haut : château de La Clayette, cliché J. Verroust
• Bas : château de Sully, cliché J. Verroust

Vous trouverez dans ce guide :

— une carte des châteaux de Saône-et-Loire ;
— une présentation de Yvan Christ ;
— des notices sur les 198 principaux châteaux de Saône-et-Loire ainsi établies :
  • classement au nom de la commune dans laquelle est situé le château ;
  • rappel au nom du château, s'il est différent de celui de la commune ;
  • situation géographique ;
  • renseignements pratiques ;
  • propriétaire ;
  • histoire du château ;
  • description du château ;
  • bibliographie éventuelle.

Les notices du guide des châteaux de France-Saône-et-Loire ont rédigées par André Bailly, Annick Beau, Paul Chaussard (P. Cd) professeur au collège de Digoin, Pierre Chenu, Pierre Gresser assistant d'histoire du Moyen Age à la faculté des lettres de Besançon, Pierre Lahaye, Jean Marilier conservateur des antiquités et objets d'art de la Côte-d'Or, Jean Menand (J. Md), Alype-Jean Noirot, Jacqueline Piotelat-Dorier, Pierre Quarré conservateur honoraire des musées de Dijon, Monique Richard archiviste-paléographe, Bernard Sonnet, Françoise Vignier directrice des Archives départementales de Côte-d'Or, sous la direction et à l'initiative de Yvan Christ.

Les indications concernant la possibilité de visite des momuments sont à vérifier auprès des propriétaires ou des offices de tourisme régionaux. Elles ne sauraient en aucun cas engage la responsabilité de l'éditeur.

Abréviations utilisées

Arr.	Arrondissement
Bibl.	Bibliographie
c.	Canton
Descr.	Description
E	Est
Hist.	Historique
ISMH	Edifice inscrit à l'Inventaire supplémentaire des Monuments historiques
N	Nord
NE	Nord-Est
NO	Nord-Ouest
O	Ouest
RD	Route départementale
RN	Route nationale
S	Sud
SE	Sud-Est
SO	Sud-Ouest
VO	Voie officinale

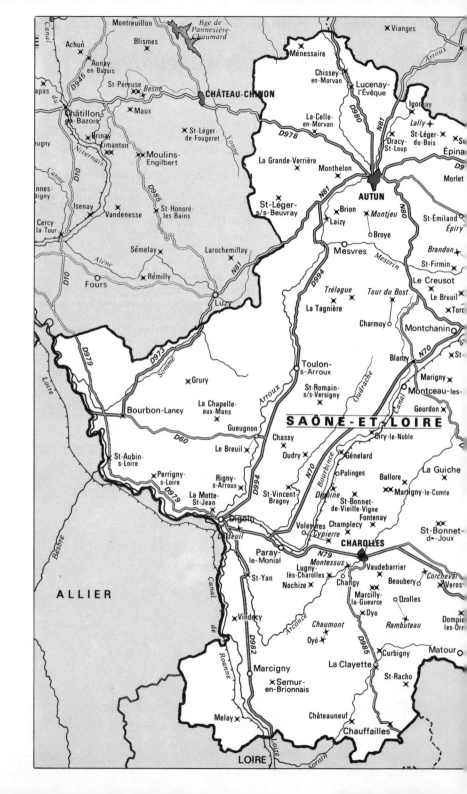

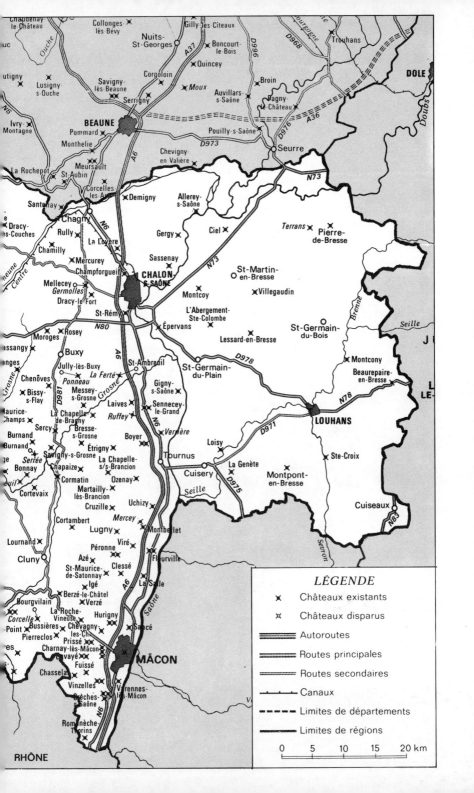

LES CHÂTEAUX DE SAÔNE-ET-LOIRE

Il en est du sud de la Bourgogne comme de la Bourgogne toute entière. Nulle unité géographique dans cette province essentielle aux frontières sans cesse fluctuantes, dans cet « empire médian » qui constitue le grand axe de circulation nord-sud de l'extrême Occident européen, la ligne de crête de la civilisation française. C'est l'histoire, dans sa séculaire complexité politique, qui a fait la Bourgogne ducale et royale, puis intrinsèquement nationale. Sans ce duché qui, sous le plus téméraire de ses princes, rêva d'être royaume et de se détacher de celui des lys unificateurs, notre nation serait incomplète. « *La France*, disait Michelet, *n'a pas d'élément plus liant que la Bourgogne, plus capable de réconcilier le Nord et le Midi* ».

Ainsi en va-t-il de cette entité administrative, créée par la Révolution, que l'on appelle la Saône-et-Loire. Il est, pour une large part, historiquement bourguignon, ce département-là, où brille le nom prestigieux et international de Cluny, mais, fait de « pays » très divers et largement baigné par la Saône, il finit par frôler Lyon, qui l'attire alors plus que Dijon — Lyon, vestibule français de l'Italie. Le « touriste » Stendhal a très bien saisi le Mâconnais : « *ce pays est d'une beauté douce et tendre qui épanouit le cœur. Depuis Paris, c'est le premier qui mérite d'être regardé.* » Quel éloge ! A la vérité, dès Tournus, les toits plats, couverts de tuiles rondes et blondes, déjà « romaines », succèdent brusquement aux hautes toitures à petites tuiles carrées et rousses, telles qu'elles coiffent encore, après le Dijonnais, le Chalonnais. Au midi de la Bourgogne, c'est la subite et fascinante apparition de la latinité...

Pour un voyageur appliqué, la Saône-et-Loire est, d'abord, une des terres bénies de l'art roman. Tournus, Cluny, Autun, Paray-le-Monial, les églises rurales du Brionnais s'inscrivent à l'une des premières places du pèlerinage des archéologues et des touristes contemporains. C'est justice. Aussi bien la vitalité, la splendeur de l'architecture et de la sculpture religieuses, telles qu'elles fleurirent, à l'époque romane, dans ce qui forme aujourd'hui la Saône-et-Loire, ont-elles contribué à faire perdre de vue son architecture proprement civile, à commencer par ses résidences seigneuriales. La rigoureuse chartiste Françoise Vignier, principal auteur des monographies qui composent ce guide raisonné, a tenu à combler l'étonnante lacune en se penchant minutieusement sur les innombrables châteaux, méconnus s'il en est, du département.

Innombrables, le mot n'est pas trop fort. La plupart d'entre eux sont ici recensés. Ils sont de tous les temps et de tous les styles, du haut Moyen Age jusqu'au XIXe siècle finissant, qui, pour une fois, dans ce tableau objectif, n'a pas été, au nom d'un vain purisme, négligé. C'est dire qu'il s'agit d'une lente et sérieuse promenade toute nouvelle, jalonnée de surprises et de découvertes, la « *beauté douce et tendre* » de la nature s'alliant à la qualité, à la variété des demeures toujours vivantes qui surgissent à chaque pas. Et puis, est-il besoin d'y insister ? La présence des illustres vignobles du Chalonnais, du Mâconnais et du Beaujolais n'est pas sans ajouter à l'attrait et à la sensualité de la course historique et esthétique. « *Ô heureuse Bourgogne*, s'exclamait Erasme l'Européen, *qui mérite si bien d'être appelée la mère des hommes, puisqu'elle leur fournit de ses mamelles un si bon lait !* »

Cela étant, la Saône-et-Loire, malgré le second terme de son appellation, n'est pas le Val de Loire. Point de château royal en bordure de ses deux grands cours d'eau. Les rois de Paris n'ont jamais jeté leur dévolu sur le midi de cette province si souvent déchirée. Ils n'ont pu y témoigner de leur souveraine magnificence. Ce sont ici terres ducales et d'abord, non royales. Et c'est à l'entourage des ducs de Bourgogne, leurs rivaux — les « grands ducs d'Occident » — que se rattachent certaines des demeures médiévales qui, peu ou prou, ont résisté aux guerres, aux reconstructions partielles ou aux remaniements successifs. Devenue loyalement française, mais restée quelque peu frondeuse, l'aristocratie bourguignonne, de sang ou de robe, a fait, au cours des siècles suivants, le reste. Elle l'a fait avec autant de science que de grâce, mais, très souvent, avec naturel et bonhomie, sans faconde ostentatoire. Dans le Chalonnais, le Mâconnais et le Charolais ou en rudes terres morvandelles, il est des castels et des manoirs qui ne diffèrent que par de belles nuances des bonnes maisons rurales qui leur font escorte.

Les exceptions sautent, ici et là, aux yeux. C'est qu'il est, en Saône-et-Loire, des réalisations superbes, conçues par le Moyen Age, la Renaissance, le Grand Siècle et celui de la « douceur de vivre » : elles ne sont pas peu comparables à celles qui font la renommée des autres provinces françaises. Mais comment négliger la série d'harmonieux châteaux modestes et discrets, chaleureuses « maisons des champs » qui semblent vouloir se faire, parmi les champs, oublier et qu'ainsi, notre temps oublie ?

Sur le grand théâtre du patrimoine, les comparses ne doivent pas compter moins que les protagonistes. La Révolution, assurait Clemenceau, est un « bloc ». Le patrimoine historique et monumental, qui est fait d'œuvres et de chefs-d'œuvre spirituellement associés, l'est plus encore. Telle est la leçon que donne la promenade à laquelle nous convie Françoise Vignier. Elle est capitale, dans l'ordre de la connaissance et de l'amour de l'art, comme dans celui de sa sauvegarde.

Au même titre que les églises, rares sont les châteaux qui présentent une mythique « unité de style » — notion artificielle forgée par le scientisme de Viollet-le-Duc. Voilà qui se vérifie en Saône-et-Loire lorsque l'on considère ses châteaux médiévaux. Certains d'entre eux ont pourtant gardé une relative homogénéité. C'est le cas, entre Mâcon et Cluny, de celui de Berzé-le-Châtel, dressé sur un éperon rocheux depuis la fin du Xe siècle et qui, en raison de son exceptionnelle situation naturelle et défensive, fut, suppose-t-on, occupé dès la période romaine ; une douzaine de tours flanquent la double enceinte de cette forteresse des XIIIe et XVe siècles, une des plus saisissantes du sud de la Bourgogne. A l'ouest de Tournus, la situation de Brancion est comparable, puisqu'il s'agit d'une forteresse, d'origine burgonde, établie sur une hauteur d'où pouvait être militairement surveillée toute la région ; du sommet de son formidable donjon carré, la vue est devenue plus pacifique sur les plaines et sur les collines du Tournugeois. Mais on ne peut oublier que, chef-lieu d'une châtellenie ducale, au XIIIe siècle, Brancion apparaissait alors comme une des « clefs du pays ».

Maints autres châteaux médiévaux, retouchés et remaniés, voire restaurés au XIXe siècle, s'imposent au regard et à l'imagination. Non loin de Chagny, c'est le cas de Rully, qui a conservé l'essentiel de ses dispositions fortifiées. Ainsi en va-t-il également, dans le Chalonnais, de Sercy, dont les tours très complexes et très expressives, qui se mirent dans un étang, semblent issues d'une miniature médiévale ou d'une lithographie romantique... Dans la même région, le château de Germolles se rattache tout à fait à l'histoire du duché : n'est-ce pas Marguerite de Flandre, épouse de Philippe le Hardi, premier des quatre ducs de la maison de Valois, qui le fit construire au XIVe siècle ? Claus Sluter, dont le nom est indissociable de la chartreuse de Champmol-lès-Dijon, y fut l'auteur d'un groupe sculpté qui représentait le duc et la duchesse de Bourgogne. Il a disparu, mais, dans cette belle résidence de plaisance, ont subsisté des témoins très secrets et très émouvants du décor raffiné voulu par la Flamande Marguerite.

Je disais, au début de ces lignes, que nombre de châteaux de Saône-et-Loire s'insèrent subtilement dans l'architecture rurale avoisinante. Le manoir de Monthelon, « *simple gentilhommière un peu vétuste où quelque habitant d'Autun viendrait passer les mois de repos à la belle sai-*

son », est de ceux-là. C'est une maison forte de la fin du XVe siècle qu'une centaine d'années plus tard acquit Guy de Rabutin-Chantal, beau-père de la Dijonnaise Jeanne-Françoise Frémyiot, autrement dit sainte Jeanne de Chantal, fondatrice, avec saint François de Sales, de l'ordre de la Visitation. Autre bâtisse, de fondation médiévale elle aussi, le château de Saint-Point, entre Cluny et Mâcon, n'évoque pas une sainte, mais un poète : le Mâconnais Alphonse de Lamartine, héritier de cette demeure fortifiée de la fin de l'âge gothique, qu'il fit « gothiciser » à l'anglaise, où il résida souvent jusqu'à sa mort, en 1869, et à l'ombre de laquelle il fut inhumé. C'est un des grands temples du culte lamartinien. Ici, dans un cabinet de travail pieusement entretenu, furent composés *Jocelyn* et la *Chute d'un ange*.

La Renaissance a été moins féconde en Saône-et-Loire que dans les autres départements bourguignons. Tout près d'Autun, elle a pourtant modelé ce majestueux chef-d'œuvre qu'est le château de Sully, édifié, sur les bases d'une forteresse médiévale, à la fin du XVIe siècle, pour le maréchal de Saulx-Tavannes, lieutenant général en Bourgogne. Roger de Bussy-Rabutin, l'insolent auteur de l'« Histoire amoureuse des Gaules », décrivant Sully à l'intention de sa cousine Sévigné, estimait avec enthousiasme qu'il encadrait « *la plus belle cour de château de France* » — une cour très savamment composée suivant un rythme tout italien. C'est, disait la marquise, avec non moins de lyrisme, le « *Fontainebleau de la Bourgogne* ». Y naquit, en 1808, le maréchal de Mac-Mahon, duc de Magenta, deuxième des présidents de la troisième République.

Les guerres de religion, les guerres tout court — notamment celle de Trente ans — avaient été très dures dans l'ensemble de la Bourgogne. Les deux derniers siècles de l'Ancien Régime, à commencer par le Grand Siècle, lui apportèrent enfin la paix et la prospérité. Tel en fut-il en Saône-et-Loire. Cormatin, construit dans les premières années du XVIIe siècle, est le type même d'un château « Louis XIII » qui, du moins pour la parade, n'oublie pas de respecter quelques-unes des vieilles consignes guerrières, dès lors caduques, mais, à l'intérieur, il témoigne d'une extrême somptuosité décorative ; il est en outre, depuis peu, le cadre d'un festival annuel de théâtre et de musique qui lui a rendu la vie. Commencé, durant les mêmes années, par Pierre Jeannin, président au Parlement de Dijon et surintendant des Finances sous la minorité de Louis XIII, le château de Montjeu, aux portes d'Autun, est d'une conception déjà toute « classique » : par son plan, il annonce la venue d'un âge nouveau.

Le siècle de Louis XIV qui, dans sa libre traduction bourguignonne, est tout le contraire d'une servile imitation des fastes versaillais, on le découvre, près de Charolles, au château de Drée. On le retrouve également, près de Louhans, à Pierre-de-Bresse, grand château de brique et pierre, qui est devenu le siège de l'Ecomusée de la Bresse bourguignonne.

Il est aussi, au cours de la promenade, d'étranges surprises. Au château de Chaumont (il appartient, depuis six cents ans, à l'antique famille de La Guiche et porte la marque de tous les styles), on visite des écuries monumentales du milieu du XVIIe siècle que magnifient deux vastes escaliers extérieurs comparables à ceux d'un palais : elles abritaient très exactement quatre-vingt-dix-neuf chevaux — seul le roi ayant le privilège d'en posséder davantage. Respecter les ordres du roi, certes, mais avec esprit et quelque chose comme de l'humour...

Les grâces, mais sans excès, du siècle de Louis XV, elles transparaissent, toujours dans le Charolais, à Digoine, né d'une forteresse médiévale que commença à remplacer, dès le début du XVIIIe siècle, l'imposant et séduisant château actuel. On peut le rapprocher de celui de Rambuteau, qui est voisin et qui, lui aussi, est flanqué de grosses tours que coiffent des dômes couverts d'ardoises.

Faut-il ranger Milly parmi les châteaux ? Ce n'est qu'un brave logis carré qui semble sans âge mais que l'on date du XVIIIe siècle. La verdure recouvre ce qui fut, dans la plus grande partie de son existence tumultueuse et souvent douloureuse, la maison privilégiée de Lamartine : elle était, disait-il, avant d'être contraint, tenaillé par les dettes, de la vendre, neuf ans avant sa mort, « *la moelle de ses os* »...

Autre interrogation : on donne, au Creusot, le nom de château de La Verrerie à ce qui fut, sous Louis XVI, une manufacture de cristaux et qui devint, sous Louis-Philippe, la résidence de la famille Schneider. Est-ce un château ? Il l'est devenu, l'histoire aidant, qui est, en ces lieux, toute vouée à la triomphante industrie. Deux bâtiments à toiture conique commandent la cour solennelle : c'étaient les fours de la cristallerie. Et ce sont les premiers symboles de la fortune du Creusot. Ce haut-lieu de la Bourgogne industrielle a été converti en un écomusée : son activité « socio-culturelle » est exemplaire.

Le temps des châteaux était-il terminé, à la veille de la Révolution qui allait leur faire subir mille outrages ? Il se poursuivrait cahin-caha, en Saône-et-Loire comme dans le reste de la Bourgogne et de la France, mais suivant des données nouvelles, que le goût immodéré du pastiche mettrait en vogue. Le siècle de la restauration de système et de l'« historicisme » souverain, qui fut celui de Viollet-le-Duc, donnerait naissance à des reconstitutions parfois savantes, souvent grinçantes, qu'avec les lunettes de la sociologie, on est tenu de considérer, sinon avec bienveillance, du moins avec une prudente attention.

Le médiévisme ambiant du XIXe siècle, on l'a déjà rencontré à Saint-Point et à Chaumont. Il est encore plus marquant à La Clayette, forteresse gothique complètement entourée d'eau, qui, après 1830, fut remaniée et complétée dans le style troubadour. Cette « fureur de restaurer » s'exprime avec non moins de force aux châteaux du Plessis et de Burnand. A Couches, forteresse de tous les âges médiévaux — que la légende s'obstine à attribuer à Marguerite de Bourgogne — la mode néo-gothique imprima également son empreinte. Quant au château de Bresse-sur-Grosne, il fut, lui aussi, considérablement restauré, mais dans l'esprit néo-Renaissance, par les soins de l'auteur de ce faux Grand Trianon parisien qu'était, avant sa destruction, le Palais Rose de Boni de Castellane.

La Bourgogne profonde s'estompait face aux modes venues de Paris, au nom d'une impérative centralisation, politique et esthétique, inconnue de l'Ancienne France...

Les églises et les châteaux, l'autel et le trône : ce sont là les fondements mêmes du patrimoine historique et monumental de la France. Voilà qui se constate, entre Saône et Loire, à chacun des détours de la promenade que nous allons faire ensemble — les églises, tout au long de cette course, s'ajoutant naturellement aux châteaux. Image d'une telle conjonction du destin : il est, à Semur-en-Brionnais, une petite priorale qui est un des reflets de la géante abbatiale, aux trois quarts disparue, de Cluny ; il est également, dominé par un donjon, un château fortifié qui menaçait ruine et que l'on préférait oublier pour ne pas avoir à le réparer. Or, depuis plusieurs années, une équipe de jeunes gens a courageusement entrepris de le sauver et y parvient peu à peu. Semur-en-Brionnais ne s'identifiait, hier, pour le promeneur et pour le touriste, qu'à une touchante église romane. Voici que son château réapparaît. Les deux volets du diptyque se rejoignent enfin...

Yvan Christ

L'Abergement-Sainte-Colombe
Château de Villargeault

Arr. Chalon-sur-Saône, c. Saint-Germain-du-Plain, Saône-et-Loire.
A 16 km à l'E de Chalon-sur-Saône, par la RN 477, la RD 218 et un chemin privé vers le N.
Propr. : M. Arnoul de Pirey.
On ne visite pas.
Isolé, en terrain plat.
Hist. : A Villargeault fut édifié l'un des plus anciens et des plus importants châteaux de la Bresse chalonnaise. En 1391, il était tenu par Guillaume de Sercey qui le vendit en 1391 à Guillaume de La Marche, dont le fils épousa Flore de Sercey. Il appartenait, au début du XVIᵉ s., à Jacques Arbaleste, en 1550 à Jean de Ferrières. Peu après, il passa par mariage aux Clugny qui le léguèrent, en 1655, à François de Montet. Les descendants de celui-ci le conservèrent un peu moins d'un siècle. En 1737, il fut acquis par Étienne de Ganay, seigneur de Bellefond. La fille de celui-ci l'apporta par mariage à Charles-Louis de La Rodde qui le disait, en 1773, composé de deux corps de logis et environné de larges fossés. Les ruines en ont été abattues au XIXᵉ s. Un petit château fut alors bâti sur la motte primitive.
Descr. : Cernée de fossés encore en eau sur trois côtés, la motte, de plan ovale, ne porte plus qu'un logement de garde à l'E et, au SO, une demeure en brique couverte d'ardoises, consistant en un corps central de plan rectangulaire, à un sous-sol, un rez-de-chaussée, un étage carré et un étage de comble sous un toit brisé, entre deux pavillons constituant vers le N deux courtes ailes en retour d'équerre. Dans les angles qu'ils forment au S avec le corps central, s'élèvent deux tourelles d'escalier circulaires. Une terrasse à appui-corps en fer forgé règne devant la façade méridionale. Au SE, se trouve une belle ferme en appareil à pans de bois bâtie au XVIIᵉ s.   F.V.

Allerey-sur-Saône

Arr. Chalon-sur-Saône, c. Verdun-sur-le-Doubs, Saône-et-Loire.
A 20 km au SE de Beaune, par la RD 970.
Propr. : Comtesse de Maistre.
On ne visite pas.
En terrain plat, près de la Saône.

Hist. : La motte ou forteresse d'Allerey, citée au XIIIᵉ s., passa en 1318 à Hugues de Mailly lorsque celui-ci épousa Béatrice d'Allerey. En 1444, elle appartenait à Jean de Lugny. En 1636, elle fut brûlée par des Croates. Peu après, le fief était entre les mains de Denis Languet, puis il passa aux Espiard-Humbert qui rebâtirent le château au XVIIIᵉ s. Il subit d'importantes transformations vers 1830.
Descr. : Précédé d'une belle allée d'arbres dont les frondaisons dissimulent des communs, le château consiste en un corps central de trois travées à un rez-de-chaussée surélevé et deux étages carrés que couronne un grand fronton sculpté d'un cartouche aux armes des Menton. Il est flanqué, dans le même alignement mais en léger retrait, de deux ailes à un étage carré et un étage de comble, elles-mêmes flanquées de pavillons à deux étages carrés et un étage de comble, dont les façades sont au même alignement que celles du corps central et, comme lui, pourvues de chaînes d'angles à bossages. Ailes et pavillons sont couverts de toits brisés percés d'œils-de-bœuf.   F.V.

Arcy (château d')

Voir Vindecy.

Arvolot (château de l')

Voir Boyer.

Audour (château d')

Voir Dompierre-les-Ormes.

Azé
Château de Vaux-sur-Aisne

Arr. Mâcon, c. Lugny, Saône-et-Loire.
A 15 km à l'E de Cluny, par la RD 85 et un chemin vicinal à l'O d'Azé.
Propr. : M. Joseph Chervet.
On ne visite pas.
Isolé, à flanc de pente.
Hist. : C'est seulement au XVIᵉ s. qu'apparaît la première mention d'une *maison noble* à Azé, dans un dénombrement rendu en 1583 par Gilbert Regnaud, juge de Cluny, qui avait acquis le domaine de deux propriétaires différents en 1560 et 1561. Les Regnaud, calvinistes convaincus, se retirèrent en Bresse après avoir vendu Vaux vers 1600 à Vincent

17

Bernard, capitaine de Mâcon. En 1679, Jean-Christophe Bernard, conseiller-maître en la Chambre des comptes de Dijon, fonda une chapelle dans son château. Dans des conditions mal connues, celui-ci passa au XVIIIe s. à la famille Patissier de La Forestille, puis à la famille de Murard qui le vendit au début du XXe s. à M. Testot-Ferry.

Descr. : Précédé à l'E d'une cour ouverte, à l'angle de laquelle se dresse une tour circulaire, le château consiste en un logis de plan rectangulaire flanqué sur sa façade E d'une tour d'escalier carrée hors œuvre et sur ses angles SE, SO et NO de trois autres tours carrées de dimensions diverses. Il comprend un rez-de-chaussée, dont une baie est surmontée d'un arc en accolade, un étage et un demi-étage. La porte d'accès à la tour d'escalier, qui semble avoir été remaniée au XIXe s., est en plein cintre et flanquée de pilastres cannelés d'ordre toscan portant un entablement décoré de triglyphes et de gouttes. A l'O, une terrasse règne tout le long de la façade, entre les deux tours; elle est desservie par un degré droit. La chapelle était située au N.   F.V.

Bibl. : F. Perraud, *Le Mâconnais historique*, t. II, Mâcon, 1921, pp. 254-255.

Balleure (château de)

Voir Etrigny.

Ballore

Arr. Charolles, c. La Guiche, Saône-et-Loire.
A 16 km au NE de Charolles, par la RD 33 et un chemin privé vers le SE, au N du village.
Propr. : Comte Guy de Montessus de Rully.
On ne visite pas.
Isolé, sur une terrasse dominant la vallée de l'Arconce.
Hist. : Le fief était possédé au début du XIIIe s. par la famille de Ballore qu' s'éteignit en 1366 en la personne de Marie de Ballore, épouse de Jean de Rabutin d'Epiry. Les Rabutin conservèrent Ballore jusqu'à sa saisie, en 1578, sur Louis de Rabutin au profit de Léonor de Chabot, comte de Charny. La maison seigneuriale, qui avait subi les ravages des reîtres calvinistes en 1576, était alors en mauvais état, aussi Melchior de Bernard de Montessus, gouverneur de Chalon, qui s'en rendit acquéreur en 1581, dut-il en

entreprendre la reconstruction. Celle-ci n'était pas achevée lorsqu'il légua la terre à son petit-fils en 1614, à charge de terminer le corps de logis et la tour qui en était proche. Le château est depuis lors resté entre les mains de la famille de Montessus. Il a subi d'importantes restaurations au XIXe s.

Descr. : Un bâtiment de plan rectangulaire à un rez-de-chaussée, un étage carré et un étage de comble, flanqué sur son angle SE d'une tour circulaire coiffée d'un toit conique, limite à l'E une vaste cour dans laquelle se dresse, au NO, une tour ronde couronnée de mâchicoulis couverts sur consoles. Ceux-ci et toute la façade O, percée de baies à linteaux en accolade et d'une porte en anse de panier, résultent des restaurations du XIXe s. La façade E, qui domine l'Arconce, a conservé des ouvertures irrégulièrement réparties des XVe et XVIe s., notamment des baies à meneau et croisillon.   F.V.

Beaubery
Château de Corcheval

Arr. Charolles, c. Saint-Bonnet-de-Joux, Saône-et-Loire.
A 12 km à l'E de Charolles, par la RN 79 et un chemin privé.
ISMH.
Propr. : Baron de La Chapelle.
On ne visite pas.
Isolé, à flanc de pente, sur une terrasse dominant la vallée de la Semence.
Hist. : Ce château, connu dès le XIIe s., appartint durant cinq siècles à la famille de Fautrières. En partie détruit par les Écorcheurs, puis par les troupes de l'amiral de Coligny, il fut vraisemblablement rebâti au XVIIe s. Il a été presque entièrement transformé au XIXe s. A la fin de ce siècle, il était la propriété du marquis de Sommièvre.

Descr. : Le château est bâti sur une terrasse en partie cernée de douves en eau, flanquée sur son angle SO d'une chapelle carrée couverte d'un dôme à quatre pans que surmonte un lanternon et sur son angle NO d'une tour carrée couronnée de mâchicoulis, rebâtie au début du XIXe s. Il comprend trois corps de bâtiments à un étage carré et un demi-étage disposés en U. Le corps principal, à l'E, est flanqué sur ses angles NE et SE de tours circulaires et desservi par une porte d'entrée rectangulaire surmontée d'un entablement mou-

Corcheval vu de l'O.

Beaurepaire-en-Bresse. Vue d'ensemble.

luré et d'un écusson aux armes de Claude de Fautrières et Marguerite de Saint-Amour. Le corps de logis méridional est flanqué, sur sa façade S, d'une tour circulaire demi-hors œuvre. Le corps de logis occidental possède une fenêtre ancienne à linteau en accolade. Les communs, en vis-à-vis, s'ordonnent en U autour d'une cour. **F.V.**

Bibl. : R. Oursel, *Inventaire départ... Cant. de Saint Bonnet-de-Joux,* Mâcon, 1973, pp. 14-17, ill.

Beaulieu (château de)

Voir Varennes-lès-Mâcon.

Beaurepaire-en-Bresse

Arr. Louhans, Saône-et-Loire.
A 14 km à l'E de Louhans, par la RN 78.
Propr. : Comte d'Aligny.
On ne visite pas.
A la lisière O du village, dans un creux.
Hist. : En 1770, l'abbé Courtépée constatait que la baronnie de Beaurepaire était depuis quatre siècles entre les mains d'une même famille. Il jugeait beau le château qu'entourait un parc qualifié par lui de délicieux. En fait, il existait une maison forte à Beaurepaire depuis le XIIIe s. : le premier propriétaire connu en est Hugues d'Antigny, qui affranchit les habitants en 1275. Hugues de Vienne lui succéda quelques années plus tard. Les Vienne la conservèrent jusqu'à la fin du XIVe s. Au XVe s., elle passa à la famille de Beaurepaire dans des conditions mal définies qui tendraient à faire croire qu'il y avait alors deux maisons fortes en ce lieu. En 1503, Jean de Beaurepaire déclarait posséder la terre en franc-alleu. Le domaine demeura aux mains des Beaurepaire jusqu'au milieu du XIXe s. : le château, peut-être rebâti au début du XVe s. par Thibaud de Beaurepaire, fut remanié aux XVIIIe et XIXe s.

Descr. : Précédé à l'E d'un fossé, le château consiste en un long corps de logis de plan rectangulaire comportant un sous-sol, un rez-de-chaussée surélevé et un étage de comble percé de lucarnes à croupes. Un pont de pierre donne accès à un passage aménagé dans un pavillon à un étage carré, dont la toiture se détache de celle, à croupes, de l'ensemble du bâtiment. Un gros pavillon en flanque l'angle SO, qui correspond peut-être à la tour de la maison forte du XVe s. Il comprend un rez-de-chaussée, un étage carré et un demi-étage et est couronné, sous sa haute toiture à quatre pans, d'une corniche en damier. Le château est tout entier bâti en brique, à l'exclusion des encadrements des fenêtres à linteaux en arcs segmentaires faits de pierre brune. A l'O, se trouve une petite chapelle à abside à trois pans dont la toiture de tuiles est surmontée d'un lanternon coiffé d'un bulbe. Le vaste parc, clos de murs, qui faisait l'admiration de Courtépée, a été transformé en pâtures. **F.V.**

20

Berzé-le-Châtel vu du SO, état au XIXᵉ s.

Berzé-le-Châtel

Arr. Mâcon, c. Cluny, Saône-et-Loire.
A 18 km au NO de Mâcon, par la RN 79 et un chemin vicinal vers le N à la Croix Blanche. ISMH. Site inscrit.
Propr. : Comte de Thy de Milly.
Isolé, sur un éperon dominant la route de Mâcon à Cluny.
Hist. : L'existence d'un château, successeur sans doute d'un poste de légionnaires romains, est attestée en 991. Il était alors tenu par Geoffroy de Berzé dont la lignée s'éteignit au début du XIIᵉ s. et fut alors relayée par une famille alliée qui releva le nom de Berzé, affirma vers 1196 son indépendance à l'égard du comte de Mâcon en se déclarant vassale du roi, avant de s'éteindre à son tour en 1320. Par mariages le château passa ensuite à Jean de Frolois, à Jean de Thil, connétable de Bourgogne, à Édouard de Beaujeu et, enfin, à Jacques de Savoie, prince de Morée. Pris d'abord par les Bourgui-

gnons, puis enlevé par les Armagnacs et finalement retombé entre les mains de Philippe le Bon en 1424, il fut donné en 1435 par celui-ci à Macé de Rochebaron, son écuyer. En 1471, il résista victorieusement aux troupes de Louis XI, mais en 1591 il dut capituler devant celles du duc de Nemours. La terre fut érigée en baronnie en 1600. Peu après, elle échut à Antoine d'Aumont, maréchal de France, dont le petit-fils la vendit à Alexandre-Antoine Michon de Pierreclos en 1713. Les Pierreclos rachetèrent, en 1802, le domaine qui avait été confisqué durant la période révolutionnaire, mais durent s'en séparer en 1808. Il a été acquis, en 1817, par Guillaume Gérentet dont descend le propriétaire actuel. Le château, qui avait été pillé et brûlé en 1789, fut alors partiellement démantelé avant d'être restauré.

Descr. : L'enceinte extérieure du château, défendue par cinq tours rondes ou barlongues, dessine un vaste hexagone irrégulier sur un mamelon rattaché à la montagne au N par un isthme assez étroit. En ce point, qui était le seul

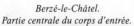

Berzé-le-Châtel.
Partie centrale du corps d'entrée.

accessible, se dresse un ensemble fortifié formé d'un corps de passage percé d'une porte charretière et d'une porte piétonne en arc brisé, entre deux puissantes tours rondes pourvues de meurtrières et, à leur partie supérieure, de petites ouvertures rectangulaires. Entre les fentes des balanciers des ponts-levis, ont été, au XVe s., inscrustés des cartouches dont les armoiries sont bûchées. Un rang de mâchicoulis sur consoles à linteaux tréflés couronne le corps de passage. L'épaisseur des murs des tours, qui atteint 3,25 m à 3,60 m au sous-sol, se réduit à 1 m au sommet. L'ensemble paraît dater du XIIIe s. Le fossé qui précède cette entrée fortifiée a été comblé, les murs d'enceinte et la plupart des tours rasés au niveau de la terrasse intérieure. Au-delà de cette porte, un parterre de buis taillés, conçu sans doute au XVIIe s., occupe une partie de la première cour qui enveloppait sur trois côtés une seconde enceinte dont le flanc N a disparu. A l'intérieur de cette seconde enceinte, se trouve le château, précédé au N d'une troisième cour; il est

Berzé-le-Châtel vu du SO, état actuel.

desservi par une seconde porte fortifiée consistant en une porte charretière en tiers-point ouverte, sous les consoles d'une bretêche, dans une épaisse muraille entre, au NO, une tour ronde pourvue au rez-de-chaussée d'un guichet pour piétons et, au SE, une échauguette. Une troisième porte à l'extrémité orientale de cette cour, défendue par la tour de Montgirard, construite au xvᵉ s. en bel appareil et desservie par un escalier aménagé dans l'épaisseur de sa muraille, donne accès à une quatrième cour qui longe à l'E les bâtiments dans lesquels s'ouvre un quatrième portail formé de deux étroites baies en tiers-point, aujourd'hui murées, surmontées d'une bretêche, entre deux tours circulaires d'inégale grosseur, pleines à leur partie basse. L'extrémité SE de cette cour, qui surplombe la première enceinte, est formée d'une construction, en sous-sol, à abside en cul-de-four qui passe pour avoir été la chapelle primitive de la forteresse. Le château proprement dit consiste en un ensemble de bâtiments entourant une cour centrale triangulaire aujourd'hui largement ouverte vers le SO, les constructions qui la limitaient de ce côté ayant été abattues. Deux tours carrées occupent les extrémités des ailes qui subsistent. Celle du S a conservé sa hauteur primitive et est couronnée de petites ouvertures rectangulaires, celle de l'O a été découronnée, mais domine encore l'ensemble. Déjà modifié au xviiᵉ s., l'aménagement intérieur des logis a été entièrement transformé au xixᵉ s., dans le goût néo-gothique. C'est alors que furent percées dans les façades extérieures des fenêtres rectangulaires dont le linteau est sculpté d'une accolade.   F.V.

Bibl. : L. de Contenson, L. Raffin, « Description architecturale du château de Berzé-le-Châtel », dans *Ann. de l'Académie de Mâcon*, t. XV, 1910, 2ᵉ partie, pp. 257-299, ill.

Besanceuil (château de)

Voir Bonnay.

Besseuil (château de)

Voir Clessé.

Bissy-sur-Fley

Arr. Chalon-sur-Saône, c. Buxy, Saône-et-Loire.
A 12 km au SO de Buxy, par la RD 983 et la RD 28.
ISMH.
Propr. : Marquis et marquise de Fernehem de Bournonville.
On ne visite pas.
Dans la partie haute du village qu'il domine, non loin de la petite église romane.
Hist. : L'histoire du château est intimement liée à celle de la famille de Thyard, qui a peut-être fait construire la vieille demeure féodale, mais surtout lui a conféré son illustration. En 1350, Claude de Thyard, écuyer, ayant épousé Françoise de Bissy, ajoute à son nom celui de sa femme. En 1478, le château est habité par Étienne de Thyard, seigneur de Bissy. Le fils de celui-ci, Jean de Thyard, lieutenant-général au bailliage de Mâcon en 1513, et son épouse Jeanne de Ganay, furent les parents de Pontus de Thyard, le personnage le plus illustre de sa maison. Ami de Ronsard et, avec lui, l'un des sept de la Pléiade, Pontus naquit à Bissy vers 1521 et mourut à Bragny-sur-Saône en 1605, après avoir porté le titre très honorifique d'*aumônier* des rois Valois et après avoir siégé effectivement et très dignement comme évêque de Chalon-sur-Saône de 1578 à 1593. C'était un esprit clairvoyant, ennemi des luttes religieuses, accueillant aux étrangers dans son évêché chalonnais où triomphait la Ligue. Mais l'homme de lettres est bien supérieur au prélat. Il avait composé dans sa jeunesse, n'ayant pas encore reçu la prêtrise, un recueil de poésies intitulé *Les erreurs amoureuses* où l'on trouve de très beaux vers et les premiers sonnets imprimés en France. Héritier de Bissy par la mort de ses frères, Pontus en resta le seigneur, s'y retira et y écrivit la plupart de ses ouvrages. Ses neveux conservèrent le fief. Leurs descendants, parmi lesquels figurent de grands personnages (plusieurs lieutenants-généraux, un cardinal, un membre de l'Académie française, enfin un général d'Empire qui a laissé d'intéressants *Souvenirs*), résidèrent au château de Pierre-de-Bresse : il semble que le château de Bissy ait été peu habité après la mort de Pontus. Converti en ferme au XIXe s., il n'a pas été modernisé depuis. Il est habité actuellement par Mme de la Poix de Fréminville, qui depuis 1951 s'est entièrement consacrée à la sauvegarde de l'édifice et à sa conservation.
Descr. : L'enceinte du château, de plan rectangulaire allongé, est percée à ses deux extrémités de portes charretières. La porte S en plein cintre est flanquée d'une tour carrée couverte en pavillon, que dessert un escalier extérieur en pierre appuyé à la muraille. Le logis, qui occupe l'angle SO et une partie du côté O, est de plan rectangulaire. Il est flanqué sur son angle NO d'une tour circulaire, sur son angle SE d'une tour barlongue pourvue d'une latrine sur consoles à sa partie supérieure, sur son angle SO d'une tour carrée et sur sa façade d'une tour d'escalier hors œuvre dans laquelle s'ouvre au rez-de-chaussée une porte à gâble en accolade. Les baies donnant vers l'extérieur sont à meneaux et croisillons, celles de la façade intérieure à simple croisillon. Les pièces, couvertes de plafonds à caissons, sont pourvues de vastes cheminées. Les communs qui s'appuyaient aux courtines ont disparu ou ont été rebâtis au XIXe s.   P.C., F.V.

Bibl. : L. Armand-Cailliat, *Le château de Thiard à Bissy-sur-Fley. Notice à l'usage des visiteurs,* sd.

Bissy-sur-Fley. Angle SO.

Blanzy
Château du Plessis

Arr. Autun, c. Montcenis, Saône-et-Loire.
A 3 km au S de Blanzy, par la RD 90 et un chemin privé au S de Montchevrier.
ISMH.
Propr. : Marquis de Barbentane.
On ne visite pas (visible de la RD 90 et de la RD 980).

Le Plessis. Vue générale.

Isolé, sur une butte dominant une série de petites vallées et l'étang du Plessis.

Hist. : En 1348, Barthelémy de Champrond vendit le château du Plessis à Girard Damas, dont la fille, Isabeau, l'apporta en dot en 1397 à Huguenin Damas de Cousan. Le fief fut saisi sur Eustache de Levis et Alix de Cousan, en 1433, au profit de Nicolas Rolin, qui le conserva jusqu'à sa mort, en 1479. La famille de Levis parvint alors à se faire restituer le Plessis, qu'elle conserva jusqu'à sa vente, entre 1738 et 1741, par Antoine de Levis à Louis Quarré, qui le céda en 1744 à son frère Blaise. Celui-ci fit bâtir le grand logis en prolongeant vers l'O les bâtiments du vieux château, transféra l'entrée principale du SO au NE et, ayant fait combler les fossés, aménagea terrasses et jardins; puis, à demi ruiné, dut vendre sa demeure, en 1770, à Jean-Pierre Deglat, trésorier de France à Lyon. La petite-fille de ce dernier épousa en 1802 Étienne Robin, marquis de Barbentane, dont descendent les propriétaires actuels. L'ensemble, restauré dans le goût gothique au XIXᵉ s. par le marquis de Beauregard, a subi de nouvelles transformations au début du XXᵉ s. : c'est alors que disparurent les bâtiments qui fermaient la cour au SE, que fut rehaussée la tour Saint-Georges et qu'une tourelle d'escalier fut accotée à la tour de la Madeleine.

Descr. : Lorsque Blaise Quarré en prit possession en 1744, le château avait conservé son aspect médiéval. C'était un rectangle irrégulier, cerné de murailles que défendaient au SO, au SE et au NE des fossés et au NO un talus. On y pénétrait au SO par une tour-porche précédée d'un pont-levis. Le logis, desservi par une tourelle d'escalier circulaire hors œuvre sur le pan, était adossé à l'extrémité N de la courtine NO, les communs à la courtine SE, que flanquaient deux tours : une tour circulaire dite tour Saint-Georges au S et une tour carrée à l'E dite tour de la Madeleine. Actuellement le château occupe toujours la même emprise, mais une seconde entrée, devenue entrée principale, a été percée dans la courtine NE. Précédée d'un enclos entouré de murailles crénelées, elle est défendue par une bretèche sur consoles à ressauts reliées entre elles par des arcs en tiers-point et flanquée, à l'angle E de l'enceinte, d'une tour carrée desservie par un escalier en vis compris dans une tourelle octogonale à cinq pans hors œuvre. L'ancienne tour-porche, qui lui fait vis-à-vis de l'autre côté de la cour, comporte quatre étages carrés et est couronnée de mâchicoulis couverts formant chemin de ronde extérieur de même type que la bretèche. Le corps de logis, de plan rectangulaire allongé, occupe le côté NO de la cour. Il comprend un rez-de-chaussée percé de baies à linteau en anse de panier, un étage carré percé de baies à

linteau en accolade et un étage de comble éclairé par des lucarnes à linteau en accolade et fronton triangulaire décoré d'un trilobe. Il est couvert d'un toit à croupes en tuiles plates, tandis que les deux pavillons renfermant des escaliers rampe sur rampe, qui flanquent les extrémités de sa façade SE, le sont de toits à quatre pans en ardoise. Une haute tour occupe l'angle S de l'enceinte : elle est de plan arrondi vers l'extérieur et à trois pans vers la cour. Couronnée de mâchicoulis sur consoles à ressauts entourant la terrasse sommitale, elle est desservie par un escalier en vis dans une tourelle en surplomb. A son angle NE, apparaissent les arrachements du flanc SE dont la disparition a permis, au début du XXᵉ s., de prolonger la cour jusqu'à la rangée d'arbres qui borde la terrasse créée au XVIIIᵉ s. D'autres terrasses règnent devant les façades NO et SO de cet ensemble.   F.V.
Bibl. : L. Laroche, « Le château du Plessis et ses anciens possesseurs », dans La Physiophile, nº 21-22, 1938.

Bonnay
Château de Besanceuil

Arr. Mâcon, c. Saint-Gengoux-le-National, Saône-et-Loire.
A 18 km au NO de Cluny, par la RD 980 et la RD 173.
Propr. : M. Guichard.
On ne visite pas.
A la lisière O du village, à flanc de pente.
Hist. : Petit fief à l'histoire assez obscure, Besanceuil appartint du XIIIᵉ s. au XVIᵉ s.

Besanceuil.
Façade vue depuis la cour des communs.

à la famille de Tenay qui y bâtit une maison forte. Par mariages il passa, en 1586, à Jean de Mincé puis, en 1645, à Jean Baptiste de Prisque dont les descendants le conservèrent jusqu'à la Révolution.
Descr. : Précédé d'une basse cour et d'une cour à laquelle on accède par une porte à piédroits et plate-bande à clef pendante en bossages en table surmontée d'un fronton, le château consiste en un corps de logis de plan rectangulaire à deux étages carrés et un demi-étage, couvert d'un toit à croupes, flanqué de tours carrées plus élevées sur ses angles NE et SO, celle de l'angle NE étant à 45°. Au centre de la façade est adossée une tour à quatre pans hors œuvre qui a conservé des baies à croisillon de pierre et linteau en accolade. Elle est couverte d'une terrasse abritée par un belvédère en charpente à toiture de tuiles.   F.V.
Bibl. : F. Perraud, Le Mâconnais historique, t. II, pp. 11-13.

Bonnay
Château de Chassignole

Arr. Mâcon, c. Saint-Gengoux-le-National, Saône-et-Loire.
A 14 km au N de Cluny, par la RD 127.
Propriété privée.
Visite non autorisée.
Isolé, au bord de la Guye.
Hist. : Possédé en 1464 par Louis de Glorienne, le fief de Chassignole fut acquis, vers 1560, par François Dormy, président au Parlement de Paris. Son fils, Pierre Dormy, le vendit en 1592 à Robert de Belleperche dont les descendants en restèrent maîtres jusqu'en 1777, date à laquelle il échut à Louis-Hugues de La Porte, seigneur de Saint-Nizier-d'Azergues. Le château, sans doute bâti au XVᵉ s. et remanié à la fin du XVIIᵉ s., a été entièrement restauré au XIXᵉ s.

Descr. : C'est un bâtiment de plan presque carré à un sous-sol, un rez-de-chaussée surélevé, un étage carré et un étage de comble flanqué sur deux de ses angles de tours circulaires, sur le troisième d'une grosse tour carrée à trois étages, accostée d'une tourelle également carrée et, sur son quatrième angle, d'une petite tour dans œuvre coiffée d'un dôme carré. Les bases des tours sont talutées, leurs toitures à égouts retroussés reposent sur des corniches à gros modillons. Construite sur un niveau de soubasse-

Le Vignault. Façade O et terrasse.

ment, une galerie à arcades en arcs segmentaires retombant sur des piles toscanes relie l'une des tours rondes à la tour carrée. Elle supporte une terrasse à balustrade qui règne au niveau de l'étage.

F.V.

Bibl. : F. Perraud, *Le Mâconnais historique,* pp. 40-43.

Bourbon-Lancy
Château du Vignault

Arr. Charolles, Saône-et-Loire.
Au S de Bourbon-Lancy, par la RD 979 et un chemin privé.
ISMH.
Propr. : M. E.-M. Puzenat.
On ne visite pas.
Isolé, à flanc de pente.
Hist. : L'existence d'une maison forte au Vignault est attestée dès le XIIIe s. Alors propriété d'Anceau li Orgens, on la retrouve en 1474 entre les mains de Guichard Breschard, avant qu'elle n'échoit à la famille d'Ambly. En 1578, terre et château furent vendus à Denis de Gévaudan, bailli, quelques années plus tard, de Bourbon-Lancy. Son neveu, Jean Boullery, céda le tout en 1640 à Nazaire Challemoux. En 1756, Marguerite-Charlotte de Challemoux apporta Le Vignault en dot à Jean-Baptiste de Folin, président à la Cour des comptes de Dole; tous deux firent abattre l'ancien château et confièrent à l'architecte Guizot, qui avait été l'un des entrepreneurs du château de Saint-Aubin-sur-Loire, la construction d'une demeure dont les plans sont attribués à Edme Verniquet. Aliéné comme bien national durant leur émigration, le domaine changea plusieurs fois de propriétaires avant d'être acquis en 1930 par M. Claude Puzenat qui remit en état le château et ses abords.
Descr. : Une terrasse, précédée à l'O par un canal qu'enjambe un pont de pierre à

27

deux arches, s'étend devant la façade principale du château. Celui-ci consiste en un corps de logis de plan rectangulaire comprenant un rez-de-chaussée, un étage carré et un étage de comble éclairé par des œils-de-bœuf, sous un toit à croupes en ardoises. Au centre de la façade occidentale, se détache un avant-corps de trois travées, percé au rez-de-chaussée de trois portes-fenêtres en plein cintre et à l'étage de trois portes-fenêtres rectangulaires donnant sur un balcon de pierre sur consoles cannelées à appui-corps en fer forgé. Cet avant-corps est couronné d'un fronton. Celui de la façade orientale est d'une seule travée à peine dégagée de l'alignement de celle-ci. Une porte en plein cintre s'ouvre au rez-de-chaussée dans une embrasure rectangulaire; une lucarne à ailerons en plein cintre le couronne. Un petit bâtiment carré, dont la façade est surmontée d'un grand fronton, est adossé au pignon N. Un bandeau plat, régnant avec le sol de l'étage, ceinture tout l'édifice. Le dallage rouge et blanc du vestibule et de la salle à manger provient d'un hôtel particulier de Neuilly; les boiseries des différentes pièces ont été exécutées par un ébéniste parisien et la rampe en fer forgé de l'escalier tournant à trois volées droites par un artisan local en 1931-1932. Les taques des cheminées du salon et de la salle à manger sont aux armes des Folin et des Challemoux; ce sont les seuls éléments encore en place du décor original.   F.V.

Bourgvilain
Château de Corcelle
Arr. Mâcon, c. Tramayes, Saône-et-Loire. A 8 km au S de Cluny, par la RD 22 et la RD 212.
ISMH.
Propr. : M. Martinod.
On ne visite pas.
Isolé, sur un petit plateau dominant la vallée de la Valouze.

Hist. : Les plus anciens seigneurs connus de Corcelle, dont le nom apparaît dès le IXe s., sont les Verrey qui possédèrent ce fief du XIVe au début du XVIe s. Vers 1520, il passa à Philibert de Busseul de Saint-Sernin dont les descendants le conservèrent un peu plus d'un siècle, jusqu'à sa vente à Laurent de Laube en 1642. Par mariage, il échut en 1780 à Louis de Leusse, qui fut décapité à Lyon

Corcelle. Tour d'angle et logis principal.

en 1794. Sa veuve, Jeanne-Antoinette de Laube, vendit Corcelle peu après aux frères Martinot.
Descr. : De plans et d'élévations divers, les bâtiments du château s'ordonnent autour d'une cour intérieure rectangulaire et sont reliés entre eux par des éléments de courtines; ils sont ceints sur trois côtés de fossés en partie comblés. Le quadrilatère qu'ils forment est flanqué de tours rondes sur ses angles NE et SO. Appuyé à la courtine orientale le corps de logis principal, couvert d'une haute toiture débordante à croupes, est flanqué sur sa façade E, donnant sur la basse cour, d'un petit corps de bâtiment rectangulaire sous lequel s'ouvre un passage en plein cintre donnant accès à une cave. On accède à la basse cour par une porte charretière en plein cintre accostée d'une porte piétonne en anse de panier que protège un auvent à quatre pans. L'ensemble paraît dater de la fin du XVe s.   F.V.
Bibl. : R. Oursel, *Inventaire départ... Cant. de Tramayes,* Mâcon, 1974, pp. 18-20; F. Perraud, *Les environs de Mâcon,* 1912, pp. 188-204.

La Bouthière (château de)
Voir Saint-Léger-sous-Beuvray.

Bouttavant (château de)
Voir Cortambert.

Boyer
Château de l'Arvolot
Arr. Chalon-sur-Saône, c. Sennecey-le-Grand, Saône-et-Loire.

A 7 km au N de Tournus, par la RN 6 et un VO vers le NE.
Propr. : M. H. de Divonne.
On ne visite pas.
Isolé, sur une terrasse dominant la Saône.
Hist. : Fief du chapitre Saint-Vincent de Chalon, l'Arvolot fut aliéné, vraisemblablement à la fin du XVIᵉ s., à la famille de Grenelle de Pymont. Par mariage il passa en 1666 à Jean-Baptiste Larme, puis en 1719 il échut à Antoine Chapuys, de Tournus, dont descend le propriétaire actuel. L'habitation, dont le décor intérieur de boiseries est dû à l'initiative de l'abbé Jean Ducret, fut transformé vers 1810. En 1842 le baron Ducret de Lange bâtit en retour d'équerre de celle-ci, face au parc, un logis d'élévation différente. L'ensemble fut complété vers 1869 par une chapelle dont une ancienne tour ronde devint le clocher. Cette chapelle a été récemment reconstruite.
Descr. : Le château est de plan en L. Il est formé d'un corps principal à un étage carré, que précède un degré de quelques marches qui règne tout au long de sa façade principale et d'une aile en retour d'équerre sur sa façade arrière qui comprend un étage carré et un demi-étage. Des bandeaux règnent avec le sol des étages, un entablement couronne les façades et dissimule des toits très plats. Divers communs occupent l'angle formé par ces deux bâtiments. Face à l'aile de 1810 se trouve une construction rectangulaire à un étage carré dont les murs sont légèrement talutés à leur base. Elle est percée d'une porte en plein cintre à encadrement en bossage rustique que surmontent, au-dessus d'armoiries ecclésiastiques martelées, les consoles à ressauts d'une bretèche.   F.V.
Bibl. : M. Rebouillat, *Le canton de Sennecey-le-Grand*, 1972, pp. 21-22.

Boyer
Château de Pymont

Arr. Chalon-sur-Saône, c. Sennecey-Grand, Saône-et-Loire.
A 6 km au N de Tournus, par la RN 6.
Propr. : M. de Goussencourt.
On ne visite pas.
Isolé au pied du Mouron, au bord de la Natouse.
Hist. : Des fouilles ont permis de reconnaître les fossés du château primitif que tinrent successivement les Vienne. Humbert Lapyat en 1515, Jeanne de Verjus, qui le porta par mariage en 1530 à Philibert Quarré, et l'avocat mâconnais Jean Pelez. Il fut rebâti au XVIIᵉ s. par la famille de Grenelle qui l'acquit à la fin du XVIᵉ s. et le conserva jusqu'à ce que Jeanne de Grenelle le reçoive en dot lors de son union avec Antoine Aubel de la Genète en 1741. Vers 1870 leur petit-fils, ami de Lamartine, y ajouta une aile de style néo-gothique et en aménagea le parc dans lequel coule la Natouse. Puis le château échut à la famille de Rivérieulx de Varax, Marie-Suzanne Aubel ayant épousé en 1863 Marie-Jules de Rivérieulx de Varax.
Descr. : Le château est constitué de deux bâtiments en retour d'équerre. A l'O le corps de logis du XVIIᵉ s. est formé d'un corps central à un étage carré et un étage de comble, couvert d'un toit à croupes percé de lucarnes à frontons triangulaires et cintrés, entre deux pavillons d'inégale hauteur. Le pavillon N comprend un étage carré et un demi-étage, le pavillon S deux étages carrés séparés par un bandeau, disposition qui, de même que les baies à linteau en arc segmentaire, semble résulter de remaniements effectués au XVIIIᵉ s ou au XIXᵉ s. L'aile S, construite dans l'alignement de la façade S de ce pavillon, est de même élévation que lui. Elle est comprise entre deux tours plus hautes d'un demi-étage, l'une ronde, l'autre polygonale. Percée de baies à linteaux en accolade, elle est précédée d'un perron de pierre qui dessert le premier étage.   F.V.
Bibl. : M. Rebouillat, *Le canton de Sennecey-le-Grand*, 1972, p. 22-24; J. Martin, J. Meurgey, *Armorial du pays de Tournus*. 1920, p. 341.

Boyer
Château de Venière

Arr. Chalon-sur-Saône, c. Sennecey-Grand, Saône-et-Loire.
A 5 km au N de Tournus, par la RN 6.
Propr. : M. des Boscs. On ne visite pas.
Sur une terrasse dominant la Saône, en bordure du hameau de Venière.
Hist. : Possession en 1408 d'Étienne de Champrond, le fief de Venière appartint au XVᵉ s. à la famille de Boyer. Il échut par alliance en 1568 aux Galland, qui le conservèrent jusqu'au début du XVIIIᵉ s. Un nouveau château fut bâti par eux au XVIIᵉ s. : il était flanqué de pavillons de diverses hauteurs couverts de toits aigus et entouré de vastes jardins à la française. Il fut cédé comme bien national à un nommé Passaut dont les héritiers le

Venière. Façade sur le parc.

revendirent à Claude-Jules-Émile Defranc. Celui-ci le démolit et édifia vers 1880 une nouvelle demeure. Elle passa par mariage en 1895 à la famille de Froissard de Broissia.

Descr. : Le corps principal, de plan rectangulaire, comprend un sous-sol, un rez-de-chaussée surélevé, un étage carré et un étage de comble sous une toiture à croupes. Les deux tours rondes qui en flanquent les façades latérales sont plus élevées d'un demi-étage, mais dépourvues d'étage de comble. Elles sont coiffées de hautes toitures coniques. Des chaînes en bossage en table soulignent les angles du bâtiment et de l'avant-corps central d'une travée que couronne, entre deux boules d'amortissement, une lucarne sculptée. Les fenêtres du rez-de-chaussée sont munies de balustrades. Un escalier de pierre en fer à cheval précède l'avant-corps central. Dans la salle à manger de style néo-Renaissance on a remonté une cheminée de l'ancien château.   F.V.

Bibl. : M. Rebouillat, *Le canton de Sennecey*, 1972, pp. 20-21; J. Martin, J. Meurgey, *Armorial du pays de Tournus*, 1920, p. 356.

Brancion (château de)

Voir Martailly-lès-Brancion.

Brandon (château de)

Voir Saint-Pierre-de-Varennes.

Bresse-sur-Grosne

Arr. Chalon-sur-Saône, c. Sennecey-le-Grand, Saône-et-Loire.
A environ 15 km à l'O de Sennecey-le-Grand par la RD 67.
Propr. : M. et Mme de Murard.
On ne visite pas.
A l'E du village.

Hist. : L'origine du château est inconnue, mais une bulle du pape Alexandre III datée de 1180 en fait déjà mention. Au XIIe s., il appartient à une famille seigneuriale du nom de Brecis (ou Bressis) puis passe par mariage vers 1450 à la famille Palatin de Dyo, puissante maison du Charolais qui devait conserver le château et la terre jusqu'en 1769 avec une interruption de soixante-douze ans. En effet, en 1617, la propriété est vendue à *réméré* aux moines de l'abbaye cistercienne voisine de la Ferté. Mais en 1689, la famille Palatin de Dyo en demande l'annulation et récupère sa propriété. Passé par mariage aux Cambis, originaires de Provence, le domaine est vendu en 1769 à Philibert Chiquet, bourgeois de Chalon. Il le lègue à sa petite-nièce Claudine-Marguerite en 1799 qui par mariage avec Benoît-Rose l'apporte à la famille de Murard à laquelle il appartient encore. La restauration entreprise vers 1870 est confiée à Sanson, architecte parisien qui élève plus tard le château de Rochefort en Côte-d'Or.

Descr. : Le château est composé d'un corps central et de deux ailes en retour, un quatrième bâtiment ayant été abattu au S afin de former une cour ouverte sur le parc. Un fossé, visible en partie, ceignait l'ensemble. L'aile la plus importante, à l'E, comprend le donjon, l'entrée à pont-levis et un prolongement au S ajouté au XIXᵉ s. Le donjon semble dater du XIVᵉ s. à en juger par les deux baies non remaniées qui subsistent sur sa façade occidentale. Une tourelle comprenant un escalier en vis lui est accolée. On remarque encore dans le bureau, refait au XIXᵉ s., une cheminée du XVᵉ s. Faisant suite au donjon, le corps de bâtiment central de plan en courbe, élevé sur deux niveaux principaux, a été remanié au XIXᵉ s. en style néo-Renaissance. Sur la façade N une tourelle a été accolée à droite par souci de symétrie, mais de plan octogonal. L'aile O comprend deux parties : la plus ancienne, se trouvant isolée du château par suite de la démolition de bâtiments vétustes, y fut reliée au XIXᵉ s. par un corps de bâtiment au décor néo-Renaissance à l'extérieur et de style Louis XIII à l'intérieur. Une tour ronde placée à l'angle NO, datant de la construction initiale du château, a été surélevée d'une sorte de tour en pierre de plan carré (à l'imitation d'une tour située à Chapaize). La chapelle du XIIᵉ s. a été amputée de sa nef et restaurée vers 1860 dans un style néo-lombard. Ce qui en subsiste se compose de la croisée du transept, surmontée d'une tour-clocher à deux niveaux sur coupole à trompes — cette tour est percée de baies géminées en plein cintre et ornée de lésènes et arcatures —, de deux bras de transept, d'une travée de chœur voûtée d'ogives. L'ornementation intérieure et extérieure, les vitraux (de Didron) ont été rapportés ainsi que le porche et l'abside semi-circulaire. Cette chapelle servait d'église paroissiale au village qui s'étendait au pied du château. Le village fut démoli après rachats successifs au cours du XIXᵉ s. et reconstruit à son emplacement actuel afin de laisser place au parc. Une seule maison datée de 1509 subsiste. Elle a été intégrée dans les bâtiments d'une ferme modèle construite au siècle dernier. On y trouve hangars, étables, chenil, grange et habitation destinés au service du château. Au levant, s'étendent d'importantes dépendances à usage vinicole construites au XVIIᵉ s. par les moines de la Ferté. Les bâtiments s'ordonnent autour d'une cour quadrangulaire ouverte du côté du château. Au rez-de-chaussée sont l'orangerie et les caves, au premier niveau, le *tinaillier* ou chai, où se trouvent cuves et pressoirs. Les chars de vendange y avaient accès par deux rampes : l'une située dans la cour, l'autre sur la face externe S. Les toits à croupe, très pentus, sont ornés de lucarnes à frontons semi-circulaires alternant avec des œils-de-bœuf. Dans le parc, subsistent les restes d'une glacière ainsi qu'un pigeonnier. Une maison de gardien bâtie en 1891 en style Tudor, un lavoir le long de la route bordant le parc, bâti dans le goût mauresque, complètent cet ensemble éclectique.   P.C.

Bibl. : L. Niépce, *Histoire du canton de Sennecey-le-Grand*, Lyon, 1875, t. I, p. 430.

Breuil (château du)

Voir Gueugnon.

Le Breuil

Arr. Autun, c. Le Creusot-Est, Saône-et-Loire.
A 5 km à l'E du Creusot, par la RD 290.
Propr. : Scouts de France.
Accès possible au parc.
A la lisière S du village, à proximité de l'église, sur une plate-forme dominant l'étang de Torcy.
Hist. : La terre du Breuil a été possédée

Bresse-sur-Grosne. Donjon.

Montjeu. Château, communs et jardins vers 1835.

successivement par Guinard de Thélis en 1365, Guy de Rochefort en 1371, les Chargères qui prirent le titre de marquis du Breuil au xvᵉ s., les Baudinot de 1569 à l'extinction de la famille, en 1718, en la personne de Claude-Palamède Baudinot, capitaine de la grande fauconnerie de France. La fille unique de ce dernier épousa peu après Abraham de Thélis, dont le petit-fils, Antoine-Palamède, restaura le château en 1779 et fut l'un des promoteurs du canal du Centre avant d'émigrer en 1793. Le Breuil fut racheté par son neveu, le comte de Genest de Saint-Didier, auquel succéda la famille Lhuillier d'Orcières jusqu'à l'achat, en 1910, par la famille Schneider. Le château abrite, depuis 1931, un centre de formation des scouts de France.

Descr. : C'est un bâtiment de plan rectangulaire à un sous-sol, un rez-de-chaussée surélevé, un étage carré et un étage de comble, flanqué à son extrémité NO d'une aile, plus haute d'un demi-étage, en légère avancée sur ses deux façades. Les toits à croupes sont en tuiles plates. Au centre de chacune des façades principales, se détache un avant-corps d'une travée. Celui du NE est percé au rez-de-chaussée d'une porte inscrite entre deux pilastres ioniques portant un fronton cintré et couronné d'un fronton triangulaire avec oculus, tandis que celui du SO est percé d'une porte entre deux pilastres toscans portant un fronton triangulaire et est couronné d'un fronton cintré avec oculus. Un degré droit, datant manifestement du xixᵉ s., dessert la porte NE, mais celle du SO donne sur le vide, le pont qui franchissait le fossé, maintenu de ce côté, ayant disparu. Le décor est complété par des chaînes d'angle en bossage en table et les bandeaux qui règnent avec la base des hautes baies rectangulaires. Un parc boisé l'entoure, à l'entrée duquel sont situés des communs en appareil à pans de bois comportant un portique à colonnes de pierre portant une galerie à colonnes de bois.   F.V.

Brion
Château du Pignon blanc

Arr. Autun, c. Mesvres, Saône-et-Loire.
A 6 km au SO d'Autun, par la RD 16 et la RD 222.
Propr. : M. de Brabois.
On ne visite pas.

Isolé sur les pentes de la montagne d'Autun qui s'abaissent vers la vallée de l'Arroux.

Hist. : Le domaine du Pignon blanc paraît avoir été constitué par la famille Roux; le château actuel fut bâti soit par Pierre Roux, lieutenant en la maîtrise d'Autun, soit par son cousin Albert Nivier, *piqueur au second vol pour milan de la grande fauconnerie de Sa Majesté,* qui avait acquis le domaine en 1767. A sa mort, celui-ci revint à Lazare Roux de Bellerue, puis à la famille de Fussey qui le conserva jusqu'en 1877. Malgré de nombreuses mutations successives jusqu'à M. de Brabois, le château a conservé intacts son aspect et son unité.

Descr. : La simplicité du style caractérise ce petit château qui se compose d'un corps de logis encadré de deux ailes peu saillantes. Les encadrements des fenêtres rectangulaires et les angles de la construction sont en pierre des carrières de La Roche-Mouron. Un bandeau qui règne sur toute la façade sépare le rez-de-chaussée du premier étage. Des lucarnes flanquées d'ailerons s'ouvrent dans le toit de petites tuiles. Au centre du logis la porte rectangulaire est encadrée de moulures. Un portail donne accès à la cour bordée de chaque côté par des communs dont les portes cintrées ont remplacé des ouvertures rectangulaires. »

M.R.

Broye
Château de Montjeu

Arr. Autun, c. Mesvres, Saône-et-Loire.
A 7 km au S d'Autun, par la RD 256 et un chemin privé.
Monument historique et ISMH.
Propr. : Docteur Manchot.
On ne visite pas.

Château isolé dans un immense parc occupé par une forêt, des étangs et les jardins, sur la montagne qui domine Autun. Le président Jeannin aurait répondu à ceux qui s'étonnaient de le voir construire son château dans ce site désert : « Je serai toujours assez loin des méchants, et mes amis sauront bien me trouver. »

Hist. : Les familles de Riveau, puis d'Ostun furent seigneurs de Montjeu au Moyen Age. En 1586, Montjeu fut acquis par l'Autunois Pierre Jeannin, président au Parlement de Dijon, conseiller d'Henri IV, puis surintendant des Finances sous la minorité de Louis XIII. Il entreprit en 1606 le château, dont les travaux étaient assez avancés en 1611 comme en témoigne un dessin d'Etienne Martellange, et les vastes communs au N. Après la mort du président Jeannin (1623) son gendre Pierre de Castille fit construire les grands escaliers du parc et exécuter le décor de la chapelle, puis son petit-fils Nicolas Jeannin de Castille

Maréchal de Richelieu par Louis Tocqué.

(† 1691) bâtit les communs au S du château sur le même modèle qu'au N et réalisa les jardins à la française. En 1734, Voltaire assista dans la chapelle au mariage d'une fille du prince de Guise avec le maréchal de Richelieu. En 1735, un incendie endommagea le corps de logis central. En 1749, Montjeu fut acquis par la veuve du président d'Aligre qui remplaça les ponts-levis devant et derrière le château par des ponts dormants et supprima le mur percé d'un portail monumental qui fermait la cour. Le domaine passa à son petit-fils, Le Peletier de Saint-Fargeau, puis un mariage l'apporta aux Talleyrand-Périgord. En 1893 il échut à la princesse de Ligne. Le docteur Manchot, actuel propriétaire, a fait réparer le château après l'incendie de novembre 1963 qui avait détruit tout l'intérieur du corps de logis central, en particulier la galerie du premier étage, et endommagé l'aile N.

Descr. : Le château se compose d'un corps de logis encadré de deux ailes en retour d'équerre flanquées aux angles de quatre pavillons carrés coiffés de lanternons. La construction est d'une grande unité : des pierres appareillées marquent les angles des bâtiments et l'encadrement des fenêtres qui sont surmontées de frontons alternativement arrondis et triangulaires. Une porte encadrée de bossages et surmontée d'un fronton brisé ouvre sur la cour au centre du logis. Des lucarnes à fronton éclairent les combles. Des fossés autour du château et des canonnières dans les pavillons de chaque côté de l'entrée sont seuls à évoquer des éléments de défense. Dans l'aile S se trouve la chapelle revêtue de boiseries et ornée de peintures. Au N les communs forment un ensemble imposant autour d'une cour, avec portail, abreuvoir monumental et pigeonnier. Vers l'E, devant le château, au pied du rond-point d'où descendent deux degrés latéraux, une allée d'axe divise les parterres et aboutit à un bassin rond qui domine un vaste horizon de bois et de montagnes. Les parterres forment des compartiments de broderies avec des bassins, dominés de chaque côté par des terrasses plantées d'arbres en quinconce. A l'O du château, un parterre, avec bassin au centre, flanqué de salles de verdure forme un jardin fermé par une grille.   M.R.

Bibl. : E. de Ganay, « Le château et les jardins de Montjeu », dans *Revue de l'art ancien et moderne,* t. 47, 1925, pp. 197-203.

Buffières (château de)

Voir Montbellet.

Burnand. Façade d'entrée et corps de logis vers 1835.

Burnand

Arr. Mâcon, c. Saint-Gengoux-le-National, Saône-et-Loire.
A 20 km au N de Cluny, par la RD 244.
Propr. : Vicomtesse G. de La Vernette Saint-Maurice.
On ne visite pas.
A la lisière O du village, à flanc de pente.

Hist. : L'obscurité la plus totale règne sur l'histoire de Burnand antérieurement à 1525, date à laquelle Philibert Cajod, qui appartenait à une famille de militaires qui devaient se distinguer au service des Saulx-Tavannes, acquit des éléments dispersés de la seigneurie. En 1642, Charlotte de Brie, veuve de Philibert III Cajot, fit don du château aux augustins déchaussés qui y établirent un prieuré, lequel n'abrita jamais plus de quatre ou cinq religieux. En 1791, il fut vendu au citoyen Monmessin. En 1865, il était entre les mains de M. de La Vernette Saint-Maurice qui le restaura en utilisant des matériaux prélevés au château de La Serrée.

Descr. : Bâti au XVe s. sans doute, modifié au XVIIe s. et rénové en 1865, le château est bâti sur une terrasse rectangulaire en partie artificielle. Vers 1835, il comprenait deux bâtiments en équerre à deux étages carrés et un étage de comble, sous un toit à croupes, flanqués de tours rondes d'inégale hauteur. Dans l'angle qu'ils formaient, s'élevait une haute tourelle d'escalier dont le toit conique dominait tout l'ensemble. Au N s'étendait une cour close de murailles couronnées d'un chemin de ronde couvert dans laquelle on pénétrait, au SE, par une porte charretière à arc surbaissé, surmontée de mâchicoulis sur consoles à ressauts dont le parapet était percé d'archères. Les travaux de 1865 ont multiplié les baies à meneaux et croisillons, les lucarnes couronnées de pinacles et les tourelles en surplomb, ajouté une tourelle carrée, modifié la disposition des toits, désormais couverts de tuiles multicolores, et fait disparaître le chemin de ronde et ce qui restait de la courtine NE. F.V.

Bussières
Château des Esserteaux

Arr. Mâcon, c. Mâcon-Sud, Saône-et-Loire.
A 10 km à l'O de Mâcon, par la RD 45 et un chemin rural au S de Bussières.

Les Esserteaux.
Portail, décor en bossage un sur deux.

Propr. : M. Prunier.
On ne visite pas.
Isolé, sur une butte entre deux vallons.

Hist. : Il y avait aux Esserteaux, en 1368, une tour entourée de murailles. Elle était tenue par un damoiseau nommé Bechet. En 1423, Étienne de Franc, garde de la porte de La Barre à Mâcon, l'acheta avec la dot de sa femme, Jeanne de Lugny. Les de Franc conservèrent les Esserteaux jusqu'en 1677, date à laquelle le fief fut vendu aux Noblet d'Anglure qui en furent propriétaires jusqu'à la Révolution. Dévasté en juillet 1789, le château fut mis en vente à diverses reprises et enfin acquis en 1842 par le docteur Philibert dont descend le propriétaire actuel.

Descr. : C'est un bâtiment de plan rectangulaire formé de quatre corps entourant une cour. Trois des angles extérieurs sont flanqués de tours rondes aveugles à bases légèrement talutées, pourvues de meurtrières, les vestiges d'une construction carrée, qui fut peut-être un donjon, en occupant l'angle SO. Le portail d'entrée s'ouvre au milieu du flanc oriental : il est constitué d'une porte charretière accostée d'une porte piétonne, toutes deux en plein cintre à encadrement à claveaux passants en bossages un sur deux. Au-dessus de chacune d'elle règne une frise sculptée de trophées, de combats, de pièces d'équipement militaire et de feuilles d'acanthe. Ce décor est complété par un cartouche aux armes des de Franc et des Lugny, ce qui autorise à dater l'ensemble de 1570 environ. A l'exception du tinailler, à droite du

La Vesvre. Façade E.

portail, les bâtiments qui entourent la cour ont subi au XIXᵉ s. d'importants remaniements qui ont toutefois laissé subsister dans les communs, qui forment l'aile S, deux petites portes en plein cintre de même type que les portes d'entrée. Les toitures sont basses et couvertes de tuiles creuses à l'exception de celle du corps de bâtiment qui occupe l'angle NE, laquelle est aiguë, à quatre pans, et faite de tuiles plates. Au-delà du flanc N, percé de nombreuses ouvertures éclairant les logis à un seul étage qui s'y adossent, s'allonge une terrasse, portant un jardin à la française, dont les angles N sont occupés par deux petites charmilles, de part et d'autre d'un escalier à double volée à montées convergentes. Sa création semble remonter au XVIIᵉ s.   F.V.

La Celle-en-Morvan
Château de La Vesvre

Arr. Autun, c. Lucenay-l'Evêque, Saône-et-Loire.
A 12 km d'Autun, par la RD 978.
Propr. : M. de Viéville.
On ne visite pas.
Dans la vallée de la Selle.
Hist. : La maison forte de La Vesvre est occupée en mai 1364 par les routiers dont le capitaine Perrot Callain, en principe subordonné à Arnaud de Cervolle, refuse d'évacuer le château; les compagnies pillent les environs, occupent temporairement Chissey, menacent Autun. Leur départ est obtenu par le paiement de 2 500 francs d'or et, à la demande des habitants, le duc de Bourgogne Philippe le Hardi ordonne la destruction du château le 28 juin 1365. A la fin du XVᵉ s., la terre de La Vesvre appartient à la famille de Ganay, en 1584 à Claude de Fougère. Le château avait été reconstruit et comportait alors : *une maison forte, fossoyée à l'entour, garnie de deux corps de logis, cinq tours flanquantes l'une à l'autre avec un pont-levis,* mais il fut pris et incendié *pendant les guerres civilles.* Vers 1627, La Vesvre passe à la famille de Choiseul-Traves, qui sans doute fit construire le château actuel. En 1926, des travaux en ont modifié l'aspect.

Descr. : Des constructions médiévales il ne subsiste que deux tours rondes isolées au N du château actuel. Celui-ci est qualifié par Courtépée vers 1770 de *château à la moderne.* Vers l'E, le logis a subi des modifications en 1926 : les portes ont été refaites ainsi que les fenêtres séparées par de petites niches circulaires. La façade est encadrée d'ailes peu saillantes et précédée de chaque côté d'un petit pavillon de plan arrondi formant terrasse dont les angles sont décorés de refends et surmontés d'une boule. La façade orientée vers le S, dont la partie centrale est limitée par des refends et couronnée d'un fronton triangulaire, appartient aux travaux de 1926. Vers l'O un corps de logis central et deux ailes perpendiculaires forment la façade qui domine la rivière. On accède au rez-de-chaussée, surélevé en raison de la pente du terrain, par un escalier de pierre dont les rampes sont parallèles à la façade; les portes cintrées et la niche qui les sépare ont été refaites en 1926. Les lucarnes sont surmontées d'un fronton triangulaire. La façade du château est précédée d'une terrasse qui domine une vaste cour fermée par une grille et encadrée par les bâtiments des communs. Un petit jardin à la française se trouve devant la façade S. Vers l'O le château domine la rivière toute proche : d'étroites terrasses, où buis taillés et ifs dessinent de petits parterres ordonnés autour d'une vasque, amènent jusqu'au bord de l'eau.   M.R

Chaintré (château de)

Voir Crèches-sur-Saône.

Chamilly

Arr. Chalon-sur-Saône, c. Chagny, Saône-et-Loire.
A 10 km au SO de Chagny, par la RD 109.
Propr. : M. Desfontaines.
On ne visite pas (visible de la route).
A 200 m au N du village de Chamilly, sur la route qui suit l'étroite vallée reliant Chagny à Aluze.

Chamilly. Bâtiment avec décor de chaînes et jambes harpées.

Hist. : Dès le début du XIIe s., il y eut des sires de Chamilly. Ils habitaient peut-être un premier château en haut du site appelé *La Garenne,* à 1,5 km du village, où l'on a retrouvé la trace de constructions très anciennes, mais l'existence d'une maison forte, cernée de fossés, qui semble bien être le château actuel, est attestée dès la fin du XIIIe s. Des Chamilly elle passa à Jean de Savianges en 1388, à Pierre de Semur vers 1400, puis à Jean Petitjean vers 1440, pour finalement échoir aux Moroges vers 1500. En 1543, Claudine de Moroges, par son mariage avec Jacques Bouton, apporta la seigneurie de Chamilly à cette famille. Leur petit-fils, Nicolas Bouton, seigneur de Chamilly, baron et seigneur de Montaigu, défendit Stenay pendant quarante-cinq jours et devint maréchal de camp. En récompense de ses services, Louis XIV érigea en 1644, la terre de Chamilly en comté. Nicolas mourut en 1662 et fut inhumé en l'église du village. Hérard Bouton qui lui succéda dans le comté, suivit le duc d'Enghien en Espagne où il combattait contre la France, fut amnistié par Louis XIV après la paix des Pyrénées, devint maréchal de camp et gouverneur du château de Dijon, alors que Condé était nommé gouverneur de Bourgogne. Il mourut pendant la campagne de Hollande en 1672 et, comme son père, fut enterré à Chamilly. Il était frère de Noël Bouton, l'auteur des *Lettres à une religieuse portugaise.* Le comté de Chamilly passa à leur neveu, Louis-François Bouton, qui devint lui aussi maréchal de camp. Par sa petite-fille Suzanne Martel, il revint à Armand-Joseph de Béthune, duc de Charost, qui fit la reprise du fief de Chamilly en 1776. Leur fils et héritier, mort sur l'échafaud en 1794, fut le dernier seigneur de Chamilly.

Descr. : Le corps de logis principal occupe le côté N d'une grande cour entourée sur ses autres côtés de bâtiments agricoles. Il comprend sur la gauche une tour arrondie assez basse protégeant une porte cochère et une porte piétonne surmontées des fentes des anciens ponts-levis, d'une baie en arc brisé au niveau du second étage carré et, au niveau de la corniche du toit, d'un mâchicoulis couvert à parapet sur arc en anse de panier, dispositif qui offre beaucoup d'analogie avec ce qui existe à Sercy et doit dater du XIVe s. A ces éléments du château primitif, Hérard Bouton a accolé un bâtiment de style classique comportant, sur un niveau de soubassement, un rez-de-chaussée surélevé et un étage carré, puis un autre bâtiment en retour d'équerre de même élévation mais curieusement couvert de deux toits en pavillon. Il prévoyait sans doute un ensemble plus complet qui ne fut pas achevé. Deux bandeaux de pierre règnent sur les façades du nouvel édifice au niveau du premier étage et sous le toit. Les chaînages d'angle sont harpés et les fenêtres sont reliées entre elles par des jambes également harpées montant de fond. Des tables décorent les vides des travées ainsi délimitées. Dans la toiture, au-dessus de chacune de celles-ci, est percée une lucarne à fronton.   P.C.

Bibl. : H. de Chizelle, « Chamilly et les seigneurs de la maison de Semur-en-Brionnais », dans *Mém. de la Soc. d'histoire et d'archéologie de Chalon-sur-Saône,* t. XLI, 1972, pp. 39-47.

Champforgueil

Arr. Chalon-sur-Saône, c. Chalon-sur-Saône — périphérie, Saône-et-Loire.
Propr. : Mme Joseph Piffaut.
Visite de la cour sur demande.
Dans le village, sur la place, à proximité de l'église paroissiale.
Hist. : L'histoire du château de Champforgueil est à peu près inconnue : on sait seulement qu'il appartint aux évêques de Chalon depuis sa construction jusqu'à la Révolution. Il est fait mention du château pour la première fois en 1268 : Hugues IV, duc de Bourgogne, fait alors hommage à l'évêque Guy de Sennecey pour ce qu'il possédait dans la ville de Chalon *et pour tout ce qu'il devait posséder relevant de l'évêché de Chalon.* Cette prestation d'hommage était représentée dans la chapelle du château de Champforgueil *en une table de pierre fixée au mur de la chapelle.* La chapelle a disparu et il est bien difficile de la localiser. Il existe cependant un long inventaire du château, daté du 7 mai 1598, établi à la demande de Mgr Cyrus de Thiard, évêque de Chalon, après son pillage et sa dévastation pendant les guerres de la Ligue. Des cinq tours qui y sont signalées, du donjon et des autres bâtiments, il ne reste plus aujourd'hui qu'une tour-porche et un seul corps de logis. Après la Révolution, le château appartint aux Musy de 1791 à 1894, puis jusqu'en 1890 aux Monnier. Depuis 1909 il est la propriété de la famille Piffaut.
Descr. : On entre encore dans la cour du château par la tour-porche signalée dans l'inventaire de 1598. C'est une massive construction carrée, percée seulement vers l'extérieur d'une archère et d'une fenêtre haute. Mais le pont enjambant les douves, qu'on voit sur la gravure de Jules Chevrier et qui remplaçait sans doute un ancien pont-levis, a disparu et les douves ont été comblées. A cette tour-porche sont accolés, sur l'angle postérieur gauche, une étroite tour circulaire qui n'est peut-être pas très ancienne, puis le pignon d'un long bâtiment rectangulaire. C'est ce bâtiment qu'on retrouve en pénétrant dans la cour; il est orienté NS et orné de plusieurs fenêtres à croisillons et de plaques de pierre armoriées, le tout très rénové. Ce grand logis, de plan rectangulaire, à un rez-de-chaussée et un étage carré, couvert de toits à deux versants, se prolonge jusqu'à une terrasse surplombant l'ancien verger. C'est sans doute à l'emplacement de cette terrasse que se situait le donjon, complètement disparu, mais dont on retrouve en sous-sol des murs de fondation, avec de grandes caves et un puits. Au siècle dernier, M. Monnier fit exécuter des travaux très onéreux qui comprirent peut-être, dans la cour, les belles fenêtres à meneaux, les armoiries d'évêques (les Poupet) et celles de sa propre famille (le globe et les soucis) qu'on aperçoit sous la corniche où s'appuie la toiture.   P.C.

Champignolle (château de)

Voir La Tagnière.

Champlecy
Château de Vieux-Château

Arr. et c. Charolles, Saône-et-Loire.
A 5 km au N de Charolles, par la RD 25 et un chemin à partir du village.
Propriété privée.
On ne visite pas.
Isolé, au SO du village, à flanc de pente.
Hist. : Non loin d'une ancienne motte le château de Champlecy a été bâti à la fin du XVIe s. ou au début du XVIIe s. par Jean-François de Champlecy qui avait obtenu, en 1602, du roi Henri IV la substitution du nom de cette terre à celui de Boyer que portaient ses ancêtres, implantés là depuis 1520 environ. C'était une maison forte cantonnée de quatre tours. Elle passa, en 1645, à son fils Jean-François de Champlecy, puis à la nièce de celui-ci, Charlotte, qui avait

Montessus. Tour carrée cantonnée d'échauguettes circulaires.

épousé successivement Jean-Eléonor de Damas et, en 1659, Charles de Batz de Castelmore d'Artagnan, modèle du héros d'Alexandre Dumas. Le second fils de celui-ci fut seigneur de Champlecy de 1683 à 1714. A la veille de la Révolution, le château appartenait au duc de Cossé, baron de la Motte-Saint-Jean.
Descr. : De la maison forte décrite en 1645, il ne reste qu'un corps de logis de plan rectangulaire comprenant un étage de soubassement, un rez-de-chaussée et un étage, couvert d'un toit à croupes. Il est flanqué sur sa façade N d'une tour d'escalier carrée hors œuvre sur le pan, coiffée d'un toit en pavillon, que défend au N, au niveau du second étage, une bretèche sur consoles à ressauts en quart-de-rond, sur le parapet de laquelle sont sculptées les armes de Jean de Champlecy. De grandes fenêtres à meneaux et croisillons sans moulure éclairent l'unique étage du logis dont le rez-de-chaussée a été remanié aux XVIIIe (porte à linteau en arc surbaissé) et XIXe s.

F.V.

Champsigny (château de)

Voir Saint-Léger-du-Bois.

Champvent (château de)

Voir La Guiche.

Champvigy (château de)

Voir Saint-Bonnet-de-Vieille-Vigne.

Changy
Château de Montessus

Arr. et c. Charolles, Saône-et-Loire.
Par la RD 10 et un chemin privé vers le S.
Propriété privée. On ne visite pas.
Isolé sur une butte dominant la vallée de l'Arconce.
Hist. : Après avoir appartenu aux Rabutin, le château de Montessus était au XIVe s. entre les mains de la famille de Tresettes. Vers 1440, il passa aux Sarrasin puis, à la suite du mariage en 1487 de Léonarde Sarrasin avec Hugues Bernard, qui appartenait à une famille de bourgeois de Montcenis récemment anoblie, il échut vers 1520 aux Bernard qui le conservèrent jusqu'à la fin de l'Ancien Régime.
Descr. : L'élément principal en est une

haute tour carrée coiffée d'un toit en pavillon et cantonnée à sa partie supérieure d'échauguettes circulaires en surplomb, couvertes de toits coniques. Elle est percée de rares ouvertures sur sa façade S. Un bâtiment rectangulaire, bâti au XVIe s., lui est accosté à l'E. Il comprend un rez-de-chaussée avec porte surmontée des armes des Bernard de Montessus, et un étage carré éclairé par des baies irrégulièrement disposées, dont une à meneau et croisillon. A l'intérieur, subsistent de belles cheminées et un escalier de pierre. Non loin au S se dresse une tour circulaire qui passe pour avoir appartenu à l'enceinte disparue. Elle abrite une chapelle et, à sa partie supérieure, un pigeonnier.

F.V.

Chapaize
Château d'Uxelles

Arr. Mâcon, c. Saint-Gengoux-le-National, Saône-et-Loire.
A 19 km à l'O de Tournus, par la RD 14 et un chemin privé vers le N, entre Chapaize et Cormatin.
Propr. : M. de La Chapelle.
On ne visite pas.
Isolé, à la pointe d'un éperon dominant toute la région.
Hist. : Vers 1070, Bernard Ier Gros, seigneur de Brancion, fit bâtir une forteresse à Uxelles afin d'affermir sa puissance face à celle de l'abbaye de Cluny. Il mourut en revenant de Rome où il s'était rendu pour expier cette faute. L'antagonisme avec Cluny s'acheva au début du XIIIe s. lorsque le duc Eudes III

Uxelles avant 1830.

Uxelles vers 1840.

se fut porté garant d'un accord de paix intervenu en 1213. Le signataire de cette paix, Josserand IV, s'étant ruiné pour suivre Louis IX en Égypte, où il mourut en 1250 au cours de la bataille de Mansourah, son fils Henri n'eut d'autre ressource que de vendre Uxelles et Brancion au duc de Bourgogne en 1259, avant de mourir sans laisser de postérité masculine. En décembre 1263, Hugues IV fit don d'Uxelles au célèbre juriste Jean de Blanot qui lui était totalement dévoué. La petite-fille de celui-ci, morte vers 1375, laissa le domaine à ses fils Arthaud et Jacques de Saint-Germain qui se le disputèrent âprement, tandis que le château était laissé à l'abandon. Une série de transmissions par les femmes entretint une certaine confusion jusqu'au rachat en 1489 et 1490, des divers éléments de la seigneurie par Jean de Sercy, lequel agissait comme prête-nom de Philibert Magnien, conseiller du roi, maître des comptes, élu du Mâconnais; celui-ci répara et embellit les bâtiments d'habitation, mais dès 1508 dut s'en dessaisir au profit de Jean de Sercy, sans toutefois cesser d'y résider. En 1560, Jacqueline de Sercy, épouse d'Antoine de Semur, qui avait reçu Uxelles de son frère Philippe, le céda à sa sœur Catherine femme de Pétrarque Du Blé, seigneur de Cormatin, en échange de Sercy. Pétrarque Du Blé semble avoir effectué quelques travaux dans le château, dont il est probable qu'il modifia les portes, mais son fils Antoine le délaissa pour construire, à partir de 1616, un nouveau château à Cormatin où résidèrent désormais les Du Blé, lors des brefs séjours qu'ils faisaient en Bourgogne. Uxelles, érigé en marquisat en 1618, suivit le sort de Cormatin jusqu'à son achat en 1812 par Charles-Hippolyte de La Chapelle qui restaura une partie du logis principal et abattit les ruines de la cour extérieure et du donjon, pour aménager à leur emplacement un jardin anglais. En 1835, conseillé par l'architecte versaillais Du Thil, Charles-Henri de La Chapelle fit tout raser et édifia une nouvelle demeure à l'emplacement de l'ancienne cour d'honneur.

Descr. : Le château d'Uxelles se composait de deux enceintes elliptiques concentriques. La première enceinte, dont les murailles de 2,65 m d'épaisseur avec chemin de ronde défendu par un parapet à créneaux étaient dépourvues de tout organe de flanquement, était précédée d'un fossé et d'une contrescarpe et comprenait quatre portes : la porte principale au NE sous une tour carrée hors

41

œuvre que précédait un pont-levis, une petite porte sous une autre tour carrée beaucoup moins importante à l'O, et deux poternes ouvertes dans la courtine à l'O et au SO. Des communs, reconstruits au XVIIIᵉ s., étaient adossés à la muraille de part et d'autre de l'entrée principale; une chapelle dédiée à saint Georges avait été construite dans la cour, sans doute à la fin du XIIIᵉ s. La seconde enceinte était flanquée de quatre tours et pourvue, dans sa partie E au moins, de mâchicoulis découverts sur contreforts avec parapets sur arcs en plein cintre. Une partie des mâchicoulis avait été supprimée au XVᵉ s. ou au début du XVIᵉ s. lorsqu'on avait rehaussé les murs et appliqué contre eux des logis et des communs. Au NE une tour carrée à cheval sur la muraille était percée au rez-de-chaussée d'une porte en plein cintre en bossage rustique. Deux tours rondes d'importance inégale étaient situées à l'E et à l'O, une tour rectangulaire, dite tour du Colombier, au SE. Cette seconde enceinte était divisée en quatre parties : une première petite cour dans laquelle s'élevait une grosse tour pentagonale de sept étages, la cour d'honneur autour de laquelle s'ordonnaient des communs et, au S, le corps de logis principal flanqué d'une tour d'escalier trapézoïdale, une cour étroite entourée de divers bâtiments que flanquait la grosse tour ronde qui passait pour être le donjon primitif à l'O, et enfin une terrasse au SO. Tout cela a disparu pour faire place à un corps de logis de plan rectangulaire allongé entre deux ailes en retour d'équerre en légère avancée sur ses deux façades. L'avant-corps central en est couronné par un fronton cintré. F.V.

La Chapelle-de-Bragny

Arr. Chalon-sur-Saône, c. Sennecey-le-Grand, Saône-et-Loire.
A 10 km à l'O de Sennecey-le-Grand, au carrefour de la RD 147 et de la RD 6.
Monument historique et ISMH.
Propr. : M. Hervé de Carmoy.
On ne visite pas.
Au S du village, dans la vallée du Glandon.
Hist. : Le château s'est transmis par successions de 1466, date à laquelle il apparaît pour la première fois, entre les mains de Thibault de Sampigny, à nos jours. Il échut en 1566 à la famille Simon, qui l'aurait en partie reconstruit vers

1595, sans doute à la suite de déprédations consécutives au passage des troupes calvinistes. En 1623, il passa des Simon aux Beugre, en 1786 aux Raffin. Des aménagements importants furent exécutés au cours du dernier quart du XIXᵉ s.
Descr. : Le château consiste en un quadrilatère irrégulier, flanqué d'une grosse tour ronde à deux étages, percée d'archères-canonnières et d'une fenêtre à croisillon sur l'angle N, de deux tourelles circulaires aux deux extrémités de la courtine E, d'une tour carrée à deux étages au milieu de la courtine S. Ces quatre tours, les murailles E et S et une partie de la muraille O sont, avec le chevet à bandes lombardes de la chapelle qui s'appuie à la tour carrée, les seuls éléments anciens de l'ensemble. Crénelées et soutenues dans leur partie orientale par des contreforts largement empattés, les courtines sont renforcées de bandes verticales dans leur partie occidentale, dispositif qui se poursuit à l'O. On y pénètre à l'O, au-delà d'un fossé sec que franchit un pont de pierre, par une tour-porche de deux étages construite entre un logis à un étage carré et un étage de comble, qui la relie à la grosse tour ronde et qui pourrait dater de la fin du XVIIIᵉ s., et un pavillon à deux étages carrés percé de baies à meneau et croisillon, qui résulte manifestement des transformations du XIXᵉ s. Des communs occupent le côté N de la cour au centre de laquelle se trouve un puits couvert d'un auvent à croupes. F.V.
Bibl. : L. Niepce, *Histoire du canton de Sennecey-le-Grand,* t. II, 1877, pp. 166-190.

La Chapelle-sous-Brancion
Château de Nobles

Arr. Mâcon, c. Tournus, Saône-et-Loire.
A 14 km à l'O de Tournus, par la RD 14.
ISMH.
Propr. : M. de Cherisey.
On ne visite pas.
Isolé, à flanc de pente.
Hist. : Le premier seigneur connu de Nobles est, en 1370, Antoine de Nanton qui appartenait à une famille mâconnaise citée dès le XIIᵉ s. Veuve de François de Nanton, dernier du nom, Philiberte de Feurs l'apporta, par son remariage, à Jean de La Baume à la fin du XVIᵉ s. Les La Baume en restèrent maîtres jusqu'à la Révolution. Il fut alors pillé et en partie détruit. Des travaux de restauration

Nobles. Façade sur cour.

Lucenier. Aile du XVIIIe s.

entrepris en 1856 firent disparaître ce qui subsistait des fortifications.

Descr. : C'est un long bâtiment rectangulaire à un étage carré, couvert d'un toit à croupes et flanqué de tours rondes à toits coniques à ses deux extrémités. Elles sont percées de canonnières à leur partie supérieure. La façade arrière, flanquée d'une tour carrée hors œuvre sur le pan à laquelle est accosté un appentis, donne sur une cour que cernent divers bâtiments à usage agricole. Au rez-de-chaussée, deux portes témoignent des remaniements effectués au XVIe s. : l'une d'elles, en plein cintre, s'inscrit dans une travée toscane à pilastres cannelés, l'autre, rectangulaire, est pourvue d'un encadrement, vraisemblablement remanié, constitué de deux courts pilastres à chapiteaux composites dont les fûts sont sculptés d'écailles et qui portent un entablement divisé en caissons. Dans une pièce du premier étage, se trouve une cheminée monumentale dont le linteau, orné d'un médaillon ovale entouré de cuirs et de rosaces, est porté par quatre colonnes cannelées à chapiteaux ioniques. F.V.

La Chapelle-aux-Mans
Château de Lucenier

Arr. Charolles, c. Gueugnon, Saône-et-Loire.
A 9 km au NO de Gueugnon, par la RD 198 et, à partir du bourg de La Chapelle, un chemin vicinal en direction d'Uxeau.
Propr. : Marquis de Montmorillon.
On ne visite pas.
Isolé, dans un vallon verdoyant, en partie entouré par l'eau d'un étang.
Hist. : La terre et la maison forte de Lucenier ne sont connus que depuis 1603, date à laquelle Jehan de Montmorillon, seigneur d'Essanlé, l'acheta à Bertrand de Priezac. Ensuite, le château a toujours appartenu à la famille de Montmorillon jusqu'à la Révolution. Il fut alors vendu en 1794 à Jean-Baptiste Perrot, maître de forges à Gueugnon, puis cédé à Hugues Desplaces, auquel Léopold, marquis de Montmorillon, le racheta en 1829. Depuis, il est propriété de la famille.
Descr. : La partie résidentielle est formée d'un corps de logis de plan complexe de la fin du XVe s. avec deux tours rondes, et d'une aile ajoutée au XVIIIe s., qui occupent l'angle oriental de l'enceinte. Le reste de la cour intérieure est fermé par des bâtiments agricoles modernes avec

cependant à l'O l'ancienne poterne d'entrée convertie en habitation. P.C.
Bibl. : P. Lahaye, « Les forteresses du Val de Loire autunois », dans *43e congrès de l'ABSS*, Gueugnon, 1973, pp. 35-37 (plan).

Charmoy
Château de la Tour du Bost

Arr. Autun, c. Montcenis, Saône-et-Loire.
A 8 km à l'O du Creusot, par la RD 47 et un chemin privé vers le N.
Propr. : M. Dubreuil.
On ne visite pas.
Isolé, sur la pointe orientale d'un promontoire dominant un petit bassin de vallées encaissées.
Hist. : Le fief de la Tour du Bost appartint à la famille Du Bois de la fin du XIIIe s. à 1566. Cette famille, qui faisait partie de l'entourage des ducs de Bourgogne et compta plusieurs baillis du Charolais, perdit toute influence après 1477. Quand elle s'éteignit, le domaine fut divisé. Réunifié à la fin du XVe s. par Charles de Moroges, il passa par successions entre diverses mains avant d'être vendu, en 1719, à Jean-Maurice Durand de Chalas. Pierre Massin de Maison Rouge en devint maître en 1744, puis à la suite d'une nouvelle vente, en 1752, il échut à Jean-Paul Delglat, trésorier de France à Lyon, dont les descendants le conservèrent au XIXe s. La tour, vraisemblablement bâtie dès le XIIe s., fut modifiée et rehaussée au XIVe s., abandonnée à des fermiers dès le XVIe s. et finalement amputée de la tourelle qui la flanquait et d'une partie des bâtiments annexes qui l'entouraient, par Pierre Massin vers 1750. A la fin du XIXe s., le comte de Charrin a fait construire à proximité un château de brique et pierre couvert d'ardoise.
Descr. : Parmi quelques bâtiments agricoles de construction récente, une tour rectangulaire de 13,70 m sur 11,30 m, haute de 43 m. Sa base est talutée. Ses deux sous-sols renferment l'un une cave et une citerne reliée aux étages supérieurs par un treuil établi dans l'épaisseur de la muraille orientale, l'autre une cuisine voûtée en berceau et un magasin. Ils supportent cinq étages formés chacun d'une seule pièce couverte d'un plafond à poutres apparentes, pourvus de vastes cheminées et de baies inégalement réparties, plus nombreuses et munies de meneaux aux étages supérieurs. L'ensem-

44

ble est couronné d'une plate-forme que cerne un chemin de ronde aménagé, comme les escaliers qui relient entre eux les différents niveaux, dans l'épaisseur de la muraille. La porte primitive était au premier étage. Elle était défendue par une tourelle montant de fond, adossée à la façade méridionale de la tour, qui a été abattue au XVIIIe s. A cette époque, les plafonds des quatrième et cinquième étages avaient déjà disparu. Une porte couronnée d'un fronton a été ouverte au rez-de-chaussée dans la façade orientale vers 1640.

F.V.

Bibl. : J.-G. Bulliot, « La Tour du Bost », dans *MSE*, t. XXVIII, pp. 111-190, ill.; t. XXIX, pp. 371-422; t. XXXI, pp. 247-299; t. XXIII, pp. 97-142.

Charnay (château de)

Voir Perrigny-sur-Loire.

Charnay-lès-Mâcon
Château de Condemines

Arr. Mâcon, c. Mâcon-Centre, Saône-et-Loire.
A l'O de Mâcon, par un chemin vicinal s'embranchant vers le S sur la RD 54.
Propr. : M. Pitrat.
On ne visite pas.
Sur le versant occidental de la colline qui porte le village de Charnay, près de la Petite Grosne.

Hist. : Le fief de Condemines est né à la fin du XVIe s. d'un démembrement de la châtellenie de Davayé dont bénéficia François Grattier, lequel semble avoir immédiatement bâti un château cité dès 1614. Sa fille unique, Suzanne, épousa Gratien Bauderon, fils du médecin Brice Bauderon de Sennecé. Parmi leurs descendants figurent deux hommes de lettres : le prosateur et archéologue Brice Bauderon et le poète Antoine Bauderon. Le fils de ce dernier se brisa la jambe en posant, en 1741, la première pierre d'un nouveau château et mourut des suites de cet accident. Vendu une première fois peu après, celui-ci fut acquis en 1763 par Jacques Ratton, issu d'une famille dauphinoise qui avait fait fortune au Portugal. En 1800, Condemines échut à Anne-Adélaïde Ratton, femme de Jean-Baptiste de Mure, qui le vendit en 1820. Plusieurs propriétaires se succédèrent alors jusqu'à l'achat par M. Pitrat dont les descendants possèdent toujours le château.

Descr. : Bâti au XVIIe s., remanié par Jacques Ratton et restauré au XIXe s., le château consiste en un corps central couvert d'un toit à croupes entre deux ailes en retour d'équerre couvertes de toits brisés, en légère avancée sur ses deux façades. L'ensemble, percé de baies à linteaux en arc segmentaire, comprend un sous-sol, un rez-de-chaussée surélevé, un étage carré et un étage de comble. Au centre de la façade orientale un portique de quatre colonnes toscanes soutient un fronton. Devant la façade occidentale règne une terrasse à appui-corps en fer forgé qu'un degré droit relie au parc. De part et d'autre, dans le même alignement mais isolés, se trouvent deux petits pavillons couverts de toits à l'impériale.

F.V.

Bibl. : F. Perraud, *Les environs de Mâcon*, 1912, pp. 178-187, ill.

Charnay-lès-Mâcon
Château de Saint-Léger

Arr. Mâcon, c. Mâcon-Centre, Saône-et-Loire.
A l'O de Mâcon, par la RN 79.
Propr. : M. A. Baverey.
On ne visite pas.
Isolé, à l'extrémité E d'une éminence rocheuse en partie boisée dominant la vallée de la Petite Grosne.

Hist. : L'existence de seigneurs de Saint-Léger portant le nom de leur terre est attestée au début du XIVe s. Les Sagié leur succédèrent au cours de la seconde moitié du XVe s. En 1595, la terre passa par mariage à Jean Siraudin, célèbre dans la région pour ses brigandages, qui l'accrut considérablement avant d'être contraint à la vendre en 1642 à Claude de Meaux, seigneur de Marbé. La veuve de ce dernier laissa Saint-Léger, en 1682, à Salomon Chesnard de Layé. La famille Chesnard de Layé posséda le château jusqu'à sa vente en 1785 à Françoise Bellon, veuve de Jacques Ratton, seigneur de Condemines. Lucie Ratton, épouse de Louis-Aimé Aujas, maire de Mâcon, parvint à conserver ses biens durant la période révolutionnaire et mourut au château en 1824. Celui-ci a été restauré au XIXe s.
Descr. : Les bâtiments entourent une cour rectangulaire à laquelle on accède à l'O par une tour-porche percée d'une porte charretière à linteau en arc segmentaire accostée d'une porte piétonne, au-dessus desquelles on devine encore les fentes des

Saint-Léger. Façade O.

balanciers des ponts-levis et passerelle auxquels a été substitué un pont dormant en pierre. Une tour ronde, à base légèrement talutée, flanque l'angle NO de ce quadrilatère, deux tours rectangulaires les angles NE et SE. Le corps de logis, qui s'appuie à la courtine N, est desservi par un escalier en vis et percé de baies à meneaux et croisillons. Les communs occupent le flanc S. Il s'y trouve une cheminée portant le millésime 1645. Une galerie à arcades construite au XIXe s. relie les pavillons orientaux. Au N, hors de l'enceinte, des cuvages et logements de vignerons ont été bâtis à l'emplacement de l'ancienne église paroissiale démolie en 1796.   F.V.

Bibl. : F. Perraud, *Les environs de Mâcon*, 1912, pp. 510-518, ill.

Charnay-lès-Mâcon
Château de Verneuil

Arr. Mâcon, c. Mâcon-Centre, Saône-et-Loire.
A l'O de Mâcon, par la RN 79 et un chemin vers l'E.
Propriété privée.
On ne visite pas.
Isolé, en terrain plat, à l'E du hameau de Verneuil.
Hist. : Verneuil a donné, dès la fin du XIe s., son nom à plusieurs familles dont on ne peut dégager les liens et l'histoire. Parmi leurs membres figurent un châtelain de Mâcon, fidèle serviteur du roi Charles V, et un capitaine-châtelain de la ville. Les Verneuil s'éteignirent au début du XVe s. Alors leur succédèrent Antoine de Vergisson (1440), les Cheminant (de 1480 environ à 1626), les Garnier (de 1626 à 1712), Claude Bernard de Châtenay, connu pour son érudition, puis son gendre François-Laurent d'Ozenay, et le fils de ce dernier, qui conserva Verneuil jusqu'en 1804. Le domaine fut alors vendu à diverses reprises et finalement morcelé en 1894. Il a été partiellement restauré à partir de 1895.
Descr. : Le château consistait en un quadrilatère défendu par un pont-levis et précédé d'une basse cour. Le morcellement de 1894 n'a laissé subsister que le corps de logis principal, flanqué à ses extrémités de deux tours circulaires percées de meurtrières, et l'aile S des communs auprès de laquelle se trouve une petite chapelle du XVIIIe s. Le logis, de plan rectangulaire allongé, comprend un rez-de-chaussée, un étage et un comble à surcroît sous un toit à croupes très bas couvert de tuiles creuses. Un grand fronton triangulaire, élevé au XVIIIe s., couronne les cinq travées centrales de chacune des façades. Toutes les pièces du rez-de-chaussée sont couvertes de voûtes d'arêtes, en particulier celle dite *salle des gardes,* dont les doubleaux retombent sur des colonnes et qui est tout entière peinte de motifs décoratifs exécutés depuis 1896 par le baron Lombard de Buffières. Une galerie, aménagée peut-être dès le XVIIe s. par Philippe Garnier et remaniée au XVIIIe s., à laquelle on accédait par un escalier en fer à cheval, s'appuyait contre la façade O; elle fut abattue en 1894.   F.V.

Bibl. : F. Perraud, *Les environs de Mâcon*, pp. 717-725.

Charolles

Saône-et-Loire.
Au centre de la ville.
ISMH.
Propr. : La commune.
Accès libre (jardin public).

Sur un éperon rocheux verrouillant l'isthme qui limite à l'E la presqu'île formée par le confluent de l'Arconce et de la Semence.

Hist. : Siège d'une vicomté dépendant d'Autun aux temps carolingiens, la place de Charolles, après avoir arrêté les Hongrois en 928, fut rattachée au Xe s. au comté de Chalon. Vers 1166, la forteresse était assez puissante pour susciter l'intérêt du roi qui s'en fit rendre hommage par le comte, sans que celui-ci toutefois cesse de se reconnaître vassal du duc de Bourgogne dont l'influence s'étendait alors dans la région. En 1237, l'achat du comté de Chalon par Hugues IV fit entrer Charolles dans le domaine ducal. Un bailli y fut alors établi. Pour peu de temps toutefois, puisque dès 1277 Robert II faisait de la petite cité le centre d'un comté groupant six châtellenies, inféodé à sa nièce Béatrix de Bourbon, épouse de Robert de Clermont. Leur fils, Jean de Clermont, passe pour avoir rebâti le château et l'avoir pourvu de neuf tours entre 1310 et 1317. En 1327, le comté de Charolais constitua la dot de Béatrix de Bourbon lors de son mariage avec Jean d'Armagnac, mais, soixante ans plus tard, leur petit-fils Bernard d'Armagnac, ayant de pressants besoins d'argent, le vendit au duc Philippe le Hardi qui fit de nouveau de Charolles le chef-lieu d'un bailliage. Le château fut renforcé sur ordre de Marguerite de Bavière, mais ne put néanmoins résister, en 1471 aux armées royales. Le Charolais fut rattaché au royaume en 1477, puis restitué à Maximilien d'Autriche en 1493 et resta entre les mains des Habsbourg jusqu'à sa vente, en !684, par Charles II d'Espagne à Henri-Jules de Bourbon-Condé. En 1761, Louis XV l'acheta à Mlle de Sens et le réunit définitivement à la couronne. Mais le château, qui avait depuis le XVIe s. perdu tout rôle militaire, bien qu'un châtelain y ait généralement été affecté, tombait en ruine, aussi Louis XV l'aliéna-t-il en 1775 à Pierre-François Bernigaud de Cerrecy, procureur au bailliage. La tour des Archives fut toutefois exclue de la vente. Le nouveau propriétaire rasa tout ce qui restait des murailles et bâtit une maison d'habitation. Ses descendants vendirent l'ensemble à la commune en 1867, laquelle en fit un hôtel de ville.

Descr. : L'enceinte du château, de plan hémicirculaire, se dégage à peine des maisons qui depuis le XVIe s. ont été bâties contre ses murailles. On y pénètre à l'O par une tour-porche à un étage carré et un demi-étage, percée d'une porte charretière en arc brisé et d'une porte piétonne

Charolles. Le château et la ville vers 1840.

47

rectangulaire que défendaient des ponts-levis dont les fentes ont été obturées lors du percement, au XVIIIe s. sans doute, de baies rectangulaires. Au N, au-delà d'une étroite cour, se dresse une haute tour circulaire aveugle en appareil en bossage rustique, couronnée d'ouvertures rectangulaires bouchées ayant porté des hourds. A cette tour s'appuie au S un bâtiment formé d'un corps principal et d'une courte aile en retour d'équerre vers l'E et flanqué sur son angle SO d'un petit pavillon carré comportant un étage et un demi-étage. Percé de baies disparates dont certaines à croisillons, ce pavillon paraît résulter de remaniements successifs d'une construction du XVe s. A la pointe E de l'éperon se trouve une seconde tour circulaire à laquelle est accostée, à l'O, une tourelle d'escalier à quatre pans hors œuvre dont le mur SO laisse apparaître les traces des arrachements d'une courtine, épaisse d'environ 2 m : c'est la *tour des Archives*. Une troisième tour, arasée au niveau de la terrasse, flanque le côté N.   F.V.

Charolles
Château de Corcelles

Saône-et-Loire.
A 2 km au N de Charolles, par un CV.
ISMH.
Propr. : M. Hubert Meaudre.
On ne visite pas.
Isolé, sur une terrasse dominant un vaste vallonnement.
Hist. : La maison forte de Corcelles était tenue en 1366 par le dernier descendant de la famille qui en portait le nom depuis le XIIIe s. A sa mort, elle fut partagée entre ses trois filles, épouses respectivement de Jean Sachet, d'Étienne de Saligny et de Jean Bocquillon. On la trouve ensuite, pendant tout le XVIIe s., entre les mains de la famille Mottin; en 1643, Guy Mottin, avocat au bailliage de Charolles, acquiert de sa sœur Jeanne et du mari de celle-ci, Jean Baudinot, avocat à Paray, la part qui lui en était échue dans la succession de leur père, Philibert Mottin. En 1694, Claude Mottin est seigneur de Corcelles, puis l'obscurité se fait totale sur l'histoire de cette maison. Vers 1770, elle appartenait à Blaise Quarré, seigneur du Plessis.

Descr. : Au-delà d'un chemin que longe à l'E une terrasse plantée d'une double rangée de tilleuls, la maison forte rassemble des bâtiments hétéroclites autour

d'une cour rectangulaire, qu'enveloppe à l'O une seconde cour, cernée de bâtiments agricoles. On y pénètre par une porte en plein cintre, défendue par des canonnières, des mâchicoulis sur consoles et une tour carrée, aménagée en chapelle au XVIIe s., qui flanque l'angle SO du quadrilatère, près duquel elle est située. Entre l'arc de la porte et les mâchicoulis, ont été incrustées dans le mur les armoiries de Guy Mottin et de son épouse. Le bâtiment rectangulaire situé à l'O de la porte comprend un étage et un demi-étage. En retour d'équerre sur celui-ci à l'E, un second logis de plan

Corcelles.
Armoiries de Guy Mottin et de son épouse.

également rectangulaire, à un étage carré et un étage de comble, est percé sur chacune de ses façades principales d'une porte en plein cintre entre deux pilastres toscans supportant un entablement. Des communs occupent les deux autres côtés de la cour.   F.V.

La Chassagne (château de)
Voir Saint-Vincent-Bragny.

Chasselas

Arr. Mâcon, c. La Chapelle-de-Guinchay, Saône-et-Loire.
A 14 km au SO de Mâcon, par la RD 31.
ISMH.
Propr. : Société civile agricole de Chasselas.
Isolé, à flanc de pente.
Hist. : Encore possédée au début du XIIIe s. par une famille qui en portait le nom, la terre de Chasselas passa au XVe s. aux du Roux, mentionnés de 1485 à 1591.

La dernière de la lignée, Judith du Roux, épousa successivement Lyonnet de Challes, huguenot, qui fut décapité pour banditisme, et Philibert de Bellecombe dont elle eut un fils. Les Bellecombe vendirent en 1706 le château, alors en fort mauvais état, à Thomas Paisseaud, receveur du Mâconnais, qui, ruiné, le revendit dès 1727. L'acquéreur, Laurent Fayard, s'endetta à son tour et le céda en 1756 à Laurent de La Fond de La Rolle qui connut le même sort et dut l'abandonner tout meublé, en 1774, à l'un de ses créanciers, Étienne Cellard, dont le fils ne put empêcher en mars 1789 le pillage et la démolition d'une tour mais parvint à le conserver.

Descr. : Les bâtiments entourent une cour rectangulaire ouverte au N par un étroit passage aménagé entre des communs à toits bas de tuiles creuses. Couvert d'une haute toiture à croupes, le corps de logis du XVIᵉ s. occupe une partie du côté oriental. Une tour circulaire, coiffée d'un toit conique, se dresse à proximité. Une seconde tour circulaire flanque l'angle NO. Elle est reliée à une troisième tour par des constructions à usage agricole. Le logis principal, sans doute bâti pour Étienne Cellard, se trouve au S.

Il comporte un corps central de plan rectangulaire allongé à un étage carré et un demi-étage, entre deux ailes en retour d'équerre en légère avancée sur ses deux façades. Les ailes sont couvertes de toits à croupes à égout retroussé.   F.V.

Bibl. : F. Perraud, *Les environs de Mâcon*, 1912, pp. 141-155.

Chassignole (château de)

Voir Bonnay.

Chassy

Arr. Charolles, c. Gueugnon, Saône-et-Loire.
A 6 km à l'E de Gueugnon, par la RD 92.
ISMH.
Propr. : Général de Benoist.
On ne visite pas.
Au S du village, à flanc de pente.

Hist. : L'histoire du château de Chassy est fort obscure : divers seigneurs se sont partagés ce fief jusqu'au XVᵉ s., parmi lesquels se détachent les Du Bois, les Jantes et les Chassy. Seuls les Jantes (ou Gentes) déclarèrent posséder une maison (1315) puis un château (1404). Aux

Chassy. Façades E.

Jantes semblent avoir succédé les Choul ou Choux, présents à Chassy dès 1366, et qui paraissaient avoir rassemblé entre leurs mains la totalité de la seigneurie, ce qui autorisa, vers 1500, l'un d'entre eux, Claude Choux, époux de Jeanne Brichard, à se faire édifier une chapelle seigneuriale au S de l'église paroissiale de Chassy. Françoise Choux apporta le domaine familial en dot à Jean de Bernault vers 1540. On retrouve ensuite celui-ci entre les mains des La Guiche, puis des Baudouin de Digoin, qui le vendirent à Hugues Mayneaud de Brisefranc, lequel le revendit à M. Duprat de Barbanson au milieu du XVIIIe s.

Descr. : Le château est formé de deux corps de logis rectangulaires implantés dans le prolongement l'un de l'autre et flanqués de diverses tours. Le logis S, qui comprend deux étages carrés, éclairés à l'E par de grandes baies à meneau et croisillon, est flanqué d'une tour circulaire sur son angle SO et d'une tour d'escalier carrée hors œuvre sur le pan à l'extrémité N de sa façade E. Cette tour présente à l'E des traces d'arrachements d'une muraille ayant porté un chemin de ronde. La muraille O du bâtiment et la tour circulaire sont couronnées de corbeaux à ressauts ayant porté des mâchicoulis ou des hourds auxquels on a substitué de hautes toitures en tuiles plates. Un contrefort soutient l'angle SO. Le second logis, moins élevé, mais qui comprend aussi deux étages, est flanqué sur son angle NO d'une grosse tour ronde étayée par un contrefort, et sur sa façade O d'une tourelle d'escalier à cinq pans hors œuvre, coiffée d'une haute toiture à six pans. Il est percé de baies à croisillon et à linteau en accolade. Celles qui donnent à l'O sont défendues par des grilles. L'ensemble est sans doute le résultat de deux ou trois campagnes de construction menées de la fin du XIVe s. à la fin du XVe s. Un colombier circulaire se dresse au NO parmi des communs totalement remaniés. F.V.

Châteauneuf

Arr. Charolles, c. Chauffailles, Saône-et-Loire.
A 9 km au NE de Charlieu, par la RN 487.
Propr. : M. A. Gensoul.
On ne visite pas; château visible de la rue.
A côté de l'église, sur le flanc d'un promontoire dominant la vallée du Sornin.

Hist. : Par sa structure qui comprend un réduit de plan approximativement circulaire et, englobant l'église, une vaste enceinte que défendait en partie un étang, le château de Châteauneuf pourrait dater des temps carolingiens. En fait, il est difficile de suivre l'histoire de ce fief puissant situé aux lisières du Mâconnais et du Beaujolais, qui appartenait à la fin du Xe s. aux Le Blanc, famille issue sans doute de celle de Semur-en-Brionnais. Rattaché au XIIIe s. au domaine royal et devenu chef-lieu de châtellenie, Châteauneuf fut donné successivement au duc Amédée de Savoie, à l'archevêque de Lyon Pierre de Savoie et finalement aux sires de Beaujeu avant de revenir à la couronne en 1369. Le château proprement dit, désormais confié à un châtelain, fut mis à mal par les Armagnacs en 1420, définitivement détruit par les Écorcheurs en 1445 et finalement engagé en 1519 à Girard de La Madeleine. Celui-ci possédait la petite seigneurie voisine du Banchet; ses ancêtres, les Perrière, présents à Châteauneuf depuis 1368 au moins, avaient exercé les fonctions de châtelains et, dans des conditions obscures, acquis un logis faisant partie de l'enceinte extérieure du château. Girard de La Madeleine s'employa à rebâtir ce logis désormais appelé château du Banchet, en y répandant à profusion ses armoiries. Les La Madeleine s'y maintinrent jusqu'au mariage, vers 1642, d'Anne de La Madeleine avec François de Bonne de Créqui, duc de Lesdiguières. En 1748, Étienne de Drée acquit Châteauneuf et fit de grands travaux au château du Banchet où il découvrit un trésor de vaisselle d'argent et de monnaies d'or dont la dévolution donna lieu à de laborieuses enquêtes sur les origines dudit château. Les Drée conservèrent Châteauneuf jusqu'en 1848 puis, après plusieurs ventes, le château du Banchet parvint en 1863, entre les mains d'un avocat lyonnais qui en restaura la façade E avant de le céder, en 1872, à André-Paul Gensoul, lequel, aidé de l'architecte Rotival, en entreprit, en 1896, la totale rénovation.

Descr. : Du château primitif il ne subsiste plus que des amas de pierres envahis de broussailles et quelques éléments de murailles ou de tours enserrés dans des maisons. Le château du Banchet, sur le flanc N de l'ancienne enceinte, dominant un petit étang vestige d'un étang beaucoup plus vaste qui en baignait le pied, comporte deux bâtiments en équerre. Le corps de logis principal, situé au N, est flanqué de tours circulaires sur ses angles NO et SE, d'une grosse tour carrée sur son angle NE et d'une tourelle d'escalier à quatre pans hors-œuvre au milieu de sa façade S. Il comprend un rez-de-chaussée, précédé au N d'un balcon de pierre, un étage carré et un étage de comble sous un toit à croupes. La tour SE, dont les pièces sont couvertes de voûtes d'arêtes, est couronnée de mâchicoulis restaurés au XIXᵉ s. La tour NO est coiffée d'un toit conique et porte encore les consoles d'une bretèche. La tour NE, dont le rez-de-chaussée est voûté d'ogives, est couverte d'une toiture en pavillon en ardoises reposant sur une belle charpente. La porte de la tourelle d'escalier est surmontée d'un gâble en accolade entre deux pinacles dont le tympan porte les armes des La Madeleine. Les façades sur cour de l'aile O et du logis principal, ainsi que le pignon E de celui-ci, sont percés de baies à meneaux. **F.V.**

Bibl. : L. Pagani, *Essai historique sur Châteauneuf-en-Brionnais*, 1896.

Chatillon (château de)

Voir Viré.

Chauffailles

Arr. Charolles, Saône-et-Loire.
A 33 km au S de Charolles, par la RD 985.
Propr. : La commune.
On ne visite pas.
A la lisière S du bourg, au bord du Botoret.
Hist. : La terre de Chauffailles est demeurée entre les mains de la famille d'Amanzé du XIVᵉ au XVIIIᵉ s. Restauré au XVIIIᵉ s., le château a été réparé et en partie transformé au XIXᵉ s. par l'un de ses propriétaires, nommé Goyne. Il passa après 1882 à un industriel, Dumoulin, qui établit une fabrique de tissage dans les communs remaniés. C'est maintenant un centre sportif communal.
Descr. : Précédé d'une allée de platanes, d'un pont de pierre franchissant le Botoret qui s'élargit en étang et d'une porte cochère sans couvrement, le château consiste en un gros corps de logis rectangulaire à un étage carré et un étage

Châteauneuf. Corps de logis principal et tour d'angle : façade N.

de comble couvert d'un toit à croupes en ardoises. Percé de baies à linteaux en arc segmentaire, il est flanqué sur ses angles NE et SE de deux tours rondes d'inégale importance, coiffées de hautes toitures coniques. La tour NE, qui est la plus grosse, paraît remonter au XVᵉ s. : en dépit de remaniements des XVIIIᵉ et XIXᵉ s. (baie à crossette au second étage) elle a conservé des archères-canonnières cruciformes. L'autre tour, beaucoup plus petite, possède une lucarne pendante à croisillon et fronton triangulaire. Un long bâtiment bas, couvert de tuiles creuses, est accoté à la façade O. **F.V.**

Chaumont (château de)

Voir Oyé.

Chaumont-la-Guiche
(château de)

Voir Saint-Bonnet-de-Joux.

Chazeu (château de)

Voir Laizy.

Chenoves
Château du Thil

Arr. Chalon-sur-Saône, c. Buxy, Saône-et-Loire.
A 25 km au SO de Chalon, par la RD 981 et un chemin vicinal vers l'O.

Le Thil. État avant restauration.

Propr. : SCI du Thil (Dominicaines missionnaires des campagnes).
On ne visite pas.
Sur une motte isolée.
Hist. : Bien que le nom même de Thil indique une origine beaucoup plus ancienne, l'existence d'une famille seigneuriale n'y est attestée que vers 1300 : il s'agit des du Tartre qui resteront seigneurs du Thil jusqu'en 1593 et y bâtiront une maison forte. Le fief fut alors acquis par Moïse de Rymon. A sa mort, en 1622, sa succession fut longuement disputée entre ses divers héritiers pour finalement échoir à Antoine Mercier, capitaine du château de Montcenis, qui conserva le Thil durant trente ans et acheva, sans doute avant 1661, la transformation du château ébauchée par Moïse de Rymon. Après une nouvelle période confuse, celui-ci fut acquis, en 1741, par Jacques Perrin de Cypierre. Les Perrin de Cypierre bâtirent à l'O du château une longue cave voûtée sur l'extrémité S de

Le Thil. État actuel, vue d'ensemble.

laquelle ils édifièrent une chapelle dont une tuile porte la date de 1753 et dont les murs sont ornés d'une litre à leurs armes. C'est à cette famille que l'on doit également la terrasse S. En 1787, le Thil fut vendu à J.-B. Dumont de Sermaise sur qui il fut saisi en 1793. Divisé en plusieurs lots, laissé à l'abandon, le château fut peu à peu remembré à partir de 1845 et finalement acheté, en 1875, par le baron Max de La Vernette qui en confia la restauration à l'architecte chalonnais Changarnier.

Descr. : Quand Max de La Vernette en devint propriétaire, le château consistait en un bâtiment de plan rectangulaire comportant une cave, un rez-de-chaussée, deux étages carrés et un étage de comble éclairé par des lucarnes à ailerons à frontons cintrés, sous un toit à croupes. Les angles NO et SO étaient flanqués de tours circulaires coiffées de toits coniques très bas. A l'E de ce corps de logis, des bâtiments hétéroclites entouraient une cour, parmi lesquels on distinguait, à l'angle NE, la base d'une tour. Une petite tour occupait sans doute l'angle SE du quadrilatère. La restauration par Changarnier en a fait une construction de plan carré cantonnée de tours rondes. Celles-ci sont couvertes de toitures coniques très aiguës et les logis de hauts toits brisés en ardoise, à la base desquels on a remonté, sur une corniche en brique, en en changeant la répartition, les lucarnes du XVIIe s. Un avant-corps de trois travées se détache au centre de la façade S. Les tours occidentales ont conservé leurs petites baies rectangulaires et des archères. Partout ailleurs sont percées de grandes fenêtres à linteau en arc segmentaire. La salle basse de la tour NO est couverte d'une voûte sur croisée d'ogives retombant sur des culots sculptés d'un écusson; la clef de voûte en est décorée d'une fleur de lys. Le manteau de la cheminée de cette pièce est formé d'un boudin en accolade encadrant un écusson de même type que ceux des culots des voûtes. Le portail qui précède, à l'O, le château date de 1939 : il porte les armes des La Vernette.　　　　　F.V.

Bibl. : Philibert de La Vernette, « Chenoves et Le Thil », dans *Mém. de la Soc. d'histoire et d'archéologie de Chalon*, t. XXXV, 1958-1959, pp. 13-14.

Chevagny-les-Chevrières

Arr. Mâcon, c. Mâcon-Nord, Saône-et-Loire.
A 6 km à l'O de Mâcon, par la RD 194.
Propr. : M. Imbert.
On ne visite pas.
Sur une motte dominant le village.

Chevagny-les-Chevrières. Vue générale.

Hist. : Simple dépendance de la proche seigneurie de Salornay, la terre de Chevagny connut le même sort qu'elle. A la fin du XIXᵉ s. des aménagements furent apportés au château, bâti aux XVᵉ et XVIᵉ s., pour y installer une pouponnière.

Descr. : Il semble qu'il n'y ait eu à l'origine qu'une solide maison de plan massé, flanquée sur son angle NO d'une tour carrée et dont les deux étages sont desservis par un escalier de pierre en vis. Elle était complétée à l'E et à l'O de communs dans lesquels s'ouvrent encore deux baies dont les linteaux en accolade sont sculptés de rosaces. A la fin du XVIᵉ s. des fenêtres, flanquées de pilastres toscans, furent ouvertes dans la façade N : celles du premier étage sont à meneau et croisillon; plus étroites, celles du second étage, à simple traverse, sont surmontées de frontons. Au XVIIᵉ s., ou peut-être au XIXᵉ s., des pavillons de même élévation que le logis furent accostés de part et d'autre de la façade S, à l'alignement de celle-ci. Au XIXᵉ s., on a plaqué contre cette même façade un portique de deux travées à arcades en plein cintre portant une terrasse à balustrade, desservie par un degré droit parallèle au bâtiment, qui semble avoir subi bien des remaniements. Flanqué d'une tour ronde, le portail qui à l'E donne accès à la cour, jadis cernée de constructions, comporte un porte charretière et une porte piétonne en plein cintre à entourages en bossage rustique. F.V.

Chevannes (château de)

Voir Saint-Racho.

Chevenizet (château de)

Voir Nochize.

Chevignes (château de)

Voir Davayé.

Chiseuil (château de)

Voir Digoin.

Chissey-en-Morvan

Arr. Autun, c. Lucenay-l'Evêque, Saône-et-Loire.

A 20 km au N d'Autun, par la RD 980. *Propr.* : M. Renault. On ne visite pas. Au bord du Ternin, un peu à l'écart du village.

Hist. : Le premier seigneur connu de Chissey, Eudes (1271), était fils du seigneur de Roussillon; ses descendants possédèrent cette *maison forte avec fossés et moulin.* Le mariage d'Isabeau de Chissey la fait passer à la famille de Chaugy en 1374. Michaut de Chaugy, seigneur de Chissey de 1447 à 1479, chambellan des ducs de Bourgogne Philippe le Bon et Charles le Téméraire, connu une brillante fortune; on peut lui attribuer les constructions du château, qui datent du XVᵉ s. En 1558, Chissey est vendu par les Chaugy à Claude Regnier de Montmoyen. En 1582, Odinet de Montmoyen, gouverneur d'Autun, semble avoir fait faire des réparations au château. Après sa fille, Chrétienne de Chissey, morte sans enfants, le château passa à la famille de Fussey. Vendu comme bien national, il eut plusieurs acquéreurs et fut converti en ferme. C'est en 1868 que fut refaite la charpente de la grosse tour carrée.

Descr. : Du château fort il ne subsiste que trois tours rondes, une massive tour carrée et deux corps de logis bâtis à angle droit. Il ne reste rien des courtines qui devaient fermer la cour vers le S et l'O, ni de la porte d'entrée. Les fossés, alimentés comme le moulin situé à l'E par l'eau du Ternin, ont été comblés. La tour carrée qui occupe l'angle NO semble être la construction la plus ancienne; ses trois étages desservis par un escalier droit communiquent avec ceux de la tour ronde contiguë. Les fenêtres rectangulaires, dont seule celle de l'étage supérieur a conservé un meneau cruciforme, les cheminées monumentales en pierre, les coussièges indiquent des travaux du XVᵉ s. Ébrasements moulurés et arcs en accolade permettent de dater aussi du XVᵉ s. les corps de logis bâtis en prolongement de la tour carrée au N et en retour d'équerre à l'E. Les trois tours rondes flanquent les angles de ces constructions : elles gardent des corbeaux de mâchicoulis, sauf celle du NE, qui a été arasée en biais et couverte d'une toiture en pente. Dans le logis N, tout le premier étage a été aménagé au XVIIIᵉ s. et des fenêtres à balconnet ont été percées à la façade vers la cour. M.R.

Ciel
Château de Vauvry

Arr. Chalon-sur-Saône, c. Verdun-sur-le-Doubs, Saône-et-Loire.
A 6 km au SE de Verdun-sur-le-Doubs, par la RN 470.
Propr. : M. Cahuet.
On ne visite pas.
Isolé, en terrain plat.
Hist. : La seigneurie de Vauvry a été démembrée de celle de Verdun-sur-le-Doubs au début du XIIIe s. au profit de Hugues, fils de Guy V de Verdun. Elle appartint à la fin du XIIIe s. à Henri, Jean et Isabelle de Vauvry, puis passa, au XIVe s. à la famille de Vienne, branche des seigneurs de Mirebel. A l'extinction de celle-ci elle fut partagée au début du XVe s. entre les familles de Rye et de Rougemont. Les Rougemont conservèrent leur part jusqu'au XVIe s., tandis que Jean de Rye vendait la sienne dès 1422 à Louis de Chalon, prince d'Orange. Elle fut cédée en 1465 par Guillaume de Chalon à Pierre de Goux, chancelier de Bourgogne, dont hérita Jean de Rupt. Les fils de ce dernier l'abandonnèrent en 1532 à Louise de Rochefort, veuve d'Antoine Bouton. Les Bouton réunirent entre leurs mains l'ensemble de la seigneurie, bientôt érigée en baronnie, qui échut, à la mort de Françoise Bouton, au milieu du XVIIe s. à ses cousins, les Thiard de Bissy. Au début du XIXe s. M. Nivière, trésorier-payeur général du Rhône, acquit Vauvry du dernier représentant de cette famille, le général Auxonne-Théodore Thiard. Le domaine parvint ensuite entre les mains de la famille de Maistre. M. Cahuet, exploitant agricole, en est propriétaire depuis 1954. Le château, bâti au XIIIe s. sur une motte, a été brûlé en partie par les troupes de Gallas en août 1636. Il a été reconstruit au cours de la seconde moitié du XVIIe s., vraisemblablement par Claude de Thiard. L'aile O a été détruite par un incendie en 1976.
Descr. : Bâti sur une motte presque circulaire qu'entouraient des fossés encore en partie visibles, la maison forte de Vauvry comporte au N, flanquant l'emplacement d'un ancien portail, une haute tour rectangulaire en brique, couverte d'un toit d'ardoise en pavillon. Cette tour renferme un sous-sol auquel on accède par une porte dont l'arc à peine brisé est formé de claveaux alternés de pierre et de brique, un rez-de-chaussée surélevé pourvu d'une porte de même type, desservie par un escalier de pierre extérieur, et deux étages carrés couverts de plafonds à poutres apparentes, qu'éclairent de grandes baies à meneau et croisillon de pierre aujourd'hui obturées et de petites fenêtres rectangulaires. Un escalier de bois tournant assure la liaison entre les différents niveaux. Le corps de logis construit en retour d'équerre à l'E comprend un rez-de-chaussée, un étage carré et un étage de comble sous un toit à croupes percé de lucarnes à hauts frontons de pierre. Un bandeau règne avec le sol de l'étage, lequel est relié à la tour à son extrémité N par un passage extérieur couvert en bois aménagé en surplomb dans l'angle formé par les deux bâtiments. Au S, près de l'entrée principale de la cour, se trouve la chapelle. Construite en brique elle consiste en une petite construction de plan rectangulaire percée d'une porte à arc légèrement brisé dont l'ébrasement est formé de deux ressauts. Elle est édifiée sur une crypte voûtée. Les murs en sont ceinturés, au niveau du sol du comble, par une ligne de corbeaux de pierre. F.V.
Bibl. : Groupe d'études historiques de Verdun-sur-le-Doubs, fiche établie par C. Joannelle.

Ciry-le-Noble
Château du Sauvement

Arr. Charolles, c. Toulon-sur-Arroux, Saône-et-Loire.
A 13 km au SO de Montceau-les-Mines, par la RD 230 et la RD 60.
Propr. : Comte P. de Loiray.
On ne visite pas.
Isolé, à flanc de pente.
Hist. : Le château actuel résulte de l'aménagement au XVIe s., par Palamède Gonthier, du logis des gens d'armes du château du Sauvement situé sur une butte voisine. Ce château primitif avait été au XIIIe s. le chef-lieu de l'une des principales châtellenies du Charolais. Il fut rasé sur ordre de Louis XI, opération qui laissa subsister une chapelle, visible sur des plans du XVIIIe s., et quelques pans de murs dont sont encore en place. Le logis transformé par Palamède Gonthier, qui mourut en 1569, prit le nom de *château Gonthier*. Ses descendants le conservèrent jusqu'en 1676, date à laquelle il fut vendu à Antoine-Bernard Gagne, président au Parlement de Dijon. En 1766, Jeanne-Claude-Bernardine Gagne de Perrigny l'apporta en dot à Louis-Barnabé de

Beaudeau de Parabère qui semble ne l'avoir conservé que peu de temps puisqu'il fut vendu au moment de la Révolution par la famille Carré à un sieur Sauvage. Par héritages successifs il passa ensuite à la famille de Bellescize, puis à la famille de Loiray.

Descr. : Des logis de différentes hauteurs à un sous-sol, un rez-de-chaussée et un étage carré sous des toits de tuiles plates à deux versants, entourent sur trois côtés

Le Sauvement. Tour d'escalier.

une cour intérieure. Au centre du quatrième côté s'élève une haute tour-porche percée au rez-de-chaussée d'une porte charretière et d'une porte piétonne en plein cintre, que surmontent les fentes des balanciers d'un pont-levis et d'une passerelle et, au-dessus de celles-ci, deux échauguettes sur consoles. Des bandeaux en bossage vermiculé règnent entre les niveaux; des pilastres en bossage rustique vermiculé un sur deux en encadrent la façade et séparent les portes du rez-de-chaussée. Cette construction, exceptionnelle dans la région, peut être attribuée à Palamède Gonthier ou à ses successeurs immédiats. Deux petites tours rondes flanquent les angles extérieurs de l'aile N, une troisième tour circulaire, qui défendait l'angle SE, a disparu à la fin du XIXe s., une grosse tour carrée à base talutée occupe l'angle SO du quadrilatère. Pourvue au N d'une échauguette percée d'une archère-canonnière, elle est accostée vers la cour d'une tour d'escalier à sept pans coiffée d'une flèche torse, elle-même accostée d'une tourelle en surplomb sur culot conique mouluré. Tour et tourelle sont percées de baies à linteau en accolade. Les fossés qui entouraient le château au N et à l'E ont

La Clayette. État actuel.

été comblés. Au S, une terrasse, flanquée d'un pigeonnier carré, que borde une charmille taillée en arcades.   F.V.

La Clayette

Arr. et c. Charolles, Saône-et-Loire.
A 20 km au S de Charolles, par la RD 985.
Monument historique et ISMH, site classé.
Propr. : Marquis de Noblet d'Anglure.
On ne visite pas.
Au centre du bourg, au bord d'un étang.

Hist. : Vers 1380, Philibert de Lespinasse transforma en un château cantonné de grosses tours rondes la maison forte de La Clayette, bâtie près d'un étang et dont l'origine paraît liée à l'existence d'un péage. Il passa, au XVe s. aux Chantemerle qui faisaient partie de l'entourage des ducs de Bourgogne. Ceux-ci, en 1435, créèrent le bourg de La Clayette. Ils conservèrent le fief jusqu'en 1632, date à laquelle il revint à Paul de Damas, veuf d'Alice-Éléonore de Chantemerle. En 1703, après la mort de Jean-Léonard de Damas, les Palatin de Dyo en héritèrent. Plusieurs ventes se succédèrent alors jusqu'à son achat, en 1722, par Bernard de Noblet dont descend le propriétaire actuel. Il connut au XVIIIe s. une longue période d'abandon, puis fut énergiquement restauré après 1830.

Descr. : Totalement environné d'eau, le château occupe une plate-forme de plan rectangulaire irrégulier. A l'O, les communs consistent en deux bâtiments parallèles de plan rectangulaire dotés chacun d'une tourelle d'angle en surplomb. Au centre du bâtiment N, s'élève une tour carrée à trois étages sous laquelle s'ouvre un passage entre deux portes en plein cintre. Une tourelle d'escalier, également carrée, est adossée à sa façade O. Elle est

montant de fond. Le château proprement dit occupe la partie orientale de l'enceinte. Il est formé d'un corps de logis rectangulaire à trois étages carrés et un étage de comble, accoté à une grosse tour carrée à quatre étages, couronnée, de même que les tours rondes qui garnissent tous les angles de cet ensemble, de mâchicoulis couverts sur consoles, formant chemin de ronde extérieur. Au S du corps de logis, ce chemin de ronde a été aménagé en galerie. Les fenêtres sont à linteaux en arc segmentaire ou bien à meneaux et croisillons. Celles du premier étage donnent sur des balcons de pierre à appuis-corps ajourés. En retour d'équerre

La Clayette. État vers 1835 (avant reconstruction du corps de logis).

précédée au N d'un premier portail défendu par des mâchicoulis couverts formant bretèche. Le bâtiment S, couvert d'un toit à croupes, est flanqué sur son angle SE d'une tour ronde, sommée d'un dôme couronné d'un lanternon, à laquelle s'appuie une tourelle d'escalier circulaire

vers le N, subsistent des bâtiments du XVIIIe s. : un corps de logis à deux étages percés, vers la cour, de fenêtres rectangulaires et un demi-étage percé d'oculus. Lui faisant suite dans le même alignement, se dresse un pavillon dont les trois étages sont éclairés par des baies à

La Clayette.
Toits des communs et du logis principal.

plates-bandes en arc segmentaire. A l'E, une chaussée qui longe les façades, relie le château à une porte fortifiée, formée d'une tour carrée à un étage, percée d'une porte charretière en tiers-point et couronnée de mâchicoulis, entre deux constructions barlongues à un seul niveau, couvertes, comme elle, de terrasses. F.V.

Clermain
Manoir du Colombier

Arr. Mâcon, c. Tramayes, Saône-et-Loire.
A 13 km au SO de Cluny, par la RD 987 et un chemin vers le N.
Propriété privée.
On ne visite pas.
Isolé, au NE du village, à flanc de coteau.

Hist. et descr. : L'histoire de ce manoir n'a laissé aucune trace dans les documents. Il semble avoir été bâti, ou du moins modifié, au début du XVIIIe s. Le corps de logis central, de plan rectangulaire, comprend un étage de soubassement, un rez-de-chaussée et un étage carré sous un toit à croupes bas en tuiles creuses. En son centre, un avant-corps d'une travée, couronné d'un fronton, forme une légère avancée. Il est flanqué de deux pavillons de même hauteur mais comportant un étage carré et un demi-étage, éclairés de baies à linteaux en arc segmentaire et coiffés de hautes toitures en tuiles plates. Une étroite terrasse règne devant la façade principale. F.V.

Bibl. : R. Oursel, *Inventaire départ... Cant. de Tramayes,* Mâcon, 1974, p. 32.

Clermain
Château de Montvaillant

Arr. Mâcon, c. Tramayes, Saône-et-Loire.
A 10 km au SO de Cluny, par la RD 987 et un chemin traversant Clermain en direction du S.
Propriété privée.
On ne visite pas.
Isolé, sur une terrasse dominant la Grosne.

Hist. : Petit fief à l'histoire obscure, Montvaillant appartint au milieu du XVIIIe s. à Jean-Baptiste Bridet. Le château a été rebâti au milieu du XIXe s., à l'emplacement d'une ancienne maison forte.

Descr. : Il comprend un corps de logis central à deux étages carrés, flanqué, dans le même alignement, de deux courtes ailes à un seul étage, en léger retrait sur ses deux façades. Elles sont prolongées chacune par un pavillon dont les façades sont dans l'alignement de celles du corps central. Les ailes sont couvertes de toitures très plates, le corps central et les pavillons de terrasses. Un perron précède la façade donnant sur le parc. F.V.

Bibl. : R. Oursel, *Inventaire départ... Cant. de Tramayes,* Mâcon, 1974, pp. 31-32.

Clessé
Château de Besseuil

Arr. Mâcon, c. Lugny, Saône-et-Loire.
A 10 km au N de Mâcon, par la RD 203 et la RD 403 bis vers le N dans Clessé.
Propr. : M. Christian Margot.
Au N du village, à flanc de pente.

Hist. : Le domaine de Besseuil semble avoir été constitué au milieu du XVIe s. pour Pierre de Sagie, de Mâcon, époux de Philiberte Viard, qui fit peut-être bâtir une première habitation, puisque un écusson à ses armes est inclus dans le mur de façade. Leur gendre, Archimbaud Chanuet, receveur de Mâcon, en hérite en 1646. C'est alors que fut construit un véritable château que les Chanuet devaient conserver jusqu'à la fin de l'Ancien Régime. Il fit l'objet de profonds remaniements vers 1737. Une restauration complète en a été récemment réalisée.

Descr. : Précédé à l'O d'une cour entourée de communs, à laquelle donne accès une porte cochère sans couvrement pourvue d'une belle grille, le château est formé

Cormatin. Cour.

d'un corps de logis rectangulaire comprenant un sous-sol, un rez-de-chaussée surélevé et un étage de comble à surcroît sous une toiture à croupes de tuiles creuses. Il est flanqué aux deux extrémités de sa façade O de pavillons de même hauteur comportant un étage et un demi-étage. Au centre de cette même façade s'élève une tour d'escalier dans œuvre, percée au rez-de-chaussée de deux portes en plein cintre dans l'écoinçon desquelles est incrusté un cartouche dont l'écusson a été martelé. Au rez-de-chaussée, dans une vaste salle couverte d'un plafond à poutres apparentes à la française, se trouve une cheminée adossée dont les piédroits à volutes, ornés de motifs végétaux stylisés, portent un entablement bombé sur lequel est gravée la date de 1657, laquelle apparaît également dans le cartouche qui occupe le centre de la hotte droite qui le surmonte. Dans le parc, à l'E du château, se trouve une chapelle du XVIIe s.   F.V.

Bibl. : E. Violet, *Clessé. Histoire et tradition,* 1929, 136 p.

Colombier (manoir du)

Voir Clermain.

La Combe (château de)

Voir Prissé.

Commune (château de)

Voir Martigny-le-Comte.

Condemines (château de)

Voir Charnay-lès-Mâcon.

Corcelle (château de)

Voir Bourgvilain.

Corcheval (château de)

Voir Beaubery.

Cormatin

Arr. Mâcon, c. Saint-Gengoux-le-National, Saône-et-Loire.
A 13 km au N de Cluny, par la RD 981.
Monument historique.
Propriété privée.
Dans une île de la Grosne.

Hist. : Cette demeure a été édifiée au tout début du XVIIe s. par Antoine Du Blé d'Uxelles, gouverneur de Chalon, dont les ancêtres possédaient le fief de Cormatin depuis le XIIIe s. La décoration intérieure fut réalisée par son fils Jacques, époux de Claudine Phelypeaux, qui fit venir de Paris en 1627 plus de soixante tableaux. Le dernier représentant de cette famille fut le maréchal d'Uxelles, assez sévèrement malmené par Saint-Simon dans ses *Mémoires,* mais qui, malgré ses défauts, devint un grand homme de guerre : il fut lieutenant-général à trente-six ans, puis commandant de l'armée d'Alsace, ensuite maréchal de France, gouverneur d'Alsace et de Strasbourg, chargé d'importantes missions diplomatiques, enfin président du Conseil des Affaires étrangères de la Régence. A sa mort, en 1730, le domaine passa entre les mains de Henri-Camille de Beringhem, gouverneur de Chalon-sur-Saône, qui le vendit en 1766 à Jean-Gabriel Verne dont la fille, d'abord mariée à Antoine Viard de Sercy, épousa en secondes noces Pierre Desoteux qui participa à la guerre d'Indépendance américaine puis, sous le nom de baron de Cormatin, fut mêlé à la révolte des Chouans et mourut en état de démence en 1812. Geneviève-Sophie Verne, qui avait divorcé deux fois pour sauver sa fortune, vendit ses terres en 1809 à Étienne Maynaud de Lavaux qui céda Cormatin l'année suivante à un industriel lyonnais, Joseph-Laurent Salavin, lequel confia à un certain Girardet, ex-prêtre, le soin de transformer en manufacture d'indienne l'aile méridionale du château. En fait le bâtiment, ébranlé, dut bientôt être détruit, opération durant laquelle Salavin trouva la mort. Le château, qui n'avait pas été payé, revint à Étienne Maynaud de Lavaux. Il le laissa à sa fille, mariée à Charles Brosse, qui le légua à sa fille naturelle Marguerite Verne, laquelle épousa, en 1843, Pierre-Henri de Lacretelle. Les Lacretelle y reçurent souvent Lamartine. L'écrivain Jacques de Lacretelle y est né. C'est en 1973 que M. James Plain le revendit, avec son mobilier, à M. Loret de Sainte-Croix. Il vient d'être acquis par des agents immobiliers lyonnais.

Descr. : Seuls subsistent, encadrant une cour d'honneur, le corps de logis principal et une aile en retour d'équerre. Ils comprennent un étage de soubassement, un rez-de-chaussée surélevé, un étage carré et un étage de comble. L'ensemble est flanqué sur ses trois angles extérieurs de pavillons demi-hors œuvre, eux-mêmes flanqués sur leurs angles intérieurs de tourelles en surplomb dénuées de toute valeur défensive. Les murs talutés de l'étage de soubassement sont, vers le parc, en appareil en bossage rustique, de même que toutes les chaînes d'angle harpées. Le corps de logis principal ouvre sur la cour d'honneur par une porte inscrite dans une travée dorique couronnée d'un édicule que surmonte un fronton cintré brisé encadrant un buste décapité. Un perron de cinq marches y donne accès. Ce même corps de logis comprend, au centre de sa façade occidentale, un avant-corps d'une travée que surmonte une grande lucarne couronnée d'un fronton double. Des bandeaux règnent sur ses façades au niveau du sol des étages et de l'appui des

Cormatin. Façade vers le parc, état vers 1835.

fenêtres à deux croisillons. Des lucarnes à croisillons couronnées de frontons cintrés en éclairent les combles. L'aile en retour d'équerre ouvre sur la cour par une porte inscrite entre deux pilastres ioniques. L'ensemble est couvert de toits d'ardoises : toit à croupes sur le corps principal, toits en pavillon sur les pavillons, toits coniques sur les tourelles, toit à deux versants nettement moins élevé sur l'aile. A l'intérieur de l'avant-corps central, un monumental escalier tournant à gauche à quatre noyaux et trois volées droites, pourvues de rampes de pierre à balustrades, donne accès aux étages. Il est couvert de voûtes en berceau reliées entre elles par des trompes. Les pièces ont conservé leurs cheminées de bois sculpté, leurs lambris encadrant des panneaux de cuir de Cordoue, leurs plafonds à la française délicatement peints, leur mobilier, leurs tableaux attribués à Claude Gelée, Lesueur, Nattier, Rigaud, Mignard, Van de Veld et Velasquez. J.M, F.V.

Bibl. : R. Violot, « Date de construction du château de Cormatin », dans *Mém. de la Soc. d'histoire et d'archéologie de Chalon-sur-Saône,* t. XXIX, 1940, pp. 191-194 ; M. Clergeat, *Le château de Cormatin en Saône-et-Loire,* DES, Histoire de l'art, Lyon, 1967.

Cortambert
Château de Bouttavant

Arr. Mâcon, c. Cluny, Saône-et-Loire.
A 10 km au NE de Cluny, par la RD 15, la RD 117 et un chemin privé.
Propr. : M. de Valence.
On ne visite pas.
Isolé, sur une butte dominant une vaste étendue.
Hist. : Le château de Bouttavant a été construit par les Gros de Brancion au XIe s. afin de mieux défendre leurs domaines face à la puissance grandissante de Cluny que symbolisait la forteresse de Lourdon. Mais ce fut finalement l'abbaye qui eut le dernier mot : en 1237, elle obtint Bouttavant de Joceran Gros en échange du doyenné de Beaumont-sur-Grosne. A la fin du XIIIe s., l'abbé Yves II y éleva de nouveaux bâtiments. En 1470, le château fut pris par les troupes de Louis XI avant d'être occupé, de 1471 à 1476, par Claude Du Blé, au nom de Charles le Téméraire. Son sort ultérieur reste obscur. Il échappa aux pillages de juillet 1789 et fut vendu comme bien national en 1790.
Descr. : Établi dans une position domi-

nante assez exceptionnelle, le château de Bouttavant, qui formait jadis un quadrilatère cantonné de tours rondes, n'est plus constitué que d'un corps de logis de plan rectangulaire à un étage carré, flanqué sur son angle NE d'une tour ronde arasée au niveau du bâtiment, sur sa façade E,

Cormatin. Façade vers le parc, état actuel.

d'une tourelle circulaire demi-hors œuvre certainement rehaussée au XIXe s., et à son extrémité S, d'un bâtiment comprenant également, quoique moins élevé, un étage carré qui forme à l'O une courte aile en retour d'équerre. L'ensemble, à l'exclusion de la tourelle, est couvert de toits bas en tuiles creuses. Dans l'angle des bâtiments ont été remontés, à une date indéterminée, dans un petit édifice rectangulaire, des éléments de constructions de diverses époques : deux colonnes, aux fûts sculptés de rinceaux et de motifs végétaux, placées sur des chapiteaux à crochets soutenant un linteau en plein cintre dont l'archivolte est décoré d'entrelacs et de rosaces, et les écoinçons de fleurs à cinq pétales; des pilastres corinthiens encadrant une porte en plein cintre et soutenant une vaste table dans laquelle se dégagent des masques grimaçants et un décor de palmettes; une corniche à modillons représentant des visages humains. Deux terrasses précèdent à l'E celle sur laquelle s'élève le château. Une chapelle moderne et des communs se trouvent au SO.   F.V.

Cortevaix
Château de Pommier

Arr. Mâcon, c. Saint-Gengoux-le-National, Saône-et-Loire.
A 12 km au N de Cluny, par la RD 117 et la RD 188.
Propr. : M. Chabrier.
On ne visite pas.
Isolé, à flanc de pente.
Hist. : Fief tenu à la fin du XIVe s. par une famille qui en portait le nom, Pommier appartenait au XVIe s. aux Chemilly. Par mariage il passa au début du XVIIe s. aux Raffin, qui fondèrent une chapelle dans le château en 1633 et le conservèrent jusqu'à sa vente comme bien national à un citoyen Acquin, habitant de Cluny. Vers 1830, il fut divisé en lots et acquis par plusieurs propriétaires qui le défigurèrent. Le corps de logis principal a été restauré par le capitaine de frégate Cros à la fin du XIXe s.
Descr. : Le château se dresse au N d'une cour à laquelle on accède au S par une porte charretière et une porte piétonne en plein cintre. Il consistait à l'origine (XVe s.?) en un corps de logis rectangulaire à deux étages carrés, flanqué de deux tours rondes, l'une sur son angle NE, l'autre sur sa façade S. Cette dernière possède encore les trois consoles d'une bretèche qui dominait une porte disparue. Des constructions annexes ont été plaquées au XIXe s. contre cette façade S. La chapelle, voûtée d'arêtes, était située à l'étage.   F.V.

Couches

Arr. Autun, Saône-et-Loire.
A 25 km au SE d'Autun, par la RD 978.
ISMH, site classé.
Propr. : M. Léonard Cayot.
Visite autorisée.

Au SO de la ville, en contrebas de celle-ci, sur un replat qui surplombe la pittoresque vallée de la Vielle.
Hist. : Possédée au XIe s. par des seigneurs qui en portaient le nom, la terre de Couches passa par mariage, au XIIe s., à Hugues, seigneur de La Roche-Nolay, dont l'arrière-petit-fils, également prénommé Hugues, agrandit considérablement le château au milieu du XIIIe s. La petite-fille de ce dernier, Marie de Bauffremont, reçut Couches en dot lors de son mariage avec Étienne de Montagu qui descendait des ducs de Bourgogne de la première maison. Leurs propres descendants conservèrent terre et château jusqu'à la mort, en 1470, de Claude de Montagu au combat de Buxy contre les troupes de Louis XI. La forteresse, qui venait de subir d'importantes transformations, échut à son cousin Claude de Blaisy puis, au début du XVIe s., à la famille de Rochechouart et, au XVIIe s., aux d'Aumont. En 1590, le château avait été pris et pillé par Antoine Du Prat, baron de

Couches. Vue d'ensemble.

Vitteaux, qui fit tuer toute la garnison. A la suite de quoi, il fut démantelé au XVIIe s. Les bâtiments d'habitation ont été rebâtis au XIXe s. en style néo-gothique. Les propriétaires actuels ont restauré, depuis 1946, donjon et chapelle et y ont rassemblé de belles collections d'objets d'art.

Descr. : Le château occupe un vaste quadrilatère encore ceint de murailles arasées à hauteur d'appui sur trois côtés. A l'angle SE se dresse, contrôlant l'accès primitif de la forteresse, une haute tour carrée vraisemblablement construite au XIIe s., qui fut couronnée au XIVe s. de mâchicoulis, dont seuls subsistent les consoles, et percée de baies rectangulaires, puis pourvue au XVe s., sur son angle N, d'une tourelle hors œuvre renfermant un escalier en vis. La courtine orientale est flanquée, en son centre, de la base d'une tour carrée démantelée, les angles NE et NO de tours rondes du XIIIe s., dont l'une est couronnée de créneaux et l'autre couverte d'un toit conique. Entre ces deux tours, se trouve la chapelle, de style gothique flamboyant, construite par Claude de Montagu en 1460 à l'emplacement d'un sanctuaire primitif beaucoup plus petit, et, dans le prolongement de celle-ci, contre l'ancienne courtine septentrionale, un corps de logis de plan rectangulaire, flanqué au S de deux tours carrées identiques à celles qui s'adossent à la chapelle. Ces bâtiments datent de la seconde moitié du XIXe s. Cependant des boiseries de style Régence couvrent les murs d'un salon, tandis que, dans la tour voisine, un mobilier du XVIIe s. donne une note plus sévère.   J.Md.

Bibl. : J. Berthollet, *Le château de Couches, Saône-et-Loire,* 1951, 11 p.

Crèches-sur-Saône
Château de Chaintré

Arr. Mâcon, c. La Chapelle-de-Guinchay, Saône-et-Loire.
A 9 km au S de Mâcon, par la RD 89.

Chaintré. Corps de logis principal, façade vers les jardins.

Propr. : M. et Mme Pulvenis.
On ne visite pas.
Isolé, en terrain plat.
Hist. : Possédée dès le XIIe s. par une famille qui en portait le nom, la terre de Chaintré fut vendue en 1516 à Antoine Bernard, bourgeois de Mâcon. Après être, par succession, passée entre diverses mains, elle fut à nouveau vendue, en 1661, à Pierre Particelli, trésorier de France en la généralité de Lyon, qui créa une avant-cour entourée de murailles flanquées de tours et dessina les jardins. Des ventes successives intervenues à partir de 1679 aboutirent, en 1746, à l'achat du château et de son mobilier par Vincent Palerne, également trésorier de France, qui, sur des plans de l'architecte lyonnais Verne, rebâtit l'aile N, transforma la façade E et adossa à l'angle O du principal corps de logis un bel escalier et des galeries. La demeure ainsi transformée échut à son fils, ensuite à sa nièce et fut finalement léguée, vers 1845, aux maristes qui y établirent un noviciat puis une école normale avant de s'en dessaisir, en 1868, en faveur de Ladislas-Jules de Beaussier qui modifia les dispositions intérieures des bâtiments, qu'il meubla et décora, planta une allée de platanes, ouvrit des fenêtres à meneau et croisillon dans la façade S, incrusta des morceaux de sculpture au-dessus des portes de la première cour. Sa veuve ne conserva pas

le château qui connut alors plusieurs propriétaires.
Descr. : Précédé au S d'une cour à laquelle donnent accès les trois portes à encadrements en bossages d'un portail flanqué de deux tourelles circulaires à mâchicoulis, le château comprend trois bâtiments en U. Au S, de part et d'autre de la grosse tour-porche, dont les angles extérieurs sont garnis d'échauguettes encadrant la bretèche qui domine les fentes des pont-levis des portes, on a adossé à la courtine crénelée deux bâtiments à un étage, couverts de terrasses et percés de fenêtres à meneau et croisillon. A l'extrémité occidentale de cette courtine, se dresse une tour circulaire à toit conique, à son extrémité orientale une grosse tour également circulaire que le XVIIIe s. a couronné de mâchicoulis. Contre celle-ci s'appuie le corps de logis principal qui clôt à l'E la cour intérieure et dont le pignon N est adossé à une grosse tour carrée, création, elle aussi, du XVIIIe s., de même que le bâtiment abritant un escalier et des galeries qui le doublent à l'O. Le logis comprend deux étages carrés et un étage de comble, la tour trois étages carrés. Elle est couverte d'une terrasse. Toutes les ouvertures ont des linteaux en arc segmentaire. Aux écuries, qui constituaient l'aile N, on a substitué peu après 1749 un corps de logis à un étage carré

Chaintré. Avant-cour et façade d'entrée.

couvert d'un toit à croupes de tuiles creuses qui abrite une chapelle. Des terrasses décorées de statues et d'ifs taillés, un parc à l'anglaise et une pièce d'eau complètent cet ensemble. **F.V.**

Bibl. : F. Perraud, *Les environs de Mâcon*, 1912, pp. 96-120, ill.

Crèches-sur-Saône
Château d'Estours

Arr. Mâcon, c. La Chapelle-de-Guinchay, Saône-et-Loire.
A 9 km au S de Mâcon, par la RN 6.
Propr. : M. Jean Mélinand.
On ne visite pas.
Au SE du village, en terrain plat, entre les deux bras d'un ruisseau.

Hist. : Bien que le château soit très certainement antérieur, les premiers seigneurs connus n'en apparaissent dans les textes qu'au début du XIVe s. : il s'agit de Duran, puis de Renaud de Feurs, d'origine lyonnaise, dont les descendants devaient conserver Estours jusqu'en 1561, en dépit de rivalités permanentes avec les habitants de Mâcon pour l'exercice du droit de guet et garde. Ces derniers y établirent en 1437 une garnison de douze hommes pour faire face aux Écorcheurs, qui parvinrent néanmoins à s'y introduire et s'y maintinrent jusqu'en 1443. En 1479 les milices mâconnaises le brûlèrent et le pillèrent pour se venger d'une reddition

aux troupes royales jugée trop hâtive. Il fut alors en partie reconstruit : la tour d'escalier date sans doute de cette époque. Par mariages, il passa à François de Nanton, puis, en 1609, à Charles Damas et fut désormais occupé par des fermiers qui le laissèrent à l'abandon. En 1713, il fut acquis par Louis Durret, chevalier forézièn, qui en confia la réparation et la partielle transformation à Michel-Ange Caristie, de Lyon, qui prit en 1725 la direction du chantier. Alors furent supprimés les meneaux et croisillons des fenêtres, tandis que des appartements nouveaux étaient aménagés dans l'aile N que flanquaient deux tours carrées. Passé ensuite à Louis Charrier de La Roche, qui devait mourir évêque de Versailles en 1827, il fut vendu par ses héritiers en 1842 et acheté en 1845 par Émile Devienne qui fit démolir en 1870-1871 l'aile S, faisant ainsi disparaître les traces d'une ancienne entrée depuis longtemps obstruée et la chapelle attestée aux XVIe et XVIIIe s. Depuis 1974, M. Mélinand en a entrepris la restauration.

Descr. : Le château occupe un quadrilatère irrégulier cerné de douves en eau. Seules subsistent les ailes N et O. L'aile N, qui comporte un rez-de-chaussée bas, un étage carré et un demi-étage, est flanquée aux deux extrémités de sa façade donnant sur les douves, dont une fausse braie la sépare, de tours carrées demi-

hors œuvre plus élevées d'un demi-étage. Les baies en sont couvertes de linteau en arc segmentaire de même que la porte charretière, précédée d'un pont de pierre, qui s'ouvre sous la tour N. Le passage auquel elle donne accès débouche dans la cour à côté d'une tour hexagonale adossée à la façade S du logis, au long de laquelle règne, au niveau de l'étage carré, un balcon sur consoles de pierre qui s'abrite sous l'avancée du toit plat à deux versants de tuiles creuses. L'aile O est composée de deux bâtiments implantés dáns le prolongement l'un de l'autre : un gros bâtiment rectangulaire à un étage carré, construit vraisemblablement au XVᵉ s. sur des bases plus anciennes et remanié aux XVIIᵉ et XIXᵉ s., dont l'un des angles extérieurs est défendu par une échauguette circulaire récemment restaurée, et un bâtiment plus étroit, de même élévation, dont le rez-de-chaussée abrite des communs. A l'extrémité S de cette aile se dresse une grosse tour ronde, sans accès au rez-de-chaussée, qui fut peut-être le donjon primitif. Les murs en ont 1,40 m à la base. Elle a été tronquée en biais à sa partie supérieure. Dans l'angle formé par les deux ailes se trouve une haute tour d'escalier hexagonale qu'éclairent de grandes baies à meneaux et croisillons moulurés.   F.V.
Bibl. : F. Perraud, *Les environs de Mâcon,* 1912, pp. 242-263, ill.

Crèches-sur-Saône
Château de Thoiriat

Arr. Mâcon, c. La Chapelle-de-Guinchay, Saône-et-Loire.
A 9 km au S de Mâcon, par la RD 31.
Propr. : M. Sauzey.
On ne visite pas.
Isolé, à l'E du village, au flanc d'une pente dominant le ruisseau de l'Arlois.
Hist. : La terre de Thoiriat était passée, depuis le IXᵉ s., entre les mains de multiples seigneurs lorsqu'elle parvint, en 1749, entre celles d'Antoine-Alexandre de Thy, époux de Christine de La Fage. C'est leur fils, Philibert-Joseph de Thy, qui fit bâtir à partir de 1779 un nouveau château à côté de la modeste maison forte médiévale, en fort mauvais état, dont les deux tourelles devaient être en partie démantelées en 1794, prélude à sa définitive disparition. Le nouveau château, dont la construction est parfois attribuée à J.-P. Caristie, fut achevé avant 1787. En 1794, il fut saisi et vendu à

Philibert Vacher, un artisan, qui le céda peu après à Jean-Pierre Canard dont descend le propriétaire actuel.
Descr. : Le château proprement dit consiste en un corps de logis de plan rectangulaire couvert d'un toit à croupes et flanqué à ses extrémités de deux ailes en retour d'équerre en légère avancée sur ses deux façades. L'ensemble comprend un sous-sol voûté, un rez-de-chaussée surélevé, un étage carré et un demi-étage. Des bandeaux règnent avec le sol des deux étages. Au centre de chacune des façades un avant-corps d'une travée couronné d'un fronton, sculpté d'un cartouche aux armes des Thy. Le seul autre élément décoratif de cet ensemble austère est le balcon de pierre sur consoles sur lequel donne au premier étage une porte-fenêtre. Parmi les communs, assez disparates, se trouve un long bâtiment couvert d'un toit brisé percé de lucarnes à ailerons.   F.V.
Bibl. : F. Perraud, *Les environs de Mâcon,* 1912, pp. 647-663, ill.

Le Creusot
Château de La Verrerie

Arr. Autun, Saône-et-Loire.
Propr. : Communauté urbaine.
ISMH.
Visite autorisée.
Dans la ville en terrain plat.
Hist. : Ce vaste ensemble était, à l'origine, une manufacture de cristaux créée à la demande du roi Louis XVI et transférée de Sèvres au Creusot en 1784, en raison de la proximité des mines de houille indispensables pour obtenir un combustible à bon marché en vue de la fusion du verre. Construite de 1784 à 1788, elle prit le nom de manufacture des Cristaux de la Reine et fut bientôt célèbre, notamment par ses tailles à pointes de diamant. Cette cristallerie, qui occupait jusqu'à 350 ouvriers, fonctionna avec des fortunes diverses pendant la Révolution et la Restauration; elle fut vendue en 1833 aux Compagnies de Baccarat et de Saint-Louis, mais elle resta inutilisée jusqu'au rachat des bâtiments, en 1837, par les frères Schneider. A partir de 1847, des améliorations y furent effectuées pour en faire la résidence de la famille des propriétaires. Au début du XXᵉ s., devant l'importance prise par la ville du Creusot du point de vue industriel et le nombre croissant des visites de chefs d'État étrangers, les bâtiments, sous la direction

La Verrerie. Au premier plan les anciens fours de la cristallerie.

de l'architecte Sanson, furent transformés en château et entourés d'un parc. Très détérioré au cours de la Seconde Guerre mondiale par l'occupation allemande et les bombardements alliés, il a été restauré après que les habitations de la ville eurent été reconstruites et les usines remises en activité.

Descr. : C'est un bâtiment en U comprenant un corps principal et deux ailes en retour d'équerre à un rez-de-chaussée, un étage carré et un étage de comble éclairé par des œils-de-bœuf et des lucarnes en plein cintre. Ce dernier est remplacé par un étage-attique dans la partie centrale du corps principal, au centre de laquelle se détache, en très légère avancée, un avant-corps de trois travées couronné d'un fronton sculpté aux armes de France et d'Autriche, et percé au rez-de-chaussée de trois portes en plein cintre. Des trophées d'armes exécutés au XIXe s. se dressent en amortissement aux angles des toits de cette partie centrale. Le centre de chacune des façades des ailes est occupé par un avant-corps de trois travées couronné d'un fronton percé d'un oculus encadré d'ornements sculptés. Au rez-de-chaussée de chacun de ceux-ci, s'ouvrent des portes à linteau en arc segmentaire.

En avant des ailes, de part et d'autre de la cour, que limite un élégant corps de passage, se trouvent deux constructions coniques, entièrement couvertes de tuiles plates, qui abritaient les fours de la cristallerie : l'une a été transformée en théâtre par la famille Schneider, l'autre en chapelle avant de devenir salle d'exposition. J.Md.

Bibl. : H. Chazelle, *Le Creusot, histoire générale*, 1936, pp. 141-152, ill.

Croix (château de)

Voir Génelard.

Cruzille

Arr. Mâcon, c. Lugny, Saône-et-Loire.
A 15 km au S de Tournus, sur la RD 161.
ISMH.
Propr. : Département de Saône-et-Loire.
On ne visite pas.
Isolé, au SO du village, sur un éperon dominant une petite vallée.
Hist. : La première mention d'un château à Cruzille date de 1366. Le propriétaire en était alors Ardouin de Nanton. Des Nanton il passa par mariage, en 1547, aux Saillant. Faute d'héritiers il fut

Drée. Vue générale de la cour.

finalement vendu en 1557 à Françoise de Rubys, veuve de Claude Patarin, dont la fille porta Cruzille à son mari, Nicolas de Bauffremont, seigneur de Sennecey. La terre fut érigée en comté en 1583 pour leur fils Georges de Bauffremont, gouverneur de Mâcon, auquel son ralliement précoce à Henri IV valut d'être assiégé deux fois dans son château. En 1630, Cruzille fut vendu à Anne de Saulx, femme d'André de Grimaldi. Quelques années plus tard, le comté échut à Claire de Saulx-Tavannes, femme de Charles-François de La Baume. Les La Baume le conservèrent jusqu'au début du XIXᵉ s. Vers 1820, il appartenait à l'une de leurs parentes, Marie-Charlotte-Alexandrine de Lannay, épouse d'Hercule-Dominique de Tulle de Villefranche.

Descr. : A l'origine, c'était un quadrilatère cantonné de tours rondes. L'aile occidentale et la tour SO disparurent vraisemblablement dans les combats de la fin du XVIᵉ s. L'aile orientale subsiste, flanquée de deux tours rondes coiffées de toits coniques. Celle du NE repose, de même qu'une partie du bâtiment, sur une base talutée en bel appareil en bossage rustique. Elle est ceinte d'un bandeau et couronnée d'une corniche à modillons. L'aile N, comprise entre cette tour et une troisième, découronnée, a subi bien des outrages. Elle abrite un bel escalier de pierre à volées droites et est percée d'un portail en plein cintre dont l'entourage harpé en bossage rustique est de même type que celui des deux fenêtres en plein cintre qui éclairent les tours à l'E et celui de la fenêtre rectangulaire de la tour NO. Ces ouvertures, de même que des canonnières à la partie supérieure des tours, témoignent de remaniements effectués au XVIIᵉ s. Des baies rectangulaires ont été ouvertes ultérieurement dans tous les bâtiments.

F.V.

Bibl. : A. Dubois, *Monographie de Cruzille en Mâconnais;* F. Perraud, *Le Mâconnais historique,* 1921, pp. 81-88.

Curbigny
Château de Drée

Arr. Charolles, c. La Clayette, Saône-et-Loire.
A 3 km au N de La Clayette, par la RD 193 et un chemin vers le N après

franchissement de la voie ferrée.
ISMH.
Propr. : Prince de Croÿ-Rœulx.
On ne visite pas.
Isolé sur un terrain en pente douce, à
1 500 m au N du village de Curbigny.
Hist. : Des origines à 1769, ce lieu a porté
le nom de La Bazolle. La construction du
château a été entreprise vers 1620 par
Charles de Blanchefort de Créquy, qui y
consacra une large part de la fortune que
lui avaient apportée ses deux femmes

successives, toutes deux filles du connétable de Lesdiguières. Les travaux, inter-
rompus à sa mort, furent repris dans la
seconde moitié du XVIIe s. par ses
héritiers. Au décès du dernier de ceux-ci,
en 1703, il passa par héritage à Catherine
de Villeroy, épouse du prince Louis de
Lorraine, dont les enfants le vendirent en
1748 à Étienne de Drée, lequel acheva
avec l'aide de l'un des Caristie, la
décoration intérieure et fit ériger la terre
en marquisat sous le nom de Drée, qui est

Drée. Avant-corps central.

celui d'un fief de l'Auxois qu'avaient possédé ses ancêtres. En 1837, Drée fut acquis par Mme de Tournon-Simiane. *Descr.* : C'est un bâtiment de plan rectangulaire formé de trois corps en U et cantonné de pavillons. Le corps de logis principal et les deux ailes en retour d'équerre vers l'E comportent un sous-sol, un rez-de-chaussée, un étage carré et, vers la cour seulement, un étage de comble éclairé par des lucarnes à frontons cintrés surmontés de boules d'amortissement. Les fenêtres du rez-de-chaussée en sont couronnées de frontons triangulaires reliés entre eux par une corniche, celles de l'étage sont couvertes de linteaux en arc segmentaire. Des bandeaux règnent au niveau de leurs appuis. Le centre de la façade orientale du corps de logis est occupé par un avant-corps de trois travées formé au rez-de-chaussée, au-delà d'un degré de cinq marches, d'un portique constitué de deux rangs de six colonnes à bases attiques et chapiteaux cantonnés de têtes d'animaux, qui supportent un balcon à balustrade de pierre sur lequel ouvrent, entre des colonnes à chapiteaux décorés de feuillage, trois portes-fenêtres rectangulaires. Au-dessus de celles-ci règne une corniche à modillons fortement saillante surmontée d'un muret que couronne un cartouche aux armes des Tournon-Simiane entre deux lions accroupis affrontés. Les angles rentrants formés par le corps de logis et les ailes sont adoucis par un pan concave en légère avancée, percé au rez-de-chaussée d'une baie en plein cintre et au premier étage d'une fenêtre à linteau en arc segmentaire et garde-corps à balustrade de pierre. Les deux pavillons orientaux, dont les façades N et S sont en légère avancée sur celle des ailes, dont ils flanquent les extrémités, comportent un sous-sol, un rez-de-chaussée, un étage carré et un étage en surcroît formant attique, éclairé par des fenêtres pendantes couronnées de frontons-pignons triangulaires surmontés de boules d'amortissement. Ils sont percés de fenêtres couvertes de linteaux en arc segmentaire. La façade occidentale donnant sur le parc est plus dépouillée : l'avant-corps central, couronné d'un fronton, et les deux pavillons sont percés au rez-de-chaussée de fenêtres en plein cintre et à l'étage de fenêtres à linteaux en arc segmentaire. Un tore, interrompu au centre par l'arc en plein cintre d'une porte passante, règne au-dessus des baies du sous-sol. Les toitures

sont en ardoises. Les pierres et le crépi des murs sont de couleur ocre-rose. L'intérieur renferme, entre autres, un grand salon blanc dont les boiseries et le plafond sont décorés de trophées champêtres, de bouquets et de guirlandes de fleurs de style rocaille. J.Md, F.V.

Curtil-sous-Burnand
Château de La Serrée

Arr. Mâcon, c. Saint-Gengoux-le-National, Saône-et-Loire.
A 19 km au N de Cluny, par la RD 84.
Propriété privée.
On ne visite pas.
Au pied du bourg, à flanc de colline.
Hist. : La famille du Boys, qui avait possédé La Serrée au XVe s., s'éteignit au début du XVIe s., la dernière de la lignée ayant épousé, en 1522, Philibert de Drée, dont la famille était originaire de l'Auxois. Le domaine resta aux Drée jusqu'en 1713, fut alors vendu à plusieurs reprises et finalement acheté, en 1763, par Claude-Philibert Bernard de La Vernette dont la famille le possédait à nouveau au début du XXe s., après qu'il fut passé entre les mains de E. Perrault de Jotemps; celui-ci avait démoli le donjon à quatre pans irréguliers qui occupait le centre de la cour, ainsi que trois des huit tours, avait installé une chapelle privée dans la plus grosse de celles qui subsistaient et aménagé les bâtiments habitables. *Descr.* : Les bâtiments entourent sur trois côtés une cour rectangulaire, autrefois totalement close, à laquelle on accède au N par une tour-porche percée d'une porte charretière en anse de panier que dominent des mâchicoulis couverts sur consoles à ressauts, dont le parapet, soutenu à ses deux extrémités par des culots sculptés de monstres, est percé d'archères. Cette tour est flanquée, à droite de la porte, d'une tour ronde aujourd'hui tronquée et, vers la cour, d'une tourelle d'escalier circulaire. De part et d'autre, se développent des bâtiments d'habitation auxquels s'appuient des tours d'angle. Un corps de logis est adossé à la courtine orientale qui a conservé une partie du chemin de ronde qui la couronnait. L'angle SE est occupé par une tour à demi ruinée. La construction en retour d'équerre au S abrite un pressoir. Elle est flanquée d'une grosse tour ronde, dite tour du pigeonnier, dont le deuxième étage est desservi par un

escalier aménagé dans l'épaisseur de la muraille. Les fossés sont comblés. F.V.

Bibl. : L. Chardigny, «Curtil-sous-Burnand, ses seigneurs, son château, son église», dans Mém. de la Soc. d'histoire et d'archéologie de Châlon-sur-Saône, t. XIV, 2e série, 1926-1927, pp. 213-237, plan.

Cypierre (château de)

Voir Volesvres.

Davayé
Château de Chevignes

Arr. Mâcon, c. Mâcon-Sud, Saône-et-Loire.
A 8 km à l'O de Mâcon, par la RD 54 et un chemin vers le N.
ISMH.
Propr. : M. Hubert Saint-Olive.
On ne visite pas.
Isolé, à flanc de pente.
Hist. : La villa de Chevignes fut donnée à l'abbaye de Cluny en 931 par Raoul, duc de Bourgogne. Son territoire s'accrut rapidement grâce à des donations et la culture de la vigne y fut pratiquée dès le Xe s. Les moines y bâtirent une demeure fortifiée et en firent une *obédience* gérée par un moine, puis concédée à bail à partir du XVIe s. Ils ne cessèrent toutefois pas de se réserver la possibilité d'y résider; c'est ainsi que Mabillon put y faire étape en 1682. Pillé et ravagé en juillet 1789, le château fut vendu en 1791 à Jean-Baptiste Mure, originaire du Dauphiné. Vers 1870, il passa à la famille Protat. Une chapelle y avait été fondée dès 950; elle était placée sous le vocable de Saint-Taurin.
Descr. : La construction actuelle date, dans son ensemble, du milieu du XVIIe s. Elle comporte un étage de soubassement, tout entier voûté d'arêtes, un étage carré et un étage de comble sous un toit brisé. La façade E, précédée d'une terrasse, comprend à ses deux extrémités des avant-corps en très faible avancée. Elle est percée de grandes fenêtres à linteau en arc segmentaire. La baie centrale donne sur un balcon à appui-corps en fer forgé qu'un terre-plein relie à la terrasse. La façade O ouvre au rez-de-chaussée par une galerie ouverte formée de cinq arcades en plein cintre retombant sur des piliers carrés, et à l'étage par cinq grandes croisées à un meneau et deux croisillons qui paraissent résulter du remaniement, au XIXe s., des *cinq grandes croisées portant sur des arcs doubleaux*, citées en 1792. Elles éclairent une galerie couverte d'un plafond à la française dont les poutres reposent sur des corbeaux de pierre sculptés de grotesques. Un escalier de pierre rampe sur rampe à deux volées, dont le repos est couvert de voûtes d'arêtes, occupe l'angle NO du bâtiment. Dans la paroi S de l'aile méridionale des communs subsiste une partie du mur, percé de deux petites fenêtres en plein cintre, de la chapelle du Xe s. F.V.

Bibl. : H. George, Histoire du village de Davayé en Mâconnais, Paris, 1906, pp. 293-314; F. Perraud, Les environs de Mâcon, 1912, pp. 165-168, ill.

Davayé
Château de Rossan

Arr. Mâcon, c. Mâcon-Sud, Saône-et-Loire.
A 7 km à l'O de Mâcon, par la RD 54 (hameau des Durandis).
Propr. : Famille Chatagnon (château), M. Kaiser (ferme), M. Chavet (tour d'angle).
On ne visite pas.
A l'extrémité E du village, en bas de pente.
Hist. : C'est au XIIIe s., et plus certainement au XIVe s., que le château de Rossan devint le centre de la châtellenie royale de Davayé qui regroupait les paroisses de Charnay, Saint-Léger et Vergisson. En 1522, cette châtellenie fut engagée à Hector de Primbois, seigneur d'Escole. Un nouvel engagement la mit en 1547 entre les mains de Jean de Mouton, puis elle rentra dans le domaine royal de 1555 à 1595. Elle fut alors adjugée à Jean Chandon, premier président à la Cour des aides de Paris. En 1642, Jean de Macet l'acquit des créanciers du dernier des Chandon, Hugues, chanoine de Mâcon, qui avait entrepris la reconstruction du château, laquelle fut achevée par les Macet. En 1713, Jean de Macet la vendit à Pierre Desvignes, maire de Mâcon, dont les descendants en furent propriétaires jusqu'en 1880. Le château doit aux Desvignes sa façade S, son grand escalier et son décor intérieur, en particulier les boiseries du salon.
Descr. : Précédé à l'O d'une vaste basse cour dont il subsiste une grosse tour d'angle carrée à fenêtre à meneau et croisillon, un long bâtiment rectangulaire à un étage carré et un demi-étage, et une petite tour circulaire, le château est de plan rectangulaire formé de quatre corps principaux et cantonné de tours carrées.

Rossan. Façade S (remaniée au XVIIIᵉ s.).

Les tours qui flanquent la façade N, appuyée au coteau, sont plus trapues et coiffées de toits moins aigus que celles qui flanquent la façade S, remaniée au XVIIIᵉ s. de façon à composer un ensemble comprenant un corps central, couronné d'un fronton, entre deux pavillons. Les bâtiments à un étage carré et un demi-étage s'ordonnent autour d'une cour centrale qu'un passage voûté d'arêtes relie au tinailler qui se trouve au N. On y voit des éléments de fenêtres à meneau et croisillon sans moulure dans l'aile occidentale, deux petites portes en plein cintre dans l'aile S, qui renferme par ailleurs un escalier en vis du XVᵉ s, une pierre portant la date de 1630 et un cadran solaire celle de 1753. Au centre de la façade O s'ouvrent deux petites portes en plein cintre donnant acces à un vestibule au N duquel s'élève un escalier tournant à trois volées droites, à rampe de fer forgé. Un portail en plein cintre en bossages à pointes de diamant, situé entre le château et sa basse cour, a été abattu en 1902. A l'E, des jardins à la française avaient été aménagés sur une vaste terrasse depuis longtemps plantée de vignes. **F.V.**

Bibl. : H. George, *Histoire du village de Davayé en Mâconnais,* Paris, 1906, pp. 87-140; F. Perraud, *Les environs de Mâcon,* 1912, pp. 205-222.

Demigny

Arr. Chalon-sur-Saône, c. Chagny, Saône-et-Loire.

A 8 km à l'E de Chagny, par la RD 19 et un chemin vers l'E.
ISMH.
Propr. : Comtesse de Malibran-Santibanez.

Au S du village, sur une terrasse le dominant (hameau de Vacheret).
Hist. : Le château est bâti à proximité du hameau de Vacheret qui fut donné en fief, en 1254, à Guy de Vacheret par le duc Hugues IV. Ce petit fief conserva son autonomie jusqu'à son don, en 1431, par Jean de Vacheret à Guillaume de Vienne. Il connut désormais le même sort que la proche seigneurie de Demigny et fut, comme elle, partagé entre les puissantes familles de Malain et de Vienne jusqu'au milieu du XVIᵉ s. La part des Vienne échut alors aux d'Ugny, puis aux Foissy qui achetèrent, en 1603, ce qui était entre les mains d'Esme de Malain, seigneur de Lux. Le domaine ainsi rassemblé fit partie de la dot de Jeanne de Foissy lors de son mariage avec Philippe d'Andelot. Ayant épousé leur petite-fille, Anne d'Andelot, Louis de Foudras en devint maître en 1669. Le château se présentait encore sous la forme d'un quadrilatère cantonné de tours auquel les habitants devaient guet et garde lorsque Louis de Foudras en donna dénombrement en 1752. Son fils, Alexandre-Henri de Foudras, parvint à le conserver en dépit de son émigration. Au cours de celle-ci, il épousa Marie-Antoinette de Schlegenberg dont la fortune lui permit, dès 1805, de bâtir une nouvelle demeure à une

74

soixantaine de mètres de l'ancienne forteresse, qui avait elle-même subi d'importantes modifications à la fin du XVIIIᵉ s. Leur fils, Théodore, célèbre pour ses œuvres cynégétiques, en acheva les aménagements intérieurs, planta une allée de peupliers et dessina des jardins anglais, avant de vendre le tout à M. Brémond en 1839. En 1853, le château devint la propriété de l'orientaliste Émile Guimet. Il appartient depuis 1952 à la comtesse de Malibran-Santibanez.

Descr. : Le château se compose d'un corps principal de plan rectangulaire allongé à un étage carré et un demi-étage, couvert d'un toit à croupes en ardoise, flanqué de deux pavillons rectangulaires hors œuvre en avancée sur sa façade E et en retrait sur sa façade O. Un avant-corps se détache en légère avancée au centre de chacune des façades principales. Celui de l'E seul est couronné d'un fronton. Toutes les chaînes d'angle sont en bossages en table. Les baies du rez-de-chaussée et de l'étage ont des linteaux en arc segmentaire. A l'O, celles de l'étage carré de l'avant-corps donnent sur un balcon de pierre sur consoles à appui-corps en fer forgé, celles des pavillons sont pourvues de balconnets. La porte principale, à l'E, est en plein cintre. Elle donne accès à un vestibule précédant un escalier tournant à deux volées droites dont la rampe en fer forgé comporte le monogramme de Marie-Antoinette de Schlegenberg-Foudras. La façade O est précédée d'un long bahut portant une grille, interrompu en son centre par une porte cochère sans recouvrement dont les piliers en bossages, décorés de tables, sont couronnés de vases d'amortissement.

F.V.

Digoin
Château de Chiseuil

Arr. Charolles, Saône-et-Loire.
A 1,5 km à l'E de Digoin, par la RN 79.
Propr. : M. Louis Varenard de Billy.
On ne visite pas.
Château isolé entre cour et parc, construit en haut d'une légère montée plantée de beaux arbres qui s'amorce depuis la grand-route.
Hist. : La seigneurie de Chiseuil, qui appartint aux Belleperche et aux Cochardet, fut achetée vers 1720 par les Maublanc, négociants digoinais enrichis par le commerce et la navigation sur la Loire. Ils ont été faits barons d'Empire par Napoléon Iᵉʳ et ont légué Chiseuil à un neveu, Henri de Billy, père du propriétaire actuel. Le château aurait été reconstruit par eux en 1763, à la place d'un château plus ancien dont il subsiste des éléments dans le bâtiment d'entrée, la cuisine, la façade O et les communs. Il a été remanié au XIXᵉ s.

Descr. : Le bâtiment d'habitation est constitué d'un corps central à un étage carré et un étage de comble et de courtes ailes en retour d'équerre, de même élévation, reliées entre elles, en avant du corps central, par une galerie couverte en terrasse, de construction postérieure, que surmonte une balustrade. La porte de la galerie et la baie centrale, toutes deux en plein cintre, sont cernées de bossages continus en table. Un petit fronton triangulaire cantonné de trois pots à feu surmonte le tout. L'ensemble est couvert de toits à croupe en tuiles. Derrière le château s'étendent un jardin et un parc avec pièce d'eau qui auraient été dessinés avant la construction du château.

P.C.

Digoine (château de)
Voir Palinges.

Digoine (château de)
Voir Saint-Martin-de-Commune.

Dompierre-les-Ormes
Château d'Audour

Arr. Mâcon, c. Matour, Saône-et-Loire.
A 28 km au SE de Charolles, par la RD 95 et un chemin de terre s'embranchant vers l'O à La Toutte.
ISMH.
Propr. : La commune.
On ne visite pas.
Isolé, à flanc de pente, dominant une région vallonnée.
Hist. : Il y avait un château à Audour au XIVᵉ s. Propriété de la famille du Ris, il passa par mariage à la fin de ce siècle aux Fautrières qui payèrent leur fidélité à Charles le Téméraire de la prise et de la dévastation de leur *places et maison forte appelés Odour* par les troupes de Louis XI en 1470. Aux Fautrières succéda, en 1590, Jean de Lestouf de Pradines, puis, vers 1660, Pierre Damas, fils de Christophe Damas et de Jeanne Austrein, qui avait épousé en secondes noces Pierre de

Lestouf de Pradines, mort sans postérité masculine. Les Damas conservèrent Audour jusqu'au début du XIXᵉ s. En 1775, Mathias-Claude de Damas, qui possédait le domaine depuis son mariage avec Marie d'Arcy de La Varenne en 1749, édifia un nouveau château sur les plans de l'architecte Jean-Pierre Caristie. A peine était-il achevé qu'une aile en retour d'équerre y était ajoutée, dont les aménagements intérieurs ne furent jamais terminés. Le château passa ensuite, par mariages, au comte de Forbin, puis au

d'un fronton. Le tympan du fronton S est décoré d'un bas-relief en terre cuite représentant Cérès. Toutes les baies ont des linteaux en arc segmentaire. Un bandeau règne avec le sol de l'étage. Il est en pierre de taille de schiste rougeâtre, identique à celui des moellons dont est faite toute la construction, les chaînages d'angle et les encadrements des baies étant en granit gris-bleu. L'aile qui s'appuie contre l'extrémité orientale du château et forme retour d'équerre vers le N déséquilibre l'harmonie de l'ensemble,

Audour. Façade S avec fronton décoré d'un bas-relief en terre cuite.

comte de Marcellus et enfin, par legs, en 1886 à la famille de Gaufrédy de Dortan, qui le laissa à l'abandon, puis le vendit en 1971 à la commune de Dompierre-les-Ormes. A l'exclusion de quelques portes, la décoration des appartements en a été entièrement remaniée au XIXᵉ s.

Descr. : Le château proprement dit est un imposant bâtiment de plan rectangulaire à un sous-sol voûté d'arêtes, un rez-de-chaussée, un étage carré et un demi-étage, couvert d'un toit à deux versants, entre deux ailes de même élévation, couvertes de toits brisés, en très légère avancée sur ses deux façades. Au centre de chacune des façades du corps principal, se détache un avant-corps de trois travées couronné

bien qu'elle soit bâtie dans les mêmes matériaux et que ses ouvertures soient identiques. Elle comprend un étage de soubassement, un rez-de-chaussée et un étage carré sous un haut toit à croupes dont le faîte prolonge celui des toits du château. Sa façade E est encadrée par deux avant-corps d'une travée, sa façade O comprend, à son extrémité N, un avant-corps identique. Des communs très remaniés se trouvent à l'E. Une tour carrée domine au NO une ancienne pièce d'eau. Quoique très restaurée au XIXᵉ s., elle appartenait peut-être à la forteresse primitive.   F.V.

Bibl. : F. Perraud, *Le Mâconnais historique,* 1921, pp. 4-7, ill.

Dracy-lès-Couches

Arr. Autun, c. Couches, Saône-et-Loire.
A 2 km au N de Couches, par la RD 225.
Propr. : Baron Joseph de Charette.
Visite du cellier autorisée.
A flanc de pente, à la lisière N du village.
Hist. : La seigneurie existait en 1368.
Quelques années plus tard elle appartenait à Robert de Dracy qui mourut en
1402. Plusieurs propriétaires s'y succédèrent ensuite, le plus souvent par les
femmes : les seigneurs de Lugny (1424),
de Monjeu (1462), puis Morin de Cromey
qui reconstruisit le château en 1547, à la
place d'une forteresse datant de 1298. En
1593, Dracy, défendu par le maréchal de
Tavannes, fut assiégé et pris par le
seigneur de Marnay. Le marquis de
Berbis en 1680, le marquis de Grammont
en 1717 furent seigneurs de Dracy. Peu
après, en 1728, Jacques Bouchet, chape-
lain de Dracy, construisit la cave dans un
style très pur et harmonieux. Pendant la
Révolution, Ferdinand de Grammont,
emprisonné en 1794, fut relâché à la suite
d'une requête des habitants de Dracy.
Après la Révolution, Dracy appartint aux
comtes de Villers La Faye (1830), au
marquis de Laubespin, au comte d'Espies
(1910), au comte Yvert de Saint-Aubin,
enfin, depuis 1965, au baron Joseph de
Charette.
Descr. : Le château rebâti par Morin de
Cromey comprenait un vaste quadrilatère
de bâtiments entourant un donjon carré.
Les flancs N et E ont été abattus ou
fortement diminués il y a un siècle : la
cour d'honneur est ainsi largement
ouverte sur le parc, mettant en valeur le
donjon carré couronné de mâchicoulis et
la tour ronde du XVe s. qui termine si
heureusement le long bâtiment du cellier
demeuré intact. Les autres bâtiments
formant l'aile O ont été transformés
extérieurement comme on aimait à le
faire au XIXe s., d'où une profusion de
bâtiments d'élévations diverses, de tours,
de tourelles, de toits d'ardoises de toutes
formes et de lucarnes à hauts pignons. Le
donjon lui-même n'a pas été épargné. P.C.

Dracy-le-Fort

Arr. Chalon-sur-Saône, c. Givry, Saône-
et-Loire.
A 6 km à l'O de Chalon, par la RD 978
et, au Villars, un chemin vicinal vers le S.
Propr. : Association « Les loisirs populai-
res du groupe Lens-Liévin ».
On ne visite pas.
A l'écart du village, en bordure de
l'Orbise, à 100 m au N de l'église de
Dracy.
Hist. : Très ancien château fort dont la
présence est attestée dès le XIIe s., Dracy
est passé entre les mains de multiples
seigneurs avant de parvenir, vers 1740,
entre celles de Jacques-Philippe Fyot de
Neuilly qui le transforma et fit ériger la
terre en comté en 1754. En 1777, Voltaire
songea à l'acquérir.
Descr. : Le château actuel se compose
d'un grand corps de bâtiment, flanqué à
ses extrémités de deux tours carrées. Sa
façade, percée de baies inégalement
réparties, est tournée vers l'O. Au centre

Dracy-lès-Couches.
Bâtiments remaniés au XIXe s. et donjon carré avec mâchicoulis.

de celle-ci faisant fortement saillie, se dresse une tour-porche rectangulaire de même hauteur que les tours d'angle. Tout cet ensemble paraît avoir été bâti au XVIe s. sur des fondations sans doute antérieures. Au XVIIIe s. (sans doute en 1754, à l'initiative de J.-P. Fyot de Neuilly), en avant de la tour-porche, a été plaqué un large portail en plein cintre à encadrement à bossages, surmonté d'un fronton et flanqué de part et d'autre jusqu'à mi-hauteur de deux fortes volutes. Ainsi, très élargi, le portail tranche nettement par son style et le fini de sa décoration sur les murs frustes du bâtiment primitif. Un large passage, voûté d'arêtes, donne accès à une cour intérieure qui a presque entièrement conservé son aspect d'origine : elle est limitée par deux bâtiments parallèles implantés en retour d'équerre à partir des tours d'angle. L'un, au S, renferme au sous-sol une salle dont les cinq travées de voûtes d'ogives reposent sur quatre piliers ronds; c'est sans doute, comme à Germolles, l'ancien cellier. L'autre, au N, se prolonge assez loin jusqu'à une tour d'angle très ruinée. C'est probablement ce qui reste du vieux donjon signalé par Courtépée. Devant la façade, une grande allée de tilleuls donne à ce château une allure seigneuriale.   P.C.

Dracy-Saint-Loup

Arr. et c. Autun, Saône-et-Loire.
A 9 km au N d'Autun, par la RD 116.
Propr. : M. de Lipkovski.
On ne visite pas.
Dans la plaine entre l'Arroux et la Drée, non loin du village de Dracy au S.

Hist. : Il existe des seigneurs de Dracy dès le XIIIe s. : les Noyers, puis Jean de Vergy qui vendit la terre à Pierre d'Ostun, bailli d'Auxois. En 1377, la terre confisquée sur Symon d'Ostun a été acquise par Guy de La Trémoille : celui-ci, favori du duc de Bourgogne, conseiller et chambellan du roi de France, fit *restablir* en 1386 la vieille maison forte de Dracy. Elle resta dans la descendance des La Trémoille jusqu'en 1611 où Tanneguy Le Veneur de Tillières la vendit au président Jeannin. Celui-ci entreprit de construire un château d'un corps de logis à un étage entre deux pavillons; puis en 1619, il traita avec le maçon H. Magnien, de Dracy, pour achever le gros œuvre et construire en outre deux autres corps de logis *qui feront retour au bout dudit principal corps de logis et pavillons.* Ce château s'édifiait à la place de la maison forte du XIVe s. dont il ne reste rien car il était prévu de construire en sous-sol des offices voûtés et de démolir le revêtement du fossé pour l'élargir. Le marché de 1619, puis celui de 1622 pour la construction du portail sont signés par l'architecte Le Mercier. La construction inachevée à la mort du président Jeannin fut terminée par son gendre Pierre de Castille qui acheta des terrains pour l'entourer de jardins. Dracy-Saint-Loup eut dès lors les mêmes possesseurs que Montjeu. Le château a été affecté à un usage agricole dès le XVIIIe s. par les Talleyrand.
Descr. : Le château était déjà mutilé au XVIIIe s. puisque Courtépée signale qu'il n'y a plus qu'un pavillon. Il est actuellement très délabré. Le corps de logis central et le pavillon S ont disparu. Il ne subsiste que le pavillon N, les deux bâtiments qui prolongeaient les pavillons, et le portail. Un double bandeau entre les étages, une clef saillante à l'encadrement des fenêtres rectangulaires, et la haute cheminée à ailerons qui domine la toiture caractérisent le pavillon. De hautes fenêtres passantes en lucarnes à fronton triangulaire éclairaient vers la cour l'étage des bâtiments latéraux : presque toutes ont été tronquées lors de la réfection des toitures. Des fossés, formant aux angles des sortes de bastions, entouraient l'ensemble et la cour était fermée par un mur. Un pont de pierre donne accès au portail appareillé à bossages, encadré de pilastres et surmonté d'un entablement.   M.R.

Drée (château de)

Voir Curbigny.

Durtal (château de)

Voir Montpont-en-Bresse.

Dyo

Arr. Charolles, c. La Clayette, Saône-et-Loire.
A 11 km au S de Charolles, par la RD 985 et un chemin vicinal vers le NE, à Saint-Germain-en-Brionnais.
Propriétaires multiples.

On ne visite pas.
Dans le village, sur une butte.

Hist. : L'occupation du site de Dyo remonte sans doute aux temps carolingiens. Une famille qui en portait le nom apparaît, déjà puissante, dès la fin du XIe s. Les Dyo qui, dans des conditions mal définies, ajoutèrent à leur patronyme celui de Palatin à partir du XIVe s., conservèrent la seigneurie jusqu'au milieu du XVIIe s. Marie-Élizabeth Palatin de Dyo la porta alors par mariage à Louis-Antoine Hérard Damas d'Anlezy dont les descendants en furent maîtres jusqu'à la fin du XVIIIe s. Marie-Angélique

partie méridionale, qui fut peut-être le château proprement dit. On distingue encore, à l'extrémité S, les bases de trois tours circulaires flanquant la courtine au tracé arrondi, arasée au niveau du sol des jardins intérieurs. A l'O, se dresse une haute tour-porche de plan presque carré, percée de rares ouvertures : au S, une étroite baie rectangulaire, au niveau du second étage, donnait de toute évidence accès à un chemin de ronde; sous la toiture, des ouvertures rectangulaires permettaient la pose de hourds. A l'E, au-dessus de la porte en arc brisé maintenant obturée, une bretèche suppor-

Dyo. Bretèche.

de Gassion, veuve de Louis Damas d'Anlezy, la tenait en 1789. Le château semble avoir été abandonné très tôt : il était ruiné au XVIIIe s.

Descr. : De la vaste enceinte ovale qui ceignait l'ensemble du sommet de la butte, il ne reste plus que des pans de la

tée par trois consoles à ressauts est défendue par deux archères dont l'une est cruciforme. Cette tour paraît avoir été bâtie au XIIIe s. Des maisons d'habitation et des granges, dont certaines sont fondées sur les bases des murailles, ainsi que des potagers occupent l'enceinte. F.V.

79

Épervans
Château de La Motte

Arr. Chalon-sur-Saône, c. Chalon-sur-Saône-Sud, Saône-et-Loire.
A 6 km au SE de Chalon, par la RN 78.
Propr. : M. Robert Gehin.
On ne visite pas.
Isolé, au N du village, à la lisière de la forêt.
Hist. : On sait seulement qu'il existait en cet endroit une *Motte* au Moyen Age. Ce fief mouvait de Saint-Marcel-lès-Chalon pour la justice et appartenait, au XIᵉ s., à Hugo des Barres. A la fin du XVIIIᵉ s., est cité François Mercier, ancien conseiller au Parlement de Bourgogne, seigneur de Mercey et de La Motte qui, veuf, épousa en secondes noces une demoiselle Sousselier, dont descendent les Labrely, propriétaires du château au siècle dernier. Cette famille s'est éteinte à la mort de Mᵐᵉ Fougeron, née Labrely, en 1970. Le château fut acheté alors par M. Robert Gehin.
Descr. : Le château consistait à la fin du XIXᵉ s. en deux bâtiments parallèles, entourant une cour dans laquelle on pénétrait par une tour-porche carrée massive, précédée d'un pont dormant, ayant sans doute remplacé un pont-levis dont on voit encore les traces de fentes verticales sur la tour. Dans le fond de la cour, une petite tour carrée servait de chapelle. Non habité ni entretenu, livré au pillage, le château ne tarda pas à se détériorer. En particulier, la tour-porche montrait de graves lézardes compromettant sa solidité. Le nouveau propriétaire conserva ce qui restait encore debout, c'est-à-dire la tour chapelle, une remise à colombage apparent et la grosse tour-porche étayée par de solides contreforts. Cette dernière est de même type que celle de Champforgeuil. **P.C.**
Bibl. : M. Canat de Chizy, « Mottes féodales dans l'ancien bailliage de Chalon », dans *Congrès scientifique de France, 42ᵉ session,* 1878.

Épinac

Arr. Autun, Saône-et-Loire.
A 19 km à l'E d'Autun, par la RD 973 et la RD 43.
Propr. : M. Rossel.
On ne visite pas.
Le château occupe la pointe du plateau, en avant du bourg d'Épinac, et domine de sa haute silhouette la large vallée de la Drée.

Hist. : Cette seigneurie, dont le nom ancien était Monétoy, est mentionnée dès 1209. Hugues de Monétoy, dernier de ce nom, périt à Nicopolis en 1396. En 1430, Monétoy est en la possession de Pierre de Bauffremont qui en fit vente à Nicolas Rolin, chancelier du duc Philippe le Bon.

Le chancelier Nicolas Rolin par J. Van Eyck.

Celui-ci fait exécuter au château des réparations et d'importantes reconstructions : la tour de la porte fut fort exhaussée, un escalier de pierre installé dans la tour des chevaliers et la tour Notre-Dame reconstruite à neuf, comme le révèlent les comptes des corvées des habitants et des dépenses de travaux et fournitures. Les descendants de Nicolas Rolin restèrent possesseurs de ce château. C'est Louis II de Pernes qui fait substituer, par lettres patentes de 1656, le nom d'Épinac à celui de Monétoy. En 1734, le maréchal Gaspard de Clermont-Tonnerre, seigneur d'Épinac, y fit les premières recherches de houille, qui amenèrent l'établissement d'une verrerie. Son fils fut guillotiné en 1794; les domaines furent confisqués, démembrés et vendus ainsi que le château dont la démolition fut prononcée : déjà deux tours étaient détruites lorsque Samuel Blum, qui entreprit de développer l'industrie d'Épinac, acquit les restes et arrêta la destruction. Au début du xxᵉ s., le château, morcelé en plusieurs habitations, était assez délabré. Il vient d'être restauré.

Descr. : Du château de Nicolas Rolin, il reste deux corps de logis et deux des quatre tours. Les corps de logis à un étage et combles très élevés forment entre eux un angle sur lequel fait saillie une échauguette : toutes les fenêtres ont été refaites et agrandies. Au NO le logis se termine par un massive tour carrée en pierres, haute de quatre étages. Au SE, une tour carrée, plantée de biais, flanque la construction : appareillée en pierres, haute de trois étages, surmontée de mâchicoulis, éclairée par d'étroites fenêtres dont le linteau forme une accolade, elle devait servir d'entrée au château et commander le pont-levis; la porte a été refaite à l'époque moderne de même que la niche en accolade qui la surmonte et contient un écu aux armes des Rolin (trois clefs). Vers la cour, les fenêtres des logis ont été refaites; la tourelle polygonale contient un escalier. Des arrachements sur la tour N indiquent le départ des courtines qui, à l'origine, encadraient la cour et rejoignaient les tours démolies. Les fossés n'existent plus, mais, au-delà des terrasses et jardins, subsiste une partie de la vaste enceinte polygonale.   M.R.

Bibl. : E. Lavirotte, « Notice hist. sur Épinac, jadis Monétoy en Bourgogne, et ses anciens seigneurs », dans *MAD*, 1855, pp. 195-220.

Épiry (château d')

Voir Saint-Émiland.

Escole (château d')

Voir Verzé.

Esserteaux (château des)

Voir Bussières.

Estours (château d')

Voir Crèches-sur-Saône.

Épinac. Façade S.

Balleure. Ensemble des logis.

Étrigny
Château de Balleure

Arr. Chalon-sur-Saône, c. Sennecey-le-Grand, Saône-et-Loire.
A 14 km à l'O de Tournus, par la RD 215, la RD 159 et un chemin vicinal vers l'E.
ISMH.
Propriété privée.
On ne visite pas.
A la lisière S du village, au bas d'une pente.
Hist. : La terre de Balleure appartenait depuis presque un siècle à la famille de Sauvement lorsque Henri de Sauvement, vers 1340, obtint du duc de Bourgogne l'autorisation de clore de murs et fossés la maison qu'il y possédait. Peu après elle passa aux Rabutin d'Épiry puis, dès le début du XVe s., aux Saint-Julien et enfin, en 1613, à Charles de Naturel dont les descendants la possédaient encore en 1789. En 1767, le dernier d'entre eux, François-Emmanuel de Naturel, entreprit une restauration partielle du château. Celui-ci fut partagé entre plusieurs propriétaires au XIXe s.
Descr. : De plan rectangulaire, cantonné de tours circulaires de différents diamètres dont trois seulement subsistent, le château comporte divers bâtiments entourant une cour centrale ouverte au S, la courtine et la cinquième tour qui la défendait ayant disparu. Le long du flanc E se trouve un corps de logis de plan rectangulaire à un étage carré et un étage de comble éclairé par des lucarnes à ailerons à frontons cintrés. Le côté N est occupé, d'E en O, par une tour-porche à trois étages percée d'un passage voûté surmonté des fentes de l'ancien pont-levis, une grosse tour carrée, aux ouvertures très remaniées, qui pourrait être la tour primitive, une seconde tour carrée de moindres dimensions. Au côté O s'appuient un haut corps de logis à trois étages carrés et un étage de comble, avec lucarnes de même type que celles du bâtiment oriental, dont la partie méridionale a été rasée au niveau du second étage. Il est flanqué sur sa façade orientale d'une tourelle d'escalier hors œuvre, coiffée, comme les trois autres tours rondes, d'un toit conique, à laquelle on accède par une porte à piédroits moulurés et linteau en accolade. F.V.

Bibl. : L. Niepce, *Histoire du canton de Sennecey-le-Grand.* t. I, Lyon, 1875, pp. 490-525 ; L. de Coutenson, « Le château de Balleure », dans *Annales de l'académie de Mâcon*, t. XIV, 1909, pp. 342-359, ill.

La Ferté (château de)

Voir Saint-Ambreuil.

Fleurville

Arr. Mâcon, c. Lugny, Saône-et-Loire.
A 16 km au S de Tournus, par la RD 55.
Propr. : Hôtel du château de Fleurville.
On ne visite pas.
Isolé, au S du village, sur une terrasse

dominant la Saône.

Hist. : L'histoire de ce château, situé à moins de 300 m de celui de Marigny, est totalement obscure. Peut-être a-t-il été bâti par Zacharie Pelez lorsque celui-ci acquit, vers 1600, la châtellenie royale de Verizet dont dépendait Fleurville.

Descr. : Ses bâtiments entourent une cour rectangulaire à laquelle on accède au N par un portail formé d'une porte charretière en anse de panier et d'une porte piétonne en plein cintre, inscrites chacune entre deux pilastres en bossage vermiculé un sur deux et couronnées de frontons brisés encadrant un cartouche dont les armoiries ont été bûchées. Une petite tour carrée flanque à l'O ce portail. Le corps de logis principal, qui a subi de multiples remaniements, s'étend à l'E. De plan rectangulaire allongé, il comprend un rez-de-chaussée et un étage carré sous un toit à deux versants. Il est flanqué sur son angle NE d'une tourelle circulaire. Contre son pignon S, s'appuie un gros pavillon carré comportant un étage, un demi-étage et un étage de comble avec lucarnes à frontons triangulaires, surmontés de boules d'amortissement. F.V.

Fleurville
Château de Marigny

Arr. Mâcon, c. Lugny, Saône-et-Loire.
ISMH.
A 16 km au S de Tournus, par la RD 55.
Propr. : Mᵐᵉ L. Dutter.
On ne visite pas.
Isolé, au S du village, sur une terrasse dominant la Saône.

Hist. : Le fief de Marigny à Fleurville a été constitué vers 1530 par le notaire Philibert Pelez qui y bâtit une maison entourée de tours et de murailles. Ses successeurs agrandirent le domaine qui parvint, peu après 1650, à Girard Perrier, avocat au Parlement. Les Perrier le conservèrent jusqu'à la Révolution. Le château fut pillé en 1789 puis vendu en 1796. Au cours du XIXᵉ s., il a appartenu aux familles Chalot et Pitré. Les appartements en ont été entièrement remaniés vers 1880.

Descr. : Les bâtiments d'habitation occupent le côté E d'une vaste cour cernée de murailles et flanquée au N et à l'O de trois tours rondes percées de canonnières, à laquelle on accède au S par une porte en anse de panier accostée d'une porte piétonne. Des bâtiments à usage agricole

s'appuient à la courtine occidentale. Le corps de logis principal, de plan carré, comprend un rez-de-chaussée, un étage carré et un demi-étage. Il est couvert d'une très haute toiture à deux versants et percé, au premier étage, de fenêtres à meneau et croisillon très restaurées au XIXᵉ s. Il est flanqué, dans le même alignement, de deux ailes à un seul étage. A la façade sur cour de l'aile N, elle aussi percée de baies à meneau et croisillon, est adossée une tour hexagonale dans œuvre couronnée d'un entablement soutenu par de gros modillons en quart-de-rond. F.V.

Bibl. : F. Perraud, *Le Mâconnais historique,* 1921, pp. 125-130, ill.

Fontenay

Arr. et c. Charolles, Saône-et-Loire.
A 6 km au N de Charolles, par un CV.
Propriété privée.
On ne visite pas.
Isolé, en terrain plat.

Hist. et descr. : La maison forte de Fontenay était le centre d'un très petit fief dont l'histoire demeure totalement obscure. Les seuls titulaires que l'on en connaisse sont François de Charolles en 1625 et Pierre de Rimon en 1666. Il en subsiste un gros pavillon carré à deux étages, flanqué sur sa façade O d'une tour d'escalier circulaire hors œuvre à laquelle on accède par une porte rectangulaire encadrée par deux pilastres toscans portant un entablement décoré de triglyphes. Au-dessus de celle-ci figure un cartouche dont les armoiries ont été bûchées. Les manoirs de ce type, qui associent un gros bâtiment carré à une tour d'escalier ronde ou polygonale, sont fréquents dans le S du Charolais et l'O du Mâconnais. F.V.

Fuissé
Château de Pouilly

Arr. Mâcon, c. Mâcon-Sud, Saône-et-Loire.
A 9 km à l'O de Mâcon, par la RD 172 et un CV vers le S, à partir de Davayé.
Propriété privée.
On ne visite pas.
A flanc de pente, au milieu des vignes, dominant le village et un vaste paysage.

Hist. : Le nom de Pouilly apparaît dans les textes dès le Xᵉ s., mais nulle mention n'est faite des maîtres du lieu avant la fin du XVIIᵉ s. : en 1673, Jean de Macet est seigneur de Davayé, Pouilly et Solutré, puis six ans plus tard, en 1679, Philippe de Testenoire, veuve d'Antoine Pollet, bourgeois de Mâcon, reprend le fief. La *maison* passe ensuite en 1696 à Antoine Pollet, docteur en médecine à Mâcon, en 1728 à son fils Antoine, en 1769 à Jeanne-Marie-Philippe Pollet, veuve de Hugues-Eustache Chanorier. *Descr.* : Au-delà d'une porte cochère en anse de panier, accostée d'une porte piétonne en plein cintre, manifestement remontées au XIXᵉ s., le manoir se présente sous la forme d'un gros pavillon de plan carré à un étage et un demi-étage sous un toit brisé de tuiles plates, flanqué, dans le même alignement, de deux ailes basses couvertes de toits à croupes en tuiles creuses. Une tour d'escalier circulaire demi-hors œuvre occupe le centre de la façade S. Elle est défendue par des canonnières et possède encore les consoles d'une bretèche. Deux autres tours circulaires flanquent la façade N. Dans l'appareil alternent de gros et de petits moellons. A droite de la tour d'escalier, les fenêtres sont partagées par un croisillon. Les autres ouvertures ont été remaniées. Des corniches à modillons d'un type uniforme règnent à la base de toutes les toitures. L'ensemble, voué désormais au rôle d'entrepôt de matériel de viticulture, doit dater de la fin du XVᵉ s.   F.V.

Génelard
Château de Croix

Arr. Charolles, c. Toulon-sur-Arroux, Saône-et-Loire.
A 18 km au S de Montceau-les-Mines, par la voie expresse et la RD 985.
Propr. : Famille de Croix.
On ne visite pas; la façade N est visible de la route.
A la lisière NO du village, sur une terrasse dominant la Bourbince.
Hist. : Le château primitif de Génelard était situé au N du village actuel et de la Bourbince, au lieu dit Laugères. Il appartenait en 1435 à Jean-Aymard de Busseul qui était originaire de Moulin-l'Arconce. Veuve de Charles-Antoine de Busseul, Françoise de Laubespin y épousa en 1613 Jean IV d'Amanzé, gouverneur du château de Bourbon-Lancy. Les d'Amanzé le conservèrent jusqu'au début du XVIIIᵉ s. et le vendirent alors à Jean-David de Ganay dont le fils,

Étienne, le céda en 1730 à Paul-Étienne Mayneaud de La Tour qui rasa la vieille forteresse et bâtit un nouveau château à un emplacement tout à fait différent. Celui-ci, qui consistait en un simple bâtiment de plan rectangulaire, fut achevé en 1744. En 1811 Adèle Mayneaud de Pancemont l'apporta en dot au comte de Tournon, chambellan de l'Empereur, qui devait y mourir en 1835. Tous deux en entreprirent l'agrandissement à partir de 1822 : c'est alors que furent construites les deux ailes en légère avancée sur chacune des façades. Amélie de Tournon en hérita en 1835, lorsqu'elle épousa Charles-Philippe de Croix dont descendent les propriétaires actuels. Elle acheva en 1841 les aménagements conçus par ses parents et fit peut-être planter le vaste parc à l'anglaise. Le décor intérieur et extérieur (balcons, frontons) fut totalement refait en 1874-1875. Dans le même temps étaient bâtis à l'O du château de très vastes communs destinés à abriter un élevage de chevaux, un pigeonnier et un moulin. Des travaux de restauration furent effectués de 1901 à 1905.
Descr. : Bâti de pierre jaune et couvert d'ardoise, le château est formé d'un corps central de plan rectangulaire à un sous-sol, un rez-de-chaussée, un étage carré et un étage de comble, flanqué de deux ailes, plus hautes d'un étage-attique, en légère avancée sur chacune des façades. Au centre de chacune de celles-ci se détache à peine, précédé d'un degré de quelques marches, un avant-corps de trois travées couronné d'un fronton orné au N d'un oculus et au S d'un cartouche. Tous les angles sont soulignés par des chaînes à bossage en table. Les baies, y compris les lucarnes à ailerons surmontées de boules d'amortissement, ont des linteaux en arc segmentaire. Celles de l'étage carré ouvrent, dans le corps central, sur un balcon sur consoles à appui-corps en fer forgé et, dans les ailes, sur des balconnets. Flanquée d'oculus ovales, la fenêtre centrale de chacune des façades latérales donne elle aussi sur un balcon à appui-corps en fer forgé. A l'extrémité occidentale du vestibule, qui occupe la partie centrale de la façade N, se trouve un escalier de pierre tournant à deux volées droites supporté par des colonnes cannelées à chapiteaux ioniques. Les communs en L sont précédés à l'E par un pavillon de plan presque carré, à étage, couvert d'un toit brisé que domine un campanile. A l'aile O, en retour

84

Croix. Façade S.

d'équerre, est adossé un portique à trois arcades en plein cintre qui donne accès aux écuries. A l'angle NE de la cour, que les communs encadrent sur deux côtés, se dresse un petit colombier polygonal coiffé d'un toit à l'impériale en ardoises en écailles. Dans le parc subsiste une tour circulaire dite *pavillon,* pourvue d'une toiture de même type.　　　F.V.

La Genète
Château de La Villeneuve

Arr. Louhans, c. Cuisery, Saône-et-Loire.
A 6 km à l'E de Cuisery, sur la RD 39.
Propr. : M^{elles} J. Mayer et Y. Lamberet.
On ne visite pas. En terrain plat.
Hist. : Dotée d'une maison forte citée au XIVe s., la terre de La Villeneuve appartint successivement aux Saint-Trivier (1366), puis à Gabriel de Seyssel (1503), à la famille de La Chambre (milieu du XVIe s.), et à Jean Bouchin sur qui elle fut confisquée au profit de Jacques Bretagne en 1640. Il y avait alors, entouré de fossés franchis par un pont-levis et un pont dormant, un *beau pavillon.* Des Bretagne elle passa, en 1680, à Nicolas Deschamps, seigneur de Riel-Dessus, époux de Marie-Bernarde Bretagne, dont les descendants possédaient toujours le château à la veille de la Révolution.
Descr. : Seul subsiste, le long du flanc S

de la terrasse carrée qui portait la maison forte, un bâtiment de plan rectangulaire allongé, couvert d'un toit à deux versants, flanqué à son extrémité O d'un pavillon en légère avancée sur ses deux façades, couvert d'un toit à croupes. Il comprend un sous-sol, un rez-de-chaussée surélevé, un étage carré, un demi-étage et, vers la cour, un étage de comble éclairé par des lucarnes à croupes débordantes. Bâti en briques et pierres recouvertes d'un crépi ocre et percé de grandes baies il paraît dater du XVIIe s. L'une des pièces est décorée de boiseries peintes du XVIe s., provenant d'un hôtel de Valence. Un pigeonnier carré dans l'angle NE de la cour et une grange en appareil à pans de bois hourdé de brique sous un vaste toit à croupes complètent l'ensemble. Les fossés sont comblés.　　　F.V.

Gergy

Arr. Chalon-sur-Saône, c. Verdun-sur-le-Doubs, Saône-et-Loire.
A 15 km au NE de Chalon, par la RD 5.
Propr. : Vicomte Perrault de Jotemps.
On ne visite pas.
A la lisière E du bourg, sur une terrasse qui domine la prairie du village et la Saône.
Hist. : L'histoire du château de Gergy ne se confond pas avec celle des seigneurs de

Gergy. Corps central flanqué de pavillons en retour d'équerre.

Gergy, lesquels jouirent jusqu'à la Révolution du fief même de Gergy, comme aussi d'un château fort, aujourd'hui disparu, qui dominait la Saône à quelques centaines de mètres au N du château actuel. En 1428, en effet, Jean Lebault, seigneur de Gergy, créa le fief dit de *Meix-Bertaud* dont il fit hommage en 1462 au duc de Bourgogne Philippe le Bon. Les limites de ce fief sont encore celles des propriétés du châtelain actuel de Gergy. Après Jean Lebault, le fief revint à la famille de Verderie et échut en 1640 à Louis Quarré, lieutenant général à la chancellerie de Chalon, qui fit édifier en 1668 le château actuel, qui ne subit depuis, quant à l'extérieur du moins, aucune modification. Après l'extinction des Quarré dits de Gergy, le château est passé par succession aux Lorenchet de Melonde, puis à la famille Gombault, enfin aux Perrault de Jotemps qui le possèdent actuellement.

Descr. : On entre dans la propriété par une tour-porche rustique, percée d'un large portail et d'une porte piétonne. Ce porche, construit bien avant le château, servait d'entrée à une importante ferme fortifiée, dont ce qui reste des bâtiments d'exploitation constitue les communs du château actuel. Ce dernier, en partie caché de l'entrée par les arbres du parc, a été construit dans le style typique des édifices de cette époque dans la région. Il est composé d'un corps central rectangulaire, flanqué de deux pavillons en retour d'équerre. Les combles sont éclairés, sur le devant, de grandes lucarnes de pierre à ailerons; celles des pavillons sont couronnées de frontons cintrés. Les cinq lucarnes du bâtiment central sont caractéristiques : aux extrémités, deux

lucarnes à fronton, séparées par des lucarnes plus petites à œil-de-bœuf. Au centre, imposante lucarne à fronton cintré surmontée d'un haut pot à feu amorti en épi. Ce dispositif de lucarnes rappelle celui de plusieurs hôtels chalonnais : l'hôtel Virey (vers 1615) actuelle sous-préfecture, et l'hôtel de Philippe Pernin au numéro 10 quai de la Poterne. Lucarnes et fenêtres sont placées rigoureusement les unes au-dessus des autres à chaque étage. Un bandeau de pierre court tout le long de la façade, pavillons compris, à la base de celles-ci. Un élégant escalier en fer à cheval permet d'accéder de la cour d'honneur à la porte en façade. Celle-ci est surmontée d'un écusson en pierre aux armes de Louis Quarré. A l'intérieur, la porte d'entrée débouche sur un escalier en pierre, rampe sur rampe, du XVIIe s., au mur d'échiffe classique d'un pied d'épaisseur. Une chapelle occupe le rez-de-chaussée du pavillon de gauche. On y accède par un escalier extérieur sur le côté. Cette chapelle a été instituée en 1668, sous l'évêque Jean de Maupéou, sur l'initiative de Louis Quarré et de Philiberte de Mucie, sa femme. Devant le château, une grande allée d'arbres vénérables suit le plateau longeant la Saône et permet une vue agréable sur la rivière, les villages de Bresse et, par temps clair, jusqu'au Jura et aux Alpes.　　　P.C.

Germolles (château de)

Voir Mellecey.

Germolles-sur-Grosne
Château de Gorze

Arr. Mâcon, c. Tramayes, Saône-et-Loire. A 20 km au S de Cluny, par la RD 22 et un chemin vicinal en direction de l'O.
Propriété privée.
On ne visite pas.
Isolé, à flanc de pente.
Hist. : la terre de Gorze appartenait, en 1511, à Guillaume de Moles. Elle passa ensuite à sa nièce, Jeanne de Moles, épouse de Jean Berthet, notaire à Beaujeu. Leurs descendants devaient conserver Gorze jusqu'en 1776, date à laquelle la seigneurie, érigée en marquisat en 1707, passa à Claude-Philibert Bernard de La Vernette. Le comte de La Villeneuve possédait le château à la fin du XIXe s.

C'est maintenant une exploitation agricole. Le château a été bâti à partir de 1671 pour Philibert Berthet sur des plans de l'architecte d'origine provençale Paul de Royers de La Valfenière, auteur des deux ailes du palais Saint-Pierre à Lyon. Il a été en partie démoli au début du XXᵉ s.

Descr. : Le château de Philibert Berthet comprenait à l'E, sur un niveau de soubassement prolongé aux angles par des terrasses talutées, un long corps de logis formé d'un pavillon central à un étage carré et un demi-étage, deux ailes à un rez-de-chaussée et un demi-étage et, aux extrémités de celles-ci, deux pavillons à un étage carré. Alors que l'ensemble de la construction était en granit rose et gris, les encadrements en bossage des baies et les modillons des corniches soutenant les toits, au-dessus d'une série de meurtrières, étaient en bois de chêne. Seuls les pavillons d'angle sont restés intacts, toute la partie centrale ayant été réduite au seul rez-de-chaussée, de même qu'ont été en partie abattus les communs qui, à l'O, cernaient la cour dans laquelle on pénètre encore, au S, par un portail en plein cintre que surmonte un écusson aux armes des Berthet avec la date de 1707 et la devise *qui s'y frotte, s'y pique*. F.V.

Bibl. : R. Oursel, *Inventaire départ... Cant. de Tramayes*, Mâcon, 1974, pp. 39-41 ; F. Perraud, *Les environs de Mâcon*, 1912, pp. 301-311.

Gigny-sur-Saône
Château de l'Épervière

Arr. Chalon-sur-Saône, c. Sennecey-le-Grand, Saône-et-Loire.
A 8 km à l'E de Sennecey-le-Grand, par la RD 18 et un chemin vers l'E.
ISMH.
Propr. : M. Cyprien Gay.
On ne visite pas.
A la lisière N du hameau de l'Épervière, en terrain plat, près de la Saône.

Hist. : Plusieurs châteaux élevés en des points différents d'un même enclos ont précédé, du XIIIᵉ au XVIIIᵉ s., le château actuel. Il n'en restait plus que des ruines lorsque le baron François-Julien Geramb, magnat de Hongrie et ancien ministre de l'empereur Joseph II, ayant acquis la terre en 1788, y bâtit une nouvelle demeure. Celle-ci, à peine achevée, fut laissée à l'abandon. Elle fut restaurée en 1830 par Arnoud de Joux de Ronfaud. Une nouvelle restauration en a été entreprise depuis 1966.

Descr. : Le château se compose d'un corps principal et de deux ailes en retour d'équerre vers le N, encadrant une cour close par un parapet de pierre interrompu en son centre par une porte cochère sans couvrement, à pilastres en bossages un sur deux, à laquelle donne accès un pont de pierre jeté sur le fossé qui subsiste sur ce côté et le long de l'aile E. Le corps principal comprend un rez-de-chaussée, un étage carré et un demi-étage. Un avant-corps d'une travée, couronné d'un attique, se détache en légère avancée au centre de la façade E, percée au rez-de-chaussée et au premier étage de baies rectangulaires, au second étage d'oculus ovales. La façade S est tout à fait différente : elle est éclairée au rez-de-chaussée par des baies en plein cintre que des clefs volumineuses relient au bandeau qui règne avec le sol de l'étage carré, lequel est doté de fenêtres rectangulaires tandis que le demi-étage l'est de fenêtres carrées. Son centre s'arrondit en un avant-corps hémicirculaire coiffé d'un demi-dôme de tuiles plates qui contraste avec la toiture à croupes très basse de tuiles creuses qui couvre le bâtiment. Les ailes, à un seul étage et un étage de comble, abritent remises et greniers. Elles sont couvertes de toits à croupes en tuiles plates. Une vaste pièce d'eau s'étend au S dans un parc boisé. F.V.

Bibl. : L. Niepce, *Histoire du canton de Sennecey*, t. II, 1877, pp. 38-70.

Gorze (château de)

Voir Germolles-sur-Grosne.

Gourdon
Château des Puits

Arr. Chalon-sur-Saône, c. Mont-Saint-Vincent, Saône-et-Loire.
A 8 km à l'E de Montceau-les-Mines, par la RD 980 et un chemin vers le N.
Propr. : M. J. Gautier de Bellefond.
On ne visite pas.
Isolé, à 2,5 km au N du village, à flanc de pente, dominant un étang.

Hist. : Le fief des Puits appartenait au XVIIᵉ s. et au début du XVIIIᵉ s. à la famille de Thésut. Il échut ensuite à François Raffin de Sermaise et à Claudine de Beugre, son épouse, qui le laissèrent en 1761 à leur fils, Gabriel Raffin de Sermaise. Le château, qui semble résulter de la transformation aux XVIIᵉ s. et XVIIIᵉ s. de bâtiments médiévaux, est

Les Puits. Corps principal et aile dite des voûtes.

parvenu par successions familiales au propriétaire actuel.

Descr. : Les bâtiments en sont groupés autour d'une cour rectangulaire close de murs, à laquelle donne accès une porte cochère sans couvrement. Le logis principal en occupe la plus grande partie du côté E. De plan rectangulaire, il comprend un rez-de-chaussée, un étage carré et un comble à surcroît éclairé par de petites baies. Toutes les fenêtres ont des linteaux en arc segmentaire. Couvert d'un haut toit à croupes en tuiles plates, il est flanqué sur ses façades latérales de tours rondes coiffées de toits coniques. La tour N renferme un escalier en vis qui dessert les différents niveaux de l'habitation. La partie supérieure de la tour S, soulignée à l'extérieur par un bandeau, est occupée par un pigeonnier. Toutes les pièces sont pourvues de plafonds à poutres apparentes à la française. Au N de la cour, s'appuyant en retour d'équerre sur la tour N, l'aile dite *des voutes* est formée d'un sous-sol et d'un rez-de-chaussée voûtés d'arête et d'un comble à surcroît. A son pignon O, que couronne un clocher-mur à une baie, s'appuie une petite chapelle désaffectée. Les communs se trouvent au S. Un vieux puits à margelle de granit occupe le centre de la cour. Un jardin et un parc boisé s'étendent à l'E.   F.V.

Bibl. : M. Gauthier, *Comté de Charolais*, t. II, 1973, p. 85.

Grammont (château de)

Voir Lugny-lès-Charolles.

La Grande-Verrière
Château de Vautheau

Arr. Autun, c. Saint-Léger-sous-Beuvray, Saône-et-Loire.
A 11 km à l'O d'Autun, par la RD 296 et un chemin vers le S.
Propriété privée.
On ne visite pas.

Isolé, le château occupe une sorte de motte sur l'un des premiers contreforts du Morvan où la silhouette d'une tour et sa tourelle se dessine sous un épais manteau de lierre.

Hist. : La seigneurie est ancienne; Guy de Vautheau en est seigneur au début du XIIIe s. Après avoir été partagé entre trois seigneurs, Vautheau est possédé en totalité en 1375 par le duc de Bourgogne qui fait aussitôt réparer la maison forte. Par mariage, celle-ci passe en 1456 à la famille de Choiseul de Traves qui la conserve jusqu'à la vente faite en 1728 à Pierre de Maizière.

Descr. : Le château fort est en ruine, et sa visite en est périlleuse. Au milieu des arbres et du taillis qui l'ont envahi on distingue les fossés ainsi que des pans de murs de l'enceinte et d'une tour carrée. Seule reste debout la haute tourelle d'escalier qui flanquait cette tour : sa porte est surmontée d'une accolade qui renferme un écusson. Un peu à l'écart se trouvait un pigeonnier Renaissance qui s'est effondré voici quelques années.   M.R.

Grenod (château de)

Voir Uchizy.

Gros-Chigy (château de)

Voir Saint-André-le-Désert.

Grury
Château de Montperroux

Arr. Autun, c. Issy-l'Évêque, Saône-et-Loire.
A 18 km au NE de Bourbon-Lancy, par la RD 42 et un chemin fléché à partir de Grury.
Propr. : Mme Polissard.
On ne visite pas.

Sur une colline isolée, à l'E du bourg de Grury.

Hist. : La baronnie de Montperroux avait été détachée des terres de l'évêché

d'Autun au profit d'un cadet de la famille de Bourbon-Lancy. Par héritage, elle passa, en 1415, aux Palatin de Dyo qui en furent dépossédés à la Révolution. Le château est attesté depuis le XIIIᵉ s. C'était alors une imposante forteresse qui fut remaniée au XVIᵉ s. Le château fut vendu comme bien national en 1795 à J.-B. Mathieu, maire de Grury.
Descr. : Les bâtiments entourent une cour rectangulaire. Des quatre tours médiévales qui cantonnaient le quadrilatère qu'ils forment, trois seulement subsistent : deux tours carrées tronquées et une tour ronde à toit conique qui flanque l'un des angles du corps de logis. Celui-ci, de plan rectangulaire allongé, à un étage carré sous un toit à croupes en tuiles, est éclairé vers la cour par des fenêtres à meneau et croisillon moulurés surmontées de frontons. Au centre de cette façade, s'ouvre une porte en plein cintre entre deux pilastres supportant également un fronton. Des médaillons finement sculptés en complètent la décoration.　　　P.L.

Bibl. : M. Gauthier, *Au carrefour de trois provinces...*, t. III, Bourbon-Lancy, 1971, pp. 130-136.

Gueugnon
Château du Breuil

Arr. Charolles, Saône-et-Loire.
A 3 km au S de Gueugnon, par la RD 238.
Propr. : Marquis de Chargère.
On ne visite pas.

Sur une petite éminence dominant la vallée de l'Arroux.
Hist. : Mouvant de la seigneurie de Morillon, le fief du Breuil fut la propriété de la famille Brisejonc au XVᵉ s., puis de la famille de La Brosse au XVIᵉ s. Il fut acheté, en 1530, par Nicolas de Chargères, seigneur de Sapinière. Il est depuis resté dans cette famille qui a fait construire le château actuel au XVIIᵉ s.
Descr. : Les bâtiments castraux, simples et austères, entourent une cour carrée. Le corps de logis principal à un étage carré et un étage de comble est flanqué de deux tours d'angle circulaires. Il est éclairé de fenêtres rectangulaires du XVIIᵉ s. et, dans le comble, de lucarnes à frontons alternativement triangulaires et cintrés. Au centre, sa façade extérieure est percée d'un passage voûté en plein cintre qui donne accès à la cour intérieure. La porte en est surmontée des fentes de l'ancien pont-levis auquel on a substitué un pont de pierre qui enjambe de profonds fossés asséchés. Deux tours carrées flanquent les autres angles du quadrilatère.　　　P.L.

La Guiche
Château de Champvent

Arr. et c. Charolles, Saône-et-Loire.
A 18 km au NE de Charolles, par la RD 200, la RD 91 et un chemin privé vers le NE.
Propr. : Mᵐᵉ de Franc.

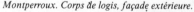

Montperroux. Corps de logis, façade extérieure.

On ne visite pas.
Au SO du hameau de Champvent, en fond de vallée, au bord d'un étang.
Hist. : Centre d'une paroisse, dont le chef-lieu fut transféré à La Guiche après la Révolution, Champvent fut au Xe s. le siège d'une viguerie. Ce fief semble avoir été doté d'une maison forte dès le début du XIIIe s. Propriété de Pierre de Massi en 1372, elle fut vendue, en 1404, à Jean de Vérizet, puis réunie peu après à la seigneurie de La Guiche. En 1433, elle était encore *tenable, spacieuse, défendable,* mais elle semble avoir ensuite été laissée à l'abandon, les La Guiche ayant fait du château de Chaumont leur résidence habituelle. En 1838, on n'en discernait plus que les vestiges, à partir desquels on bâtit un nouveau château au cours de la seconde moitié du XIXe s.
Descr. : Le château comprend un corps central rectangulaire à un étage carré et un étage de comble éclairé par des lucarnes à ailerons couronnées de frontons cintrés avec boules d'amortissement, flanqué à son extrémité E d'un pavillon de même élévation et sur son angle NE d'un petit pavillon garni de tourelles en surplomb sur ses angles extérieurs et d'une tour carrée dans l'angle qu'il forme avec le corps principal. Au centre de la façade N de celui-ci, se dresse une tour octogonale à cinq pans hors œuvre. Deux pavillons couverts de hautes toitures polychromes encadrent la façade S. F.V.

Hauts (château des)

Voir Saint-Bonnet-de-Joux.

Hurigny

Arr. Mâcon, c. Mâcon-Nord, Saône-et-Loire.
A 7 km au NO de Mâcon, par la RD 82.
Propr. : Comte R. de Leusse.
On ne visite pas.
Dans le village.
Hist. : Châtellenie royale au XIVe s. et pourvue alors d'une maison forte ceinte de fossés, la terre d'Hurigny fut érigée en fief en 1510 pour Philippe Margot. Elle appartint ensuite aux Severt qui y résidèrent et y fondèrent une chapelle. Vendue en 1666 aux ursulines de Mâcon, elle était peu après cédée à Philippe-Étienne de Lamartine, conseiller-secrétaire du roi, dont le petit-neveu, Jean-

Baptiste, fit raser l'ancien château auquel il substitua, en 1783, une aimable demeure. En 1787, le domaine échut à Pierre de Montherod de Montferrand, époux de Sibille-Philippine de Lamartine, qui émigra. En 1794, le château fut vendu à Joseph Meziat, notaire à Senozan. Une nouvelle vente intervint en 1824.
Descr. : Précédé d'une porte cochère sans couronnement dont les piliers en bossage en table portent des vases d'ornement, le château consiste en un petit bâtiment de plan rectangulaire à un sous-sol, un rez-de-chaussée et un étage de comble couvert d'un haut toit à croupes. Au centre de chacune des façades un avant-corps de trois travées (une porte rectangulaire entre deux fenêtres), dont les angles sont soulignés par des chaînes en bossage en table, est couronné d'un fronton percé d'un oculus. Les fenêtres ont des plates-bandes en arc segmentaire dont le claveau central est fortement saillant. Les lucarnes à pignon découvert sont flanquées d'ailerons et surmontées de boules d'amortissement. F.V.
Bibl. : F. Perraud, *Les environs de Mâcon,* 1912, pp. 312-344, ill.

Hurigny
Château de Salornay

Arr. Mâcon, c. Mâcon-Nord, Saône-et-Loire.
A 5 km à l'O de Mâcon, par la RN 79 et un chemin vicinal vers le N.
Propr. : M. Guérin.
On ne visite pas.
A l'extrémité N du village et à flanc de pente.
Hist. : La famille de Salornay, citée pour la première fois en 1291, a possédé le château jusqu'en 1614. En 1471, Philibert de Salornay, considérant la forteresse comme inapte à résister aux armées royales, l'abandonna à celles-ci, qui la détruisirent en partie, et prêta son artillerie et ses hommes de guet à la ville de Mâcon. Elle fut ensuite remise en état. La dernière des Salornay : Georgette, veuve de Guy de Faultrières, vendit le fief à Claude Botton. Il passa ensuite par succession en 1652 à Pierre Chesnard qui loua la terre et le château, que cernaient des fossés remplis d'eau, à des fermiers. Les Chesnard conservèrent Salornay jusqu'à sa vente, en 1760, à François-Charles-Albert de la Bletonnière, seigneur d'Igé, qui aménagea les appartements,

90

Igé. Flanc S flanqué de tours circulaires.

modifia les ouvertures et, en 1801, bâtit un vaste tinailler sur caves à l'emplacement du fossé S. Sa petite-fille, Catherine Regnault de Parcieux, mariée à Guillaume-Gustave de Morangiès, vendit le château vers 1838 à un Lyonnais.

Descr. : Les bâtiments du château occupent trois côtés d'un quadrilatère irrégulier ouvert au S. A l'angle SE, se trouve une tour carrée à deux étages, desservie par une tourelle d'escalier circulaire, au rez-de-chaussée de laquelle s'ouvre un passage voûté précédé d'un pont de pierre à deux arches qui a remplacé le pont-levis, encore cité en 1644, reliant le château proprement dit à la basse cour. A l'angle NO, s'élève une haute tour carrée, à la base talutée, qu'éclairent des baies très étroites. Les autres constructions, de plans et élévations diverses, sont percées de fenêtres à linteau en arc segmentaire et de quelques ouvertures à meneau et croisillon qui ont échappé aux remaniements de la fin du XVIIIe s. Elles sont couvertes de toits bas en tuiles creuses. F.V.

Bibl. : H. Soulange-Bodin, *Les châteaux de Bourgogne*, 1942, pp. 175-177, ill. ; F. Perraud, *Les environs de Mâcon*, 1912, pp. 572-582.

Igé

Arr. Mâcon, c. Mâcon-Nord, Saône-et-Loire.
A 14 km au NO de Mâcon, par la RD 134.
Propr. : Relais de campagne.
On ne visite pas.
A l'extrémité N du village, en fond de vallée.

Hist. : L'existence d'une maison forte cernée de fossés est mentionnée pour la première fois en 1368. Elle était alors tenue par Geoffroy de Lugny qui en rendit hommage au roi puis à l'abbé de Cluny. En 1536, elle passa par mariage à Guillaume de Maugiron, dont la famille était dauphinoise. Le dernier des Maugiron, Jean-Baptiste-Gaston, fit recouvrir, en 1654, le corps de logis et les tours du château avant d'être contraint à le vendre en 1659 à Louis Droyn. A demi ruiné il échut ensuite à Louis de La Bletonnière, avocat au Parlement, dont les descendants le possédèrent jusqu'en 1860. Il fut alors divisé en deux lots et vendu à deux acquéreurs différents. Les douves furent comblées, les bâtiments abaissés, les allées d'arbres abattues.

Descr. : Entouré de fossés que franchissaient deux ponts de pierre, qui avaient remplacé d'anciens ponts-levis, le château consistait encore au début du XIXᵉ s. en un vaste quadrilatère cantonné de tours rondes. Il n'en reste que le flanc S flanqué de trois tours circulaires et des éléments très défigurés du flanc N et de la tour de l'angle NE. Entre les deux premières tours du flanc S s'ouvre, dans un petit bâtiment étroit, une porte charretière à plate-bande en arc surbaissé qui fut sans doute l'entrée principale de la maison forte. Les seconde et troisième tours défendent les angles extérieurs d'un corps de logis de plan presque carré. Elles ont, comme lui, été percées d'ouvertures irrégulières à diverses époques, notamment au XVᵉ s. de petites baies à linteau en accolade. A cet ensemble sont adossés un petit bâtiment carré et une construction avec abside. Un fossé encore en partie en eau sépare le château proprement dit d'une terrasse flanquée à l'E de deux pavillons carrés.　　　　F.V.

Bibl. : F. Perraud, *Les environ de Mâcon*, 1912, pp. 325-346, ill.

Igornay

Arr. Autun, c. Lucenay-l'Évêque, Saône-et-Loire.
A 15 km au NE d'Autun, par la RD 26.
Propr. : M. Develay, MM. Chautereau.
On ne visite pas.
Situé au bord de l'Arroux, assez éloigné du village, le château commande le passage de la rivière.

Hist. : Une famille seigneuriale est attestée dès le XIIᵉ s. à Igornay : on peut citer Alvis d'Igornay, Guy des Barres, Guyot de Thianges. Guillaume de Sercy (bailli de Chalon de 1451 à 1458) obtint le transfert de l'église paroissiale hors de la cour du château et fit faire d'importants travaux à celui-ci : ses armoiries figurent à la tour N. Après lui, le seigneur d'Igornay fut Guillaume de Villers-la-Faye dont les descendants vendirent le château en 1541 à Gaspard de Saulx-Tavannes. Désormais, Igornay suit le sort du château de Sully. Actuellement, le château partagé entre plusieurs familles est occupé par une ferme et plusieurs habitations.

Descr. : De plan polygonal le château fort aurait comporté sept tours; il n'en subsiste que trois avec un corps de logis et

des courtines. Vers le SO s'élève la tour la plus massive : elle a été très défigurée à la suite d'un incendie, mais il subsiste vers la cour des encadrements de fenêtres bouchées dont les moulures et arcs en accolade indiquent le XVᵉ s. alors que la construction elle-même, en blocage, semble plus ancienne. Le corps de logis situé à l'E˙ a conservé vers l'extérieur ses fenêtres à meneaux; il date du .XVᵉ s. comme la tour carrée plantée de biais qui le flanque au SE et dont les mâchicoulis portent un étage en encorbellement construit en brique; cette tour rappelle la tour carrée d'Épinac. L'accès au château se faisait vers l'E par une porte dont de gros blocs de pierre appareillés marquent l'emplacement. Vers le N subsiste la courtine contre laquelle sont venus s'appuyer des bâtiments plus récents. Elle est renforcée au N par une tour ronde haute de deux étages qui a conservé archères, cheminées de pierre, coussièges et des latrines logées dans l'angle du mur; on y accède par une porte rectangulaire encadrée d'une accolade et surmontée d'un écu portant les trois fasces ondées des Sercy. D'une autre tour subsistent une archère et les restes d'une porte. Les fossés qui entouraient le château sont visibles surtout vers le N où l'on voit l'empierrement qui en renforçait le talus extérieur. Vers le S les murs ont été abattus pour laisser la cour largement ouverte.　　　　M.R.

Joncy

Arr. Charolles, c. La Guiche, Saône-et-Loire.
A 25 km au SE de Montceau-les-Mines, par la RD 980, la RD 983 et la RD 60.
Propr. : Vicomte de Chérisey.
On ne visite pas.
A la lisière E du village, au bord de la Guye.
Hist. : Joncy, qui faisait partie du comté de Chalon, entra dans le domaine ducal en 1237 avec lui, puis fut cédé à Marie des Barres, dame de Mont-Saint-Jean. Le château et ses dépendances passèrent, en 1387, à Pierre de Thil, époux de Jeanne de Mont-Saint-Jean. Il échut ensuite aux Palatin de Dyo, puis, vers 1475, aux Rochebaron à la suite du mariage de Claude de Rochebaron avec Guye d'Anglure, veuve de Pierre de Dyo. Cette famille s'éteignit en 1627 en la personne de René de Rochebaron, veuf de Marie

d'Aumont, qui laissa ses biens à Antoine d'Aumont. En 1740, le duc d'Aumont vendit la baronnie à Octave Cottin de La Barre, conseiller au Parlement de Bourgogne, dont le petit-fils, vers 1780, entreprit la transformation *à la moderne* de la vieille forteresse qu'un texte du XVIe s. décrit comme possédant onze tours et deux enceintes. La tradition veut que les travaux aient alors été confiés à l'architecte Pierre-Joseph Antoine. Les tours avaient été abattues et les fossés comblés quand la Révolution mit un terme aux démolitions. Tout fut vendu en 1794. Un siècle plus tard, le comte de Chérisey restaura les bâtiments qui subsistaient et reconstitua les jardins à la française.

Descr. : C'est un bâtiment de plan en L comportant un corps principal et une courte aile en retour d'équerre vers le S à son extrémité O. Il est flanqué à son extrémité E d'une grosse tour carrée, qui est sans doute le donjon primitif, desservie par un escalier en vis inclus dans une tourelle à cinq pans, bâtie sans doute au XVe s. sur son angle NO. Les ouvertures irrégulièrement réparties, les éléments défigurés de ce qui fut sans doute une tour-porche, une tourelle en surplomb sur culot conique, aménagée dans l'angle de cette tour et du bâtiment principal, témoignent à l'évidence des remaniements successifs et des travaux du XIXe s. Au-delà de la route au N, s'étend le cimetière au centre duquel s'élève la chapelle seigneuriale. Les communs, à l'E, sont complétés par un moulin sur la Guye.　　　　　　　　　　　　F.V.

Jully-lès-Buxy
Château de Ponneau

Arr. Chalon-sur-Saône, c. Buxy, Saône-et-Loire.
A 14 km au SO de Chalon-sur-Saône, par la RD 49 et la RD 147.
Propr. : M. Jean Michaud.
Chapelle ouverte le dimanche en été.
Cour et jardins accessibles sur demande.
Au centre du village, en bas de pente.
Hist. : Élément du domaine royal, la terre de Ponneau, déjà pourvue d'un petit château et d'une chapelle, fut aliénée en 1537 à Antoine de Bressey, seigneur de Saint-Germain-du-Bois. Sa fille, Françoise de Bressey, la porta à Nicolas de Thyard de Bissy. Dans des conditions assez obscures elle revint ensuite à Antoine de Bressey, qui la céda à Hugues

de Rouvray dont hérita Anne Gallois, épouse de Jacques de Mucie, vers 1620. Elle fit partie de la dot de Jacqueline de Mucie lors de son mariage avec J.-B. Pouffier, lequel la vendit, dès 1656, à Alphonse et Théophile Joly. Divers propriétaires s'y succédèrent alors jusqu'à l'achat, en 1731, par Henri-Louis Filsjean, dont les descendants la possédaient au moment de la Révolution.
Descr. : A un bâtiment rectangulaire à un étage carré et un demi-étage, flanqué de tours d'angle circulaires, qui paraît dater du XVe s., ont été adossés, vraisemblablement à la fin du XVIe s., un portique et une galerie haute ouverte, à arcades en plein cintre, desservis par un escalier compris dans une tour rectangulaire.　F.V.

Laives
Château de Sermaizey

Arr. Chalon-sur-Saône, c. Sennecey-le-Grand, Saône-et-Loire.
A 1 km à l'O de Sennecey-le-Grand, par la RD 18.
ISMH.
Propriété privée.
On ne visite pas.
A la lisière E du village de Laives.
Hist. : On sait par un plan qu'il y avait au XVe s. à Sermaizey un château composé d'un corps de logis et d'une grosse tour ronde coiffée d'un toit conique, mais on ignore quels en furent les propriétaires avant 1590 : il appartenait alors à François-Abraham Nyod. En 1628, il fut vendu à Louis Mercier, fermier de Ruffey. Les Mercier agrandirent le domaine et transformèrent le château, avant de s'éteindre en 1683. Le fief passa alors en diverses mains avant d'être vendu, en 1767, à Charles de Châteauneuf de Randon, marquis d'Apcher, sur qui il fut confisqué sous la Révolution.
Descr. : Il reste du château le corps de logis occidental. Il s'agit en fait de plusieurs bâtiments tous implantés dans le même alignement et dont la façade O, flanquée à son extrémité S d'un pavillon carré, est percée d'ouvertures régulières sur deux niveaux, les combles étant éclairés par des lucarnes à fronton. Au centre de sa façade orientale est adossée une tourelle d'escalier hors œuvre à six pans irréguliers, percée de baies à linteaux en accolade dont les parties hautes ont été remaniées au XVIIe s. L'angle NE est flanqué d'une tour carrée

demi-hors œuvre dont le second étage, encore percé d'une fenêtre en plein cintre, abritait une chapelle. Une toiture en pavillon a été substituée au dôme qui la couvrait jadis et les bas-reliefs qui la décoraient, lesquels évoquaient tous des scènes de la vie de la Vierge, ont été dispersés, à l'exception d'une pietà encore encastrée dans le mur de l'ancienne sacristie. Un pigeonnier circulaire s'élève à quelque distance au SE, au-delà des communs. **F.V.**

Bibl. : L. Niepce, *Histoire du canton de Sennecey-le-Grand*, t. II, 1877, pp. 124-128; J.-L. Bailly, « Notice hist. sur le village de Laives », dans *Mém. de la Soc. d'histoire et d'archéologie de Chalon-sur-Saône*, 2ᵉ série, t. II, 1907, pp. 23-33; M. Rebouillat, *Le canton de Sennecey-le-Grand*, Dijon, 1972, pp. 109-113, ill.

Laizy
Château de Chazeu

Arr. Autun, c. Mesvres, Saône-et-Loire.
A 14 km au SO d'Autun, par la RD 223 et un chemin vicinal vers le S.
ISMH.
Propr. : M. Pacaut.
On ne visite pas.
Le château est situé dans la vallée de l'Arroux, au bord de la rivière. Mᵐᵉ de Sévigné après y avoir été reçue en 1677 par son cousin Roger de Rabutin, comte de Bussy, écrit : *sa situation est admirable; j'en ai le paysage dans la tête et je l'y conserverai soigneusement.*
Hist. : La seigneurie de Chazeu, mentionnée depuis le début du XIIIᵉ s., appartient à la famille de Longvy jusqu'à ce que le mari et les frères de Jeanne de Longvy († 1434) la vendent à Nicolas Rolin, chancelier du duc de Bourgogne. Le chancelier destinait Chazeu à son fils le cardinal Jean Rolin, évêque d'Autun, pour en jouir sa vie durant : à la mort du cardinal, Chazeu, au lieu de revenir à son frère, passa à son fils naturel Sébastien Rolin. Les descendants de celui-ci furent seigneurs de Chazeu qui se trouva partagé entre deux familles jusqu'à ce que Roger de Bussy-Rabutin, ayant hérité d'une moitié, en rachète l'autre à Chrétienne de Chissey en 1651. Son exil lui valut de vivre dans ses terres de Bourgogne, l'hiver à Bussy, la bonne saison à Chazeu. Son petit-fils Roger de Langheac vendit Chazeu en 1730 à Jean-Baptiste Rabiot de Meslé, Nouvelle vente en 1765 à J.-B. de Mac-Mahon; puis vente par lots en 1794; Maurice-François de Mac-Mahon racheta Chazeu en 1803 et son fils le vendit en

Chazeu.
Tour N, état au début du XXᵉ s.

1840 après avoir fait démolir le château pour en utiliser les matériaux de construction.
Descr. : Le château est actuellement en ruine, les arbres poussent dans les fossés et la cour est un pré. Les pans des murs extérieurs, devenus informes, indiquent le plan pentagonal du château médiéval, avec les restes de quatre tours rondes à deux étages, couronnées de mâchicoulis, et une tour carrée à l'entrée. Au début du XXᵉ s., on pouvait encore reconnaître une grande tour sur plan carré au N. Les restes de cheminées monumentales accrochées aux murs, de corbeaux de mâchicoulis ou d'ébrasements de fenêtres indiquent que ces constructions avaient dû être réalisées en grande partie au XVᵉ s. par le chancelier Rolin. Par contre, rien n'évoque, sauf peut-être quelques restes d'encadrements de fenêtres du côté SE, la période où le château était habité par Bussy qui pourtant parle des *propretés dont je l'embellis;* il ne reste rien des corps de logis, où Courtépée signalait vers 1775

un *beau salon orné de quantité de tableaux.* M.R.

Bibl. : E. Fyot, « Chazeu », dans *Mém. de la Soc. éduenne,* t. XXXVI, 1908, pp. 7-50.

Lally (château de)

Voir Saint-Léger-du-Bois.

Layé (château de)

Voir Vinzelles.

Lessard-en-Bresse

Arr. Chalon-sur-Saône, c. Saint-Germain-du-Plain, Saône-et-Loire.
A 19 km à l'E de Chalon-sur-Saône, par la RN 477.
Propr. : Mme Charnois.
On ne visite pas.
Au NO du village, en plaine, sur une très légère éminence.
Hist. : Propriété des Chalon au XIIIe s., des Montagu au XIVe s., puis des Lugny et des Saulx-Tavannes, la baronnie de Lessard-en-Bresse passa, vers 1700, aux La Baume-Montrevel qui la conservèrent jusqu'à la fin de l'Ancien Régime. L'ancien château fort en brique, défendu par quatre tours et cerné de fossés, fut en partie modifié vers 1835.
Descr. : Sur une plate-forme approximativement circulaire, qu'entourent des fossés encombrés de végétation, les bâtiments sont groupés autour d'une cour irrégulière. Il subsiste, aux angles N et S, deux tours rondes en brique, coiffées de hauts toits coniques, à l'E un corps de logis de plan rectangulaire allongé à un étage carré, flanqué vers l'extérieur de deux tours carrées dont une est couronnée de mâchicoulis couverts et, le long des flancs N et S, des bâtiments agricoles recouverts du même crépi gris foncé que le corps de logis. Quelques baies ont conservé des linteaux en accolade. On y accède par un pont dormant à l'O et une passerelle à l'E. F.V.

Loisy

Arr. Louhans, c. Cuisery, Saône-et-Loire.
A 12 km à l'E de Tournus, par la RD 175.
Propr. : Baron de La Chapelle.
On ne visite pas.
A la lisière orientale du village, sur une éminence dominant la vallée de la Seille.
Hist. : La forteresse primitive de Loisy passe pour avoir été bâtie en 1150 par Hugues de Brancion. Du XIIIe s. au milieu du XVIe s., elle appartint à la famille de Loisy puis, au terme d'une saisie contestée, fut acquise vers 1570 par Jean Massol, bourgeois de Beaune, dont les descendants la cédèrent, en 1607-1608, à Antoine Bretagne, conseiller au Parlement. En 1679, les Bretagne vendirent Loisy à l'intendant de Bourgogne Claude

Loisy. Façade N précédée d'un escalier en fer à cheval.

Bouchu. En 1735, à l'extinction de la famille Bouchu, Claude Guillaume, veuve de Bertrand de La Michodière, l'acheta. Son fils Claude, conseiller au Parlement de Paris, à qui l'on attribue la transformation du château, le laissa en 1748 à son neveu, Jean-François-Gabriel-Bénigne Chartraire de Bourbonne, gendre du président Bouhier, qui, sans doute, acheva les travaux puisque ce sont ses armes et celles de son épouse qui figurent au fronton du bâtiment. Leur fils, Marc-Antoine, leur succéda en 1761 et mourut en 1781.

Descr. : Précédé à l'O d'un premier fossé et d'un portail en plein cintre, à extrados en escalier, entre deux tours rondes, le château est bâti sur le flanc N d'une terrasse rectangulaire flanquée sur ses angles NO et SO de tours également circulaires, jadis reliées par d'épaisses courtines auxquelles a été substitué un mur bas interrompu, dans l'axe de la façade, par une grille en fer forgé. Le corps de logis, de plan rectangulaire, à un étage carré et un étage de comble, est couvert d'un toit à croupes. Aux deux extrémités de sa façade S sont adossées deux tours carrées, coiffées de toits en pavillon. Au centre de cette façade, s'ouvre une porte à linteau en arc segmentaire que surmonte, donnant sur un balcon à appui-corps en fer forgé, une porte-fenêtre inscrite dans un encadrement en bossage dont la plate-bande supporte un entablement au-dessus duquel se trouve un tympan rectangulaire, gravé d'une devise latine, entre deux jambes en bossage. Le tout est couronné, au niveau de l'étage de comble, d'un petit fronton cintré dans lequel sont sculptées les armoiries des Chartraire et des Bouhier. Les baies de l'étage carré sont dotées d'agrafes formées de trois claveaux passants en escalier. La façade N, qui comprend un étage de soubassement, est précédée d'un vaste escalier en fer à cheval. F.V.

Lournand
Château de Lourdon

Arr. Mâcon, c. Cluny, Saône-et-Loire.
A 6 km au N de Cluny, par la RD 980, un chemin vicinal et un chemin de terre à partir du hameau de Sous-Lourdon.
Site inscrit.
Propr. : M. Bouchacourt.
Château en ruine.

Isolé, au sommet d'une colline.
Hist. : Du *castrum* primitif, cité dès le IXe s., on ne sait rien. Il devint ensuite siège d'une viguerie, puis fut inclus dans la donation faite en 910 par le comte de Mâcon au moine Bernon pour fonder l'abbaye de Cluny. Les abbés y résidèrent fréquemment au XIe s. Au XIIe s., il suscita à deux reprises les convoitises des seigneurs laïcs, ce qui entraîna d'énergiques interventions de Louis VII et de Philippe Auguste, protecteurs de l'abbaye, qui posaient ainsi les premiers jalons du rattachement du comté de Mâcon à la couronne. Devenu aux XIVe et XVe s. refuge des moines, de leur bibliothèque, de leurs archives et de leurs trésors, le château fut ravagé successivement par les troupes de Louis XI en 1470, puis par celles de Charles le Téméraire de 1471 à 1476, d'où une série de restaurations (donjon, tour S, logis abbatial) par l'abbé Jean de Bourbon à la fin du XVe s. Pris par traîtrise par une petite troupe de protestants en 1574, il était réduit à quatre murailles quand ceux-ci se retirèrent. Il fut rebâti par Claude de Guise en 1586, lequel le remit en état de défense, éleva de nouveaux bâtiments, notamment l'énigmatique *jeu de paume,* et entoura le domaine d'une longue enceinte. A peine était-il achevé que Claude de Guise y affrontait lui-même victorieusement une attaque royale, résistance dont le souvenir amena les États du Mâconnais à en demander, en 1613, le démantèlement. La démolition en fut effectuée à coups de mines en 1632.

Descr. : Les ruines du château occupent une plate-forme trapézoïdale d'environ 1 ha. Il en subsiste une partie des soubassements du mur d'enceinte, flanqué, au S, d'une tour circulaire à demi détruite dite *tour du Pigeonnier* et, au N, de la *tour de la Poudrière* dont l'étage supérieur émerge seul des remblais. Au milieu se dressent les squelettes de deux bâtiments implantés dans le prolongement l'un de l'autre. Une tour ronde demi-hors œuvre est adossée à l'extrémité O de la muraille du bâtiment oriental, laquelle supporte neuf piliers carrés de maçonnerie hauts au maximum de 7,50 m. Un cartouche aux armes de Lorraine et la date de 1586 permettent d'attribuer à Claude de Guise cette construction dont on ne sait si elle fut une grange ou un jeu de paume, nom sous lequel elle est traditionnellement désignée. A l'E une avant-cour avec fossé creusé de main d'homme défendait l'accès du château. Un parc boisé d'environ 15 ha avec une petite chapelle dédiée à saint Étienne (restaurée au XIXᵉ s.), une vigne et quelques terres ont été entourés au XVIᵉ s. d'une enceinte de 3 km défendue par douze tours rondes dont divers éléments sont encore visibles. F.V.

Bibl. : L. Raffin, « Une forteresse clunisienne : le château de Lourdon », dans Ann. de l'Académie de Mâcon, t. XV, 2ᵉ partie, 1910, pp. 164-210, ill.; F. Perraud, Le Mâconnais historique, 1921, pp. 108-115, ill.

La Loyère

Arr. Chalon-sur-Saône, c. Chalon-Nord, Saône-et-Loire.
Au N de Chalon, par la RN 6 et une route vers l'E à Champforgeuil.
Propr. : Ville de Chalon-sur-Saône (centre aéré).
On ne visite pas.
Isolé en terrain plat.
Hist. : La seigneurie de La Loyère, terre noble appartenant à l'abbaye de Saint-Pierre de Chalon, fut acquise en 1580 par Jean-Baptiste Beuverand, d'une ancienne famille bourgeoise installée à Chalon à la fin du XVᵉ s., puis annoblie par les offices importants occupés par ses membres à la Chancellerie ou au Parlement de Bourgogne. A partir de 1580 et jusqu'à la fin du XIXᵉ s., l'histoire du château fut celle de la famille Beuverand de La Loyère. Jean Beuverand de La Loyère, maire de Chalon, y reçut le prince de Condé et planta un chêne pour célébrer la victoire de Rocroi. Au XVIIᵉ s., le château dut être, sinon reconstruit, tout au moins transformé. En 1845, le vicomte Armand de La Loyère entreprit les travaux qui lui donnèrent son aspect actuel. Il appartint, en 1920, à la famille Jeannin-Naltet qui le céda, après la guerre de 1945, à une communauté de bénédictines. Racheté par la ville de Chalon en 1963, il sert actuellement de centre aéré. On y organise, en outre, pendant les vacances, diverses manifestations culturelles ou sportives pour la jeunesse.
Descr. : Le château, de plan rectangulaire, est formé de trois corps en U et cantonné de tours carrées. Le corps central comprend un sous-sol et un rez-de-chaussée surélevé. Il comporte en son centre un pavillon formant, vers le S, un avant-corps à trois pans percé de larges baies et est précédé d'une terrasse à l'alignement des tours à laquelle on accède par deux escaliers à montées divergentes. Les ailes comprennent un rez-de-chaussée et un étage de comble sous un toit brisé; les tours, un rez-de-chaussée, un étage carré et un étage de comble sous un toit en pavillon. La tour de l'angle SO est flanquée d'une tourelle, également carrée, coiffée d'une haute lanterne, qui renferme un escalier en vis : c'est ce qui reste du château primitif. Le château, qui s'ouvre largement sur un parc à l'anglaise, se détache en blanc sur les frondaisons de celui-ci et de la forêt voisine, avec lesquelles il forme un ensemble élégant et raffiné. P.C.

Lucenay-l'Évêque
Château de Visigneux

Arr. Autun, Saône-et-Loire.
A 19 km au N d'Autun, par la RD 980 et une petite route vers le NE dans Lucenay.
Propr. : M. de Ganay.
On ne visite pas.
Dans la vallée d'un affluent du Ternin, entouré de quelques maisons.
Hist. : Au XIIIᵉ s., on trouve mention de la maison-fort de Visigneux et son pourpris, avec fossés, colombier, garenne, étang, moulin... Ce château a souvent changé de possesseurs jusqu'en 1688 où il parvint à Nicolas de Ganay. Il appartient depuis cette date à la famille de Ganay qui a fait construire, en 1885, par l'architecte Ernest Sanson (1836-1918) un grand château en avant de l'ancien bâtiment.
Descr. : Un corps de logis rectangulaire flanqué au N d'un pavillon de deux étages constitue l'ancien château. Le toit de petites tuiles, les fenêtres de l'étage et les lucarnes de pierre alternativement rectangulaires et arrondies, semblent dater du XVIIᵉ s. ou du XVIIIᵉ s. A la façade O, les ouvertures ont été modifiées, mais le socle saillant à la base du mur et le fossé en avant de ce mur paraissent être les restes de la maison forte du Moyen Age. A peu de distance à l'E de ce bâtiment s'élève le château édifié à la fin du XIXᵉ s. par E. Sanson qui fut aussi l'architecte du château de Rochefort (Côte-d'Or). Le plan rectangulaire cantonné d'une tour ronde et de deux tours carrées s'ordonne autour du vestibule central qui contient l'escalier. C'est une construction à deux étages entièrement en granit : au-dessus d'un socle saillant, le petit appareil irrégulier des murs est ponctué entre chaque étage d'un bandeau

saillant, et les angles sont appareillés en harpe. Cette construction a été réalisé avec un soin extrême dans les détails : l'encadrement des fenêtres est surmonté d'un bandeau mouluré, une petite moulure amortit le chanfrein des ébrasements, des consoles portent la cheminée en encorbellement de la tour ronde. Le toit de tuiles à pente accentuée avec ses lucarnes à fronton triangulaire, ses hautes cheminées et ses crêtes et épis de faitage est un rappel du style du XVIe s. A l'O du château un parterre de gazon et de buis taillés s'ordonne autour de bassins au-delà desquels la vue s'étend vers la vallée du Ternin; ce jardin est dominé par une terrasse sur laquelle s'élève l'orangerie à trois baies construite par E. Sanson en même temps que le château. Sur le côté subsistent un colombier et un bâtiment de communs. Au-delà du jardin, vers l'O, se trouve la petite chapelle à clocher-arcade élevée par le même architecte : elle a remplacé l'ancienne chapelle dédiée à saint Georges, démolie en 1848.　M.R.

Lucenier (château de)

Voir La Chapelle-au-Mans.

Lugny

Arr. et c. Mâcon, Saône-et-Loire.
A 15 km au SO de Tournus, par la RD 55.
Propr. : La commune.
On ne visite pas.
A l'extrémité O du village, derrière l'église, en fond de vallée.
Hist. : Le château qui était flanqué de tours et entouré de fossés en eau alimentés par une source proche, appartint à la famille de Lugny, du XIIIe au milieu du XVIe s. Des mariages le mirent alors successivement entre les mains de François Chabot (1558), de Jean de Saulx-Tavannes (1579), de Charles-François de La Baume (1647), tous puissants personnages largement possessionnés ailleurs, qui n'y résidèrent point et le laissèrent à l'abandon. En l'absence du dernier des La Baume, Florent-Alexandre, qui devait périr sur l'échafaud en 1794, le château et une partie des communs furent brûlés en juillet 1789.
Descr. : Quelques bâtiments ont échappé à l'incendie : deux tours rondes à trois étages, coiffées de toits coniques, qui flanquaient sans doute une porte dispa-

rue, située à l'angle NE de l'enceinte, et à chacune desquelles est accoté un étroit bâtiment. Implantés perpendiculairement l'un à l'autre, ceux-ci sont couverts de hautes toitures à croupes en tuiles plates. Celle du bâtiment orienté SN est dotée d'égouts retroussés et percée, dans la croupe, d'une lucarne à croupe dominant une tourelle circulaire dans œuvre qui amortit l'angle entre ledit bâtiment et la tour NE. Il est percé au rez-de-chaussée de sa façade O de deux grandes baies en plein cintre moulurées. Un logis rectangulaire très remanié lui fait suite, auquel donne accès une porte en anse de panier dans son pignon N et qu'éclairent à l'E des baies dont les meneaux et croisillons ont été sciés.　F.V.
Bibl. : L. Lex, *Notice historique sur Lugny et ses hameaux,* Mâcon, 1892; F. Perraud, *Le Mâconnais historique,* 1921, pp. 116-120.

Lugny-lès-Charolles
Château de Grammont

Arr. et c. Charolles, Saône-et-Loire.
A 6 km au SO de Charolles, par la RD 10 et la RD 270.
ISMH.
Propr. : Marquis de Grammont.
Au bord d'une falaise dominant l'église et la vallée de l'Arconce.
Hist. : Lugny-en-Charolais appartint du XIIIe au XVe s. aux Damas de Cousan, qui en firent le centre d'une puissante baronnie. Celle-ci passa, en 1430, dans la maison de Lévis, à la suite du mariage d'Alix de Damas avec Eustache de Lévis, sur qui elle fut confisquée en 1433 au bénéfice du chancelier Nicolas Rolin. Les Rolin parvinrent à conserver Lugny jusqu'en 1479, date à laquelle Guillaume Rolin restitua enfin leurs biens aux Lévis. Ceux-ci furent maîtres de Lugny jusqu'à l'exécution, en 1794, de Marc-Antoine de Lévis, capitaine aux gardes françaises, qui avait fait reconstruire le château familial en 1771. Heureusement préservé par ses acquéreurs, il fut vendu en 1843 au comte de Croix qui lui apporta de menues modifications : il supprima l'escalier en vis de la tourelle qui se trouve dans la cour et créa un escalier droit dans le vestibule d'entrée. C'est par héritage qu'il est parvenu entre les mains de son propriétaire actuel.
Descr. : La conception de ce château témoigne de la maîtrise d'un architecte, jusqu'à ce jour inconnu, qui sut faire

Grammont. Façades N et communs.

d'une forteresse médiévale une très belle demeure conforme aux canons du XVIIIe s. finissant. Il a, en effet, créé, à partir d'un château polygonal, un édifice comportant un corps central et deux courtes ailes en retour d'équerre vers le N. L'ensemble possède un rez-de-chaussée, un étage carré, un demi-étage et un étage de comble. Mais il ne s'agit point de l'habituel bâtiment de plan rectangulaire : sept pans irréguliers constituent les façades O, N et E, dépourvues de toute ornementation, tandis que les ailes sont implantées en biais, leurs angles extérieurs seuls étant perpendiculaires à la façade principale. En outre, une tour d'escalier carrée, percée au rez-de-chaussée d'une porte à linteau en accolade aux armes des Lévis et des Damas de Cousan, a été incluse dans œuvre dans la façade sur cour de l'aile E. Son toit en pavillon se détache de l'ensemble de la toiture à croupes dont la ligne est interrompue, au-dessus de l'avant-corps central de trois travées, par une haute couverture à quatre pans. Les baies de la travée médiane de l'avant-corps N (une porte rectangulaire au rez-de-chaussée et une fenêtre à chacun des étages) sont comprises entre des pilastres en bossages en tables, qui portent un fronton triangulaire sculpté

d'un écusson aux armes des Lévis. Les moulures plates à crossettes qui entourent les baies sont les seuls décors de cette façade qui s'ouvre largement sur une cour dont l'ampleur est accentuée par la présence, de chaque côté d'une avant-cour ouverte, de communs à un seul étage et toitures à croupes, implantés à l'alignement des murs extérieurs des ailes. Cette avant-cour est close au N par une grille interrompue en son centre par une porte cochère sans couronnement dont les piliers, en bossages un sur deux, sont surmontés de vases d'ornement et reliés entre eux par une traverse portant un couronnement en fer forgé. Au-delà s'allonge une large allée d'arbres qui s'achève à la lisière des prés. Accolée aux communs de l'E et ouvrant sur une terrasse en contrebas, se trouve une orangerie encore en usage, dont le rez-de-chaussée voûté d'arêtes retombant sur des colonnes engagées, est éclairé au S par deux niveaux de baies : des fenêtres rectangulaires et des oculus, de part et d'autre d'une porte centrale en plein cintre. Au NO, au centre de la cour de la ferme, se dresse un haut colombier circulaire dont l'étage supérieur, souligné par un bandeau, est doté de deux baies surmontées de frontons triangulaires. Un

Marcilly-la-Gueurce. Pavillon et corps de logis entre deux tours circulaires.

potager, cultivé suivant des plans anciens, et un beau parc à l'anglaise complètent cet ensemble. Le château a conservé son décor d'origine : dessus-de-porte peints dans deux chambres, grands panneaux à paysages dans la salle à manger, lambris dans la plupart des pièces.　F.V.

Mâcon
Château des Perrières

Saône-et-Loire
Au N. de Mâcon.
Propr. : Commandant P. de Parseval, Comtesse de Hennezel d'Ormois, Baronne de Sancy de Rolland.
On ne visite pas.
Sur un coteau dominant Mâcon et la vallée de la Saône.
Hist. : Le château des Perrières a été agrandi probablement à la fin du XVIIIe s., à partir d'un important bâtiment central édifié, croit-on, par l'une des nombreuses familles juives installées dans la région entre le XIVe s. et le XVIIIe s. Il est entré dans la famille de Parseval en 1828, à la suite du mariage de Jules de Parseval-Grandmaison avec Mlle Benon de Vosgines. Vendu en 1938 par le marquis de Parseval de Foudras à Mme Henri de Parseval, il appartient à ses enfants.
Descr. : C'est un bâtiment rectangulaire à un étage carré et un demi-étage, dont la façade S, de 34 m de long, est flanquée de deux tours carrées à toits en pavillon, plus élevées d'un niveau éclairé par des oculus, auxquelles s'appuient des pavillons à un étage formant ailes en retour d'équerre sur les façades latérales. Cette façade S est couronnée d'un grand fronton plus haut que la toiture à deux versants dont il dissimule le pignon. Une tour carrée se détache au centre de la façade N, qu'une aile prolonge vers l'E. Sous le bâtiment se trouve une cave d'environ 400 m² dont les voûtes d'arêtes retombent sur des piles carrées.　F.V.

La Marche (château de)

Voir Villegaudin.

Marcilly-la-Gueurce

Arr. et c. Charolles, Saône-et-Loire.
A 7 km au S de Charolles.
Propr. : Mme du Jonchay.
On ne visite pas.
Isolé sur le bord d'une plate-forme dominant la vallée.
Hist. : Maison forte tenue dès le XIIe s. par une famille qui en portait le nom, la *Motte-de-Marcilly* passa par mariages, au

XVIᵉ s., à Florent de Martel, gentilhomme dauphinois, puis à Jean-Gaspard de Bionnay. Le château, qui avait pris le nom de *Vieux château*, fut acquis des Bionnay par Étienne Dagonneau vers 1650. En 1764, l'immense fortune de la famille Dagonneau ayant été dilapidée, il fut vendu à Jean d'Aoustène, payeur de la cour des monnaies de Lyon, dont la fille épousa Claude Voiret, qui appartenait à une vieille famille lyonnaise. Des Voiret de Marcilly il parvint plus tard, par les femmes, à la famille Satton du Jonchay. Le donjon a été abattu en 1825.

Descr. : Plusieurs fois modifié depuis le XIIᵉ s., le château comprend au S un gros pavillon rectangulaire en moyen appareil à un étage de soubassement, un rez-de-chaussée et deux étages carrés éclairés par des baies à meneaux et linteaux en accolade. Il est flanqué sur son angle SE d'une tour circulaire découronnée à base légèrement talutée. Contre lui s'adosse, à l'alignement de sa façade orientale, un corps de logis édifié au XVIᵉ s. à l'emplacement d'une cour pavée, qui comprend un étage de soubassement, un rez-de-chaussée et un étage de comble récemment pourvu de lucarnes. Précédé à l'E d'un balcon de pierre reposant sur des arcades, il est flanqué sur son angle NE d'une tour circulaire qui vient de retrouver son toit conique, et sur son angle NO d'une tour carrée tronquée, résultant de la transformation d'une ancienne tour circulaire, qui contient un escalier en vis.

A. du J., F.V.
Bibl. : M. Gauthier, *Comté de Charolais*, t. II, 1973, pp. 120-123.

Marcilly-la-Gueurce
Château de Terzé

Arr. et c. Charolles, Saône-et-Loire.
A 6 km au S de Charolles, par la route de Charolles à Dyo.
Propr. : Famille Sablon du Corail.
On ne visite pas.
Isolé, à flanc de pente, sur une petite terrasse, dans la vallée de l'Ozolette.
Hist. : La maison forte de Terzé apparaît pour la première fois en 1340 comme propriété de la famille Colomb, qui la conserva jusqu'au milieu du XVᵉ s. Ventes et successions la mettent ensuite entre les mains d'Émilienne de Montmorillon, épouse d'Adrien de La Garde, puis de Claude Bourgeois de Moleron, de la famille de Martel et finalement, de la fin du XVIIᵉ s. à 1765, des Dagonneau de

Marcilly. Terzé est alors vendu à Jean d'Aoustène, puis à Jean-Baptiste Sampier d'Arena, négociant à Lyon, avant d'échoir à Claude Voiret de Chanay, ancien avocat général du Parlement de Dombes, mort en 1823.

Descr. : Le château est un simple bâtiment de plan rectangulaire à un étage et un demi-étage, dépourvu de toute ornementation et couvert d'une haute toiture à croupes. Il est flanqué sur son angle NO d'une tour ronde, coiffée d'un toit conique, qui a été rehaussée au XIXᵉ s., et sur son angle NE d'un petit pavillon à un rez-de-chaussée un demi-étage. Au SO, un pavillon carré est percé d'une porte et d'une fenêtre à linteaux en accolade. Au S de ce pavillon, qu'un muret qui clôt la cour du château relie à des communs modernes situés au SE, se trouve un fossé en eau, partiellement transformé en lavoir, et un jardin clos de murs dont les angles N sont occupés par de petits pigeonniers carrés. F.V.
Bibl. : M. Gauthier, *Comté de Charolais...*, t. II, 1973, pp. 123-124.

Marigny

Arr. Châlon-sur-Saône, c. Mont-Saint-Vincent, Saône-et-Loire.
A 8 km à l'E de Montceau-les-Mines, par la RD 164 et un chemin privé vers l'E.
Propr. : M. Cornillion.
On ne visite pas.
Isolé, au sommet d'une butte dominant la région.
Hist. : Le château de Marigny apparaît pour la première fois dans les textes en 1104 comme forteresse d'importance secondaire, de construction sans doute récente. Il appartint à des seigneurs qui en portaient le nom jusque vers 1370, puis fut l'enjeu d'âpres disputes marquées, entre autres, par sa vente à la criée au marché de Montcenis pour payer les dettes contractées par Guy de Marigny dans l'exercice de fonctions de châtelain de Glennes et Roussillon et par l'annulation du mariage d'Huguette, fille dudit Guy, à qui la seigneurie avait finalement été adjugée sur intervention du duc de Berry et de Jean d'Armagnac. A la fin du XIVᵉ s., la maison forte échut à Jean de Veriset, parent par alliance des Marigny. Au cours du XVᵉ s., elle passa aux Vichy. Au début du XVIIᵉ s., elle appartenait au président du Parlement Benoît Giroux qui la légua sa fille, Barbe, épouse de Jacques Sayve. Leur petit-fils, Benoît-Jac-

Brancion. État vers 1835.

ques de La Croix de Chevrières, en hérita en 1654. En 1759, Marigny fut acquis par Pierre-Marie de Naturel de Valetine. Il ne restait plus alors du château, ruiné en 1583, qu'une tour carrée à trois étages. Diverses constructions ont été ajoutées au cours de la deuxième moitié du XIXᵉ s.

Descr. : Le château était formé d'une enceinte polygonale, cernée de fossés sur la plus grande partie de son pourtour, que précédait au SE une basse cour. Les bâtiments actuels entourent sur trois côtés une cour ouverte vers l'O. L'élément principal en est, à l'angle SO, une grosse tour carrée coiffée d'un toit en pavillon. Elle comporte un rez-de-chaussée, couvert de voûtes d'arêtes retombant sur un pilier central, auquel donne accès une porte en plein cintre ouverte au XVIIᵉ s., deux étages couverts de plafonds à poutres apparentes à la française et un étage de comble à surcroît. Les murs en sont percés de rares baies : au S, deux paires de fenêtres à linteaux trilobés et, à la base de la toiture, de petites ouvertures carrées ayant peut-être été munies de hourds. Des latrines sur consoles en complètent les défenses supérieures. Cette tour est sans doute le donjon de l'ancienne maison forte. Il est probable qu'elle a été bâtie au XIIᵉ s. L'angle SE est occupé par une tour polygonale coiffée

d'une haute toiture de tuiles. Un bâtiment bas, auquel s'appuie vers la cour une galerie au toit en appentis, la relie à un gros pavillon carré situé à l'angle NE, lui-même accosté d'une tour circulaire percée de canonnières et de baies en lancettes qui paraît dater du XVᵉ s. Le côté N est formé d'un étroit corps de logis couronné de mâchicoulis sur consoles dissimulant une terrasse, que flanque à l'O, faisant pendant au donjon, une tour carrée à deux étages carrés et un étage en surcroît éclairés par des baies à meneau et croisillon. A l'E de cet ensemble se dresse une tour ronde, elle aussi couronnée de mâchicoulis. Les pierres grises des constructions néo-gothiques s'harmonisent parfaitement avec les moellons de moyen appareil de la tour du XIIᵉ s.　　F.V.

Marigny (château de)

Voir Fleurville.

Martailly-lès-Brancion
Château de Brancion

Arr. Mâcon, c. Tournus, Saône-et-Loire.
A 14 km à l'O de Tournus, par la RD 14 et une route vers le N.
Monument historique.

Brancion. Donjon et logis seigneurial.

Propr. : M. et Mme Morierre-Bernadotte.
Visite autorisée des Rameaux au
11 novembre.
Sur une hauteur dominant un col
emprunté par la route reliant Cluny à la
Saône. Dominant toute la région, la
forteresse offre du haut de son donjon
une vue incomparable à ses pieds sur le
petit village de Brancion et sa célèbre
église romane, puis sur une immense
étendue de plaines et de collines.

Hist. : Fondée sans doute au temps des
Burgondes, dotée de fortifications dès le
xe s., la seigneurie de Brancion devint très
importante au xie s., les membres de la
famille de Brancion portant désormais le
qualificatif de *gros.* L'histoire des seigneurs de Brancion est une longue suite
de batailles et souvent de pillages, ce qui
leur créa quelques difficultés avec l'abbaye de Cluny; l'un d'eux alla à Rome
solliciter son pardon, d'autres partirent
pour la Terre sainte. Il en résulta
même une chevauchée du roi Louis VII,
puis un arbitrage de Philippe Auguste. Le
plus célèbre de ces seigneurs fut sans
doute Josserand III qui mourut glorieuse-

ment à la bataille de Mansourah où il
avait suivi Saint Louis à la croisade. Son
corps fut ramené par son fils Henry qui le
fit enterrer à Uxelles. Mais bientôt ruiné,
Henry dut vendre ses terres au duc de
Bourgogne Hugues IV (1259). Brancion
devint alors chef-lieu d'une châtellenie
ducale avec garnison permanente; le
château, soigneusement entretenu, apparaissait comme *une des clez du paiz.* La
réunion du duché à la couronne ne
changea pas la situation : un châtelain
royal, après une courte période de
confusion, succéda au châtelain ducal.
Puis la terre fut adjugée, en 1548, à un
seigneur engagiste, Jean de Lugny, auquel
succéda, vers 1580, Jean de Saulx-Tavannes, qui fit du château l'un des plus forts
points de résistance de la Ligue. Des
Saulx-Tavannes, il passa en 1701 aux La
Baume-Montrevel. Il fut réuni au
domaine en 1759 à leur extinction, et
alors concédé à un avocat au Parlement
de Dijon. Après la Révolution, Brancion
fut racheté par la famille de Murard de
Saint-Romain dont les descendants le
possèdent actuellement. Ils se consacrent
entièrement à la conservation du château.

Descr. : Une grande enceinte, flanquée de
tours circulaires irrégulièrement disposées, englobe à la fois le village et le
château qui en occupe, à son extrémité

Martigny-le-Comte. Façade S.

orientale, la partie la plus étroite et la plus élevée. A l'O, une muraille le sépare du village, et forme, avec la muraille extérieure, une première enceinte entourant complètement une seconde dont l'accès est défendu au S par deux tours circulaires dites tour de Beaufort et tour de La Chaul. Au centre de ce dispositif, au point culminant du rocher, défendu au N et à l'O par une troisième muraille, se dresse le donjon, haute tour carrée en moyen appareil comportant un rez-de-chaussée aveugle sans accès de l'extérieur et trois étages carrés. Jusqu'au XVIe s., elle était couronnée de créneaux et coiffée d'un toit pointu auxquels on a substitué une terrasse. Contre le donjon s'appuie à l'E un logis seigneurial ruiné, à un rez-de-chaussée et un étage carré, percé de baies trèflées, qui semble avoir été rebâti au XVe s. sur des assises du XIIe s. Il est flanqué à l'E de deux tours carrées solidaires de la seconde enceinte, dites tour du Préau et tour de la Gaîte. Au S de cet ensemble subsistent des murailles en arête de poisson qui appartiennent à une construction antérieure au XIe s.　　　P.C.

Bibl. : J.-L. Bazin, *Brancion. Les seigneurs, la paroisse, la ville*, 1908, ill., plan ; M. Rebouillat, *Brancion*, 1975, ill., plan.

Martigny-le-Comte

Arr. Charolles, c. Palinges, Saône-et-Loire.
A 15 km au NE de Charolles, par la RD 33, la RD 7 et un CV en direction du N.
Propr. : Comtesse H. de Beaumont.
On ne visite pas.
Au N du village, sur une butte dominant toute la région.
Hist. : Martigny, qui appartenait aux comtes de Chalon, entra en 1237 dans le domaine ducal, en même temps que l'ensemble du comté, mais fut cédé peu après par Hugues IV à une demi-sœur de Jean de Chalon, Marie des Barres, dame de Mont-Saint-Jean. En 1388, le château était entre les mains de Guillaume Flotte. Il passa ensuite à Oudard de Chazeron, puis à Jean et Jacques de Chazeron, sur qui il fut confisqué par le duc de Bourgogne en raison de leur dévouement au dauphin. Le bénéficiaire de cette confiscation fut Nicolas Rolin, qui se fit confirmer en 1435 dans la possession de Martigny que son fils dut toutefois restituer aux héritiers des Chazeron en 1477. Ceux-ci vendirent peu après Martigny à Claude de La Guiche dont les descendants en furent propriétaires jusqu'à la fin du XVIIe s. A la veille de la Révolution, le château appartenait à Louis-Hercule-Timoléon de Cossé-Brissac. Il a été entièrement restauré en 1878 par le comte de Beaumont.
Descr. : C'est un édifice de plan en L flanqué de tours sur ses trois angles extérieurs : deux tours rondes au S, de part et d'autre du corps principal, une tour-porche carrée à deux étages au NE, à

l'extrémité de l'aile en retour d'équerre. Seule la tour de l'angle SE, plus massive et qui a été arasée au niveau des murs des logis, a échappé aux restaurations radicales qui, au XIXᵉ s., ont fait de l'ensemble un édifice de style néo-gothique. Le corps principal comprend un étage de soubassement, un rez-de-chaussée, un étage carré et un étage de comble. Il est percé de baies à meneau et croisillon, reliées entre elles par des bandeaux régnant avec les croisillons; ses lucarnes sont couronnées de gâbles. A sa façade N est adossée une tour octogonale hors œuvre sur le pan dans laquelle s'ouvre une porte en anse de panier. Un escalier de pierre en fer à cheval à deux volées relie au S son rez-de-chaussée à la terrasse qui le précède. L'aile comprend un rez-de-chaussée, un étage carré et un étage de comble à lucarnes pendantes. Elle est percée d'ouvertures irrégulièrement réparties. Une tourelle d'escalier circulaire demi-hors œuvre est incluse dans l'angle des deux corps de logis, une tourelle polygonale dans celui formé par la tour-porche et le pignon de l'aile. Les logis sont couverts de hautes toitures d'ardoise à deux versants. Des jardins cernés de haies bien taillées l'entourent.

F.V.

Martigny-le-Comte
Château de Commune

Arr. Charolles, c. Palinges, Saône-et-Loire.
A 13 km au N de Charolles, par la RD 985 et un CV par Baron et Pringues. Propriété privée. On ne visite pas.
Isolé, sur une terrasse dominant la vallée.
Hist. : Il est probable que l'endroit fut fortifié dès le Xᵉ s., mais la mention d'une maison forte n'apparaît dans les textes qu'en 1316. Elle était alors tenue par Guillaume de Commune. En 1368, Agnès de Commune l'apporta en dot à Guillaume du Bois. Au milieu du XVIᵉ s., elle échut par mariage à Claude de Damas. L'union du fief à celui de Martigny, au XVIIᵉ s., entraîna l'abandon définitif du château qui passa successivement entre les mains des La Guiche et, à la fin du XVIIIᵉ s., de Louis-Hercule de Cossé-Brissac.
Descr. : Il ne subsiste du château que son enceinte qui forme un quadrilatère irrégulier, cantonné de trois tours rondes beaucoup plus hautes que les courtines et d'une tour carrée de 9 m sur 7 m percée de rares ouvertures, qui fut sans doute le donjon. Au rez-de-chaussée de celle-ci, une salle voûtée, dont les doubleaux

Commune. État vers 1835.

Maulevrier. Base de l'enceinte de la basse cour et corps de logis.

retombent sur des culots sculptés de têtes, abritait la chapelle. Les étages en étaient desservis par un escalier aménagé dans l'épaisseur de la muraille. Les seules ouvertures sont, dans les parties basses des murailles et des tours, de minces archères-canonnières et dans les tours quelques baies géminées à réseau d'intrados trilobé et quelques fenêtres rectangulaires irrégulièrement réparties. L'ensemble, vraisemblablement bâti au XIIIe s., était entouré de fossés aujourd'hui comblés. **F.V.**

Bibl. : J.-G. Bulliot, « La tour du Bost », dans *Mém. de la Soc. éduenne,* t. XXVIII, p. 165, ill.

Maulevrier (château de)

Voir Melay.

Melay
Château de Maulevrier

Arr. Charolles, c. Marcigny, Saône-et-Loire.
A 32 km au S de Paray-le-Monial, par la RD 122.
Propr. : Comtesse Amédée d'Andigné.
On ne visite pas.
Isolé, à 2 km à l'O de Melay.
Hist. : Terre de l'abbaye de Saint-Rigaud jusque vers 1300, Maulévrier passa alors à la famille de Lespinasse qui y bâtit un rendez-vous de chasse ultérieurement transformé en maison forte. Par mariage le domaine échut à Jean de Damas dont le fils, Philippe, y fut assassiné en 1562. Le château fut alors détruit. Sa sœur, épouse de Denys de Savary, en entreprit la reconstruction. L'aile droite en fut achevée par son héritière, Marguerite de Savary, ainsi que l'atteste une plaque de marbre encore visible dans le bâtiment. La terre fut érigée en marquisat en 1625 pour François de Savary, ambassadeur d'Henri IV à Constantinople, frère de Marguerite. Tous deux moururent sans postérité, laissant le fief à Camille de Savary qui le vendit dès 1642 à Hector Andrault de Langeron. Celui-ci légua le tout à François de Langeron qui fit aménager la pièce centrale en salle de réception, puis en salle de bal. Aimé-Charles de Langeron en hérita en 1754, puis le laissa à sa fille cadette, Geneviève, femme de Louis-Stanislas-Kotska de La Trémouille, qui parvint à conserver ses biens pendant la Révolution. Les tours du château furent alors rasées ou décapitées et une partie de l'aile droite, qui abritait la chapelle, fut abattue. A sa mort, en 1829, la propriété revint à ses petits-neveux, Charles-Louis et Léonce-Louis-Melchior de Vogüé, puis à l'académicien Charles-Jean-Melchior de Vogüé, aïeul des propriétaires actuels.
Descr. : Le château lui-même est un bâtiment en U formé d'un corps principal de plan rectangulaire et de deux ailes en

retour d'équerre d'inégale importance. Le corps principal, l'aile gauche et le massif pavillon carré, sur lequel ces deux éléments s'articulent, comportent un sous-sol, un rez-de-chaussée, un étage carré et un étage de comble percé vers la cour de lucarnes à fronton; ils sont couverts de toits à croupes. Les fenêtres primitives, à croisillon de pierre sans moulure, ont été obturées, vraisemblablement au XVIIe s., et remplacées par de grandes baies rectangulaires dont plusieurs ont depuis été bouchées ou modifiées. Au centre de la façade sur cour s'ouvre une porte encadrée de pilastres surmontés de triglyphes portant un entablement à modillons au-dessus duquel s'arrondit un fronton cintré qu'orne un écu soutenu par deux anges aux ailes déployées. A l'extrémité droite de cette façade une porte en plein cintre donne accès à un passage voûté d'arêtes. L'aile

droite, encore cernée d'éléments du fossé ailleurs comblé, est de même élévation, mais couverte d'un toit brisé. Elle s'appuie sur une construction plus haute d'un étage, coiffée d'un toit à deux versants, qui semble être un vestige de la forteresse médiévale primitive. Des ruptures dans les assises de pierre témoignent de divers remaniements. Les appartements sont desservis par de beaux escaliers de pierre rampe sur rampe. Cet ensemble est séparé de la basse cour qui le précède par un fossé que franchit un pont de pierre aboutissant à une porte charretière sans couvrement. De l'enceinte de celle-ci ne subsistent que les bases des murailles et des tours rondes à bases légèrement talutées qui en flanquaient les angles. Les communs, en L, comportent un logis à un étage carré et un étage de comble couvert d'un toit brisé, manifestement contemporain de l'aile

Germolles. Chapelle, vue intérieure vers 1873.

droite du château, et des locaux à usage agricole percés de larges portes charretières à arc en anse de panier. **F.V.**

Bibl. : Gauthier, Cucherat, *Histoire de Maulévrier.*

Mellecey
Château de Germolles

Arr. Chalon-sur-Saône, c. Givry, Saône-et-Loire.
A 10 km à l'O de Chalon-sur-Saône, par la RD 978 et la RD 981.
ISMH
Propr. : Mme Pinette.
Isolé, en terrain plat.

Hist. et descr. : Germolles est surtout connu en histoire de l'art pour son groupe de Philippe le Hardi et de Marguerite de Flandre, sculpté par Claus Sluter en 1393 dans la pierre d'Asnières-lès-Dijon. Le duc et la duchesse de Bourgogne étaient représentés sous un orme, entourés de moutons : on imagine cette figuration moins solennelle, plus détendue, que celle du portail de la chartreuse de Champmol, qui les présentait agenouillés de part et d'autre de la Vierge. Elle se situe en l'année du voyage que fit l'imagier, en compagnie du peintre Jean'de Beaumetz, au château de Mehun-sur-Yèvre, résidence du duc de Berry. Un compte nous apprend que le groupe avait été réparé en 1466 et protégé alors des intempéries. Malheureusement il n'a pas laissé de trace, comme on a pu s'en rendre compte lors des sondages pratiqués au château en 1968. C'est sur l'emplacement d'une grange acquise en 1381 que Marguerite de Flandre fit construire le château de

Germolles. Vue d'ensemble.

Germolles. Porte d'entrée et chapelle, état vers 1873.

Germolles par Drouet de Dammartin, maître maçon qui avait travaillé sous la direction de Raymond du Temple au Louvre de Charles V. Le décor intérieur consistait en motifs champêtres : Arnould Picornet avait peint des brebis; la devise du duc *Y me tarde* alternait avec des marguerites, des chardons, des roses blanches et vermeilles. Des tapisseries complétaient le décor mural avec leurs scènes champêtres : bergers et bergères au milieu de leurs troupeaux, brebis sous un arbre doré. Le sol était couvert de carreaux de pavement à fond rouge, provenant de la tuilerie de Montot, qui répétaient les mêmes motifs : marguerites, chardons et roses, brebis couchées sous

un arbre. Cet entourage a laissé croire qu'il s'agissait là d'une demeure de plaisance, où la duchesse se délectait à la vue de ces *bergeries*. Les comptes de la châtellenie de Germolles nous indiquent qu'il devait s'agir en réalité d'un centre d'exploitation agricole où l'on s'occupait à la fois de culture et d'élevage. Malgré les incendies qui dévastèrent le château en 1873 et 1887, il reste encore le corps de logis principal, la chapelle et, à l'étage, l'oratoire de la duchesse. En vis-à-vis le cellier voûté sur croisées d'ogives est surmonté d'une vaste salle à laquelle on accède par un escalier dont la porte est surmontée d'un tympan aux armoiries du duc de Bourgogne. En 1399, une statue de la Vierge sortait de l'atelier de Sluter pour être mise sur la porte du château de Germolles. P.Q.

Bibl. : E. Picard, « Le château de Germolles et Marguerite de Flandre », dans *Mém. de la Soc. éduenne,* 1912; H. Drouot, « Autour de la pastorale de Claus Sluter », dans *Ann. de Bourgogne,* 1942 pp. 7-24; J. Devignes, « Le château de Germolles, demeure de plaisance ducale », dans *Archeologia,* août 1972, pp. 26-31.

Mercey (château de)

Voir Montbellet.

Mercurey
Château de Montaigu

Arr. Chalon-sur-Saône, c. Givry, Saône-et-Loire.
A 12 km à l'O de Chalon par la RD 978, la RD 48 et un chemin à partir de Saint-Martin-sous-Montaigu.
Propr. : Famille de Suremain.
On ne visite pas.
Sur la croupe d'une colline, à 12 km environ au NO de Chalon-sur-Saône.
Hist. : Le château fut vraisemblablement construit vers 950 à la demande du duc de Bourgogne par Lambert de Valentinois, devenu comte de Chalon par son mariage avec Adélaïde de Vermandois, ceci pour protéger la ville des invasions venant de l'O et pour surveiller la voie romaine Lyon, Chalon, Autun, Paris. Il appartint aux comtes de Chalon jusque vers 1180, époque à laquelle le dernier comte héréditaire, Guillaume, ayant pillé la Bourgogne, fut dépossédé de ses biens par le roi Louis VII le Jeune, au profit de Hugues III, duc de Bourgogne. C'est alors que Montaigu fut érigé en fief et attribué au second fils de Hugues III, Alexandre, qui fut le premier Montaigu-Bourgogne. Ses successeurs furent Eudes de Montaigu (1205-1244), Guillaume (1244-1304), fils du précédent, qui éleva le fief à l'apogée de sa grandeur, Eudes II ou Odard (1304-1338), Henry (1338-1348) dernier Montaigu-Bourgogne. Ces seigneurs étaient alors les plus puissants de leur temps. Cousins du roi de France et de l'empereur de Constantinople, ils avaient une cinquantaine de vassaux. A la mort d'Henry, le dernier duc, le fief fut partagé entre la famille de Damas et le duc de Bourgogne pour tomber dans le domaine royal à la mort de Charles le Téméraire. A l'exception de Guillaume, les différents seigneurs de Montaigu et leurs successeurs ne résidèrent que rarement au château, qui était une forteresse surtout apte à loger une garnison. Servant tantôt de refuge aux habitants des villages voisins, tantôt de repaire à une troupe passée au banditisme, Montaigu n'eut un rôle important que pendant les guerres de Religion. Assiégé en 1591, le château fut pris par les troupes de la Ligue, l'enceinte en partie démolie puis reconstruite fut démantelée sur ordre d'Henri IV. Utilisé comme logements et comme entrepôts par les vignerons des villages voisins, ce qui restait d'habitation fut vendu en 1803 à un maçon qui transforma le tout en carrière. En 1822, le marquis d'Arcelot se rendit acquéreur des ruines qui furent occupées par plusieurs ermites dont l'un, nommé Jean Rougeot, fut assassiné. Le dernier, un certain Richer, soupçonné

Montaigu. État à la fin du XIXe s.

Montaigu. Essai de reconstitution.

d'exactions et d'espionnage dut s'enfuir en 1870 tandis que la population détruisait l'oratoire et la cellule.

Descr. : Montaigu était une forteresse à double enceinte dont la plus petite couronnait le sommet de la colline. L'enceinte extérieure, constituée par un mur crénelé très épais, était flanquée de dix à douze tours reliées par un chemin de ronde. La porte principale, protégée par deux tours, une poterne et un système de herses ouvrait au S vers Saint-Martin-sous-Montaigu. Une poterne donnait au N en direction de Couches. L'enceinte intérieure, aux murailles moins épaisses, protégeait le donjon, la grande salle, le logement seigneurial, une petite cour où se trouvait le puits. Enfin le donjon carré, muni d'un pont-levis, pouvait être entièrement isolé. A la Révolution, après deux siècles d'abandon, on distinguait encore les dix ou douze tours de l'enceinte extérieure. Au début de ce siècle, on pouvait encore accéder au pied du donjon et des murailles. Forteresse imprenable au temps de la féodalité, Montaigu n'a pu résister au perfectionnement des armements : c'est un tas de pierrailles signalé seulement, et pour un temps indéterminé, à l'attention des promeneurs par un pan de mur du donjon.   P.C.

Bibl. : E. Papinot, *Montaigu de Bourgogne,* 1920, 59 p. Ladey de Saint-Germain, « Le château de Montaigu et ses seigneurs... », dans *Mém. de la Soc. bourguignonne de géographie et d'histoire,* t. XVII, 1901, pp. 91-195, pl.

Messey-sur-Grosne

Arr. Chalon-sur-Saône, c. Buxy, Saône-et-Loire.
A 19 km au SO de Chalon, par la RN 6, la RD 6 et la RD 49.
ISMH.
Propr. : M. Peroche et Mme Thévenot.
Visite autorisée.
Au centre du village de Messey, à proximité de l'église actuelle, en bordure de la petite rivière la Goutteuse, affluent de la Grosne.

Hist. : Ce modeste château aurait été, au temps des ducs Valois de Bourgogne, un rendez-vous de chasse à proximité de la forêt de La Ferté. La Goutteuse, qui en alimentait les douves, formait la limite entre Chalonnais et Mâconnais, mais le château de Messey, bien que situé sur la rive mâconnaise, était considéré comme une enclave du Chalonnais. Quelques

dates, quelques noms jalonnent une histoire mal connue : la famille de Messey, citée du XIIIᵉ s. à 1555, Jean de Torcy, époux de la dernière Messey, les familles de Levis, de Clermont-Montoison et Bataille de Mandelot au XVIIIᵉ s...
La chapelle du château, où avait été inhumée, en 1739, Louise de Levis-Montbrun, passe pour avoir été détruite en 1766 afin d'utiliser ses pierres à la construction d'un pont sur la Goutteuse. Le château, pillé en 1789 par les brigands du Mâconnais, est devenu au XIXᵉ s. la propriété d'une famille qui en exploita les terres et dont les descendants y résident toujours.

Messey-sur-Grosne.
Corps de logis entre deux tours carrées.

Descr. : Ce petit château du XVᵉ s., bâti en brique, n'a pas subi de restauration. Il comportait encore au XVIIIᵉ s. une enceinte rectangulaire cantonnée de quatre tours. Il n'en reste qu'un corps de logis à un étage carré et un étage de comble, entre deux grosses tours carrées à deux étages coiffées de hautes toitures en pavillon. La plus grosse des tours est percée d'élégantes fenêtres à croisillons. Certaines baies ont conservé des grillages en fer forgé du Moyen Age. A l'intérieur subsiste une belle cheminée gothique à colonnes jumelées. Des communs en appareil à pans de bois et une petite tour ronde complètent cet ensemble. P.C.

Milly (château de)

Voir La Roche-Vineuse.

Molleron (château de)

Voir Vaudebarrier.

Monay (château du)

Voir Saint-Eusèbe.

Monceau (château de)

Voir Prissé.

Montaigu (château de)

Voir Mercurey.

Montbellet
Château de Buffières

Arr. Mâcon, c. Lugny, Saône-et-Loire.
A 13 km au S de Tournus, par la RD 210 et un chemin vicinal vers l'E.
Propriété privée.
On ne visite pas.
Isolé, sur une petite éminence.
Hist. : Siège de l'une des quatre anciennes baronnies du Mâconnais, le château primitif de Montbellet était tenu au XIIᵉ s. par une famille qui en portait le nom. Il fut rasé à la fin du XIIIᵉ s. sur décision du Parlement de Paris, son propriétaire, Alard de La Tour, s'étant rendu coupable d'exactions à l'égard de ses vassaux et des voyageurs qui traversaient ses bois. Il fut rebâti au XVᵉ s. au hameau de Buffières par l'un des derniers Montbellet ou par Louis de Montregnard, devenu seigneur du lieu par son mariage avec Jeanne de Chandié, baronne de Montbellet. Le fief passa au XVIᵉ s. à la famille de Maugiron, qui le conserva jusqu'en 1685 et, pourvue de multiples autres fiefs, laissa le château à des fermiers. La baronnie fut alors acquise par Jean-Baptiste Giraud, qui était issu d'une famille lyonnaise. Ses descendants possédèrent le domaine jusqu'à la fin du XIXᵉ s.
Descr. : De l'enceinte rectangulaire primitive, jadis cernée de fossés, dont l'entrée était située au S, subsistent des pans de murailles auxquels s'appuient des bâtiments à usage agricole, une tour d'angle carrée couverte d'un toit en pavillon et un massif donjon rectangulaire comportant deux étages carrés et un étage de comble, auquel est adossée vers la cour une tour à cinq pans hors œuvre aujourd'hui tronquée au milieu du second étage, qui abrite

Mercey. Façade O.

un large escalier en vis. On accède au rez-de-chaussée de cette tour par une porte en anse de panier. Deux baies à traverse de pierre, séparées par un bandeau, l'éclairent, tandis que le donjon lui-même est percé vers la cour, au premier étage de deux fenêtres à meneau et croisillon moulurés et au second étage de baies à linteau en accolade. A la base du toit on distingue dans l'appareil l'emplacement d'anciennes ouvertures carrées. F.V.

Bibl. : F. Perraud, *Le Mâconnais historique*, 1921, pp. 144-149.

Montbellet
Château de Mercey

Arr. Mâcon, c. Lugny, Saône-et-Loire.
A 11 km au S de Tournus, par la RN 6 et la RD 210.
Propr. : Baron R. Legrand de Mercey.
On ne visite pas.
Dans un hameau, au bord du ruisseau de la Gravaise.
Hist. : Cité pour la première fois au XVe s., alors qu'il appartenait à la famille de Saint-André, le château de Mercey, qui relevait de la baronnie de Montbellet, passa au début du XVIe s. à François Bureteau, échevin de Tournus, puis, par mariage à Pierre Chesnard, grenetier au grenier à sel de Mâcon, dont une petite-fille le porta à Émilian Noly, trésorier des États du Mâconnais. La famille Noly vendit le domaine en 1808 à Charles-Étienne Legrand.
Descr. : Le corps principal, de plan rectangulaire, à un étage carré et un demi-étage sous un toit à croupes, est flanqué sur ses angles occidentaux de deux tours rondes, vestiges d'une maison forte antérieure et sur ses angles orientaux de deux pavillons de même élévation que lui. Une porte encadrée de pilastres toscans portant un entablement horizontal s'ouvre au centre de la façade E que précède une pièce d'eau. F.V.

Bibl. : F. Perraud, *Le Mâconnais historique*, 1921, pp. 136-137, ill.

Montcony

Arr. Louhans, c. Beaurepaire-en-Bresse, Saône-et-Loire.
A 10 km au NE de Louhans, par la RD 23.
Propr. : Comte de Longeville de La Rodde.
On ne visite pas.
A la lisière du village, en terrain plat.
Hist. : La famille de Montcony, citée dès le XIIIe s., a compté des personnages importants de l'entourage des ducs de Bourgogne, en particulier Guillaume de Montcony, chambellan, qui reçut dans son château la duchesse Isabelle de Portugal en 1434. Après la mort, en 1657, de Charles, dernier baron de Montcony, la terre passa à René de Franay, puis fut vendue, en 1676, à Antoine Arviset, écuyer, trésorier général de France en Bourgogne et Bresse. Elle fut achetée ensuite par Jean Jehannin, conseiller au Parlement de Dijon, qui la revendit en 1712 à Claude de La Rodde, seigneur de

Montcony. Tour S et corps de logis.

Charnay, commandant le régiment de Fontanges. A son décès, en 1734, la terre revint à son fils, Charles-Louis de La Rodde, qui épousa en 1737 Nicole-Étiennette de Ganay et mourut en 1792. Leur fils, Étienne-Charles-Louis de La Rodde, émigra puis revint en France où il mourut en 1804. Son fils, Marie-Hector de La Rodde, fut inhumé en 1857 dans la chapelle de Bellefond, tandis que sa veuve, Diane de Balathier, se retirait à l'abbaye aux Bois à Paris où elle mourut en 1867. Hector de La Rodde n'ayant pas eu d'enfant, le domaine passa par testament à son neveu Gustave de Longeville dont les descendants le possèdent actuellement.

Descr. : Construit vraisemblablement au XIIIᵉ s., puis modifié au XVᵉ s., le château a perdu, au début du XIXᵉ s., ses courtines crénelées qui s'élevaient au niveau de l'étage carré des bâtiments, tandis que des ouvertures étaient aménagées dans le corps de logis. Il occupe une terrasse quadrangulaire cantonnée de quatre grosses tours rondes en brique couronnées de mâchicoulis couverts sous des toitures coniques. Les deux tours du N, qui comportent cinq étages d'inégale hauteur,

encadrent le corps de logis de plan rectangulaire à un étage carré et un étage de comble que complètent, au S, deux courtes ailes en retour d'équerre. Dans l'angle NE de la cour, une tour hexagonale abrite un escalier de pierre en vis. Isolées par la destruction des murailles, les deux tours du S, plus massives, défendaient jadis le pont-levis maintenant remplacé par un chemin en remblais qui donne accès à une porte cochère sans couvrement dont les piliers en bossages contrastent avec l'austérité de l'ensemble des constructions.   P.C., F.V.

Bibl. : H. Soulange-Bodin, *Les châteaux de Bourgogne,* 1942, pp. 147-149.

Montcoy

Arr. Chalon-sur-Saône, c. Saint-Martin-en-Bresse, Saône-et-Loire.
A 7 km à l'E de Chalon-sur-Saône, par la RD 35 et un chemin privé au S du village. ISMH.
Propr. : Comtesse Régis de Rivierieulx de Varax.
Visite des extérieurs sur demande.

Isolé, en terrain plat, en Bresse chalonnaise.

Hist. : Le premier seigneur connu de Montcoy est, en 1422, Antoine de Granges appartenant à une puissante maison féodale franc-comtoise. La seigneurie passa ensuite par mariage ou succession à Thomas de Grammont (1443), à Richard de Dammartin (1451), puis aux Bauffremont, Lugny, Montcony, (1545), des Jours et enfin à François de Damas (1661). Ce dernier vendit Montcoy, en 1670, à Étienne Lantin, conseiller du roi et maître ordinaire en la Chambre des comptes de Dijon. Celui-ci, abandonnant le château primitif du xve s. dont il ne subsiste que quelques pans de murs et un pavillon isolé, fit élever, de 1670 à 1680, le bâtiment central de l'édifice actuel. Son arrière-petit-fils, colonel au régiment d'Enghien, fit au xviiie s. ajouter l'aile gauche de la cour d'honneur sur des plans de l'architecte chalonnais Niépce. Antoine Lantin, dernier baron de Montcoy, mourut en 1867 à l'âge de 93 ans. Son petit-fils, le Père Bernard de Varax, fit don de Montcoy à son cousin le comte Régis de Varax. La comtesse Régis de Varax en est l'actuelle propriétaire.

Descr. : La masse de briques roses du château se détache sur la verdure du parc et de la forêt voisine. On pénètre, à l'E, dans la cour d'honneur par un grand pont en pierre à balustrades, au bout duquel deux lions sculptés marquent l'emplacement de l'ancien pont-levis démoli au milieu du xixe s. Les douves subsistent de ce côté, profondes et bordées de parapets, qui épousent les contours d'anciennes tours disparues. Construit en brique avec chaînages d'angle harpés et encadrements de baies en pierre de taille, il comporte un corps principal, de plan rectangulaire allongé, et deux ailes en retour, d'inégale longueur, à un sous-sol, un rez-de-chaussée, un étage carré et un étage de comble éclairé par des lucarnes à fronton-pignon et des œils-de-bœuf sous des toits brisés. Au centre du corps de logis s'élève un pavillon à deux étages carrés dont les façades, sur la cour et sur le parc, sont couronnées de grands frontons cintrés. Un pavillon de même type, couronné d'un fronton triangulaire, flanque l'extrémité de l'aile S, bâtie au xviiie s. L'aile N est prolongée par de petits bâtiments, vestiges du château du xve s. Des bandeaux de pierre règnent à la base des fenêtres. La façade sur le parc, dont le tracé irrégulier reprend celui de la forteresse primitive, domine une pièce d'eau qui s'étend jusqu'à la forêt.　P.C.

Bibl. : R. Oursel, *Inventaire départ... Cant. de Saint-Martin-en-Bresse*, Mâcon, 1978, pp. 56-59; P. de Varax, *La seigneurie de Montcoy-en-Bresse*, Lyon, 1880.

Montcoy. Bâtiments des xviie et xviiie s. cernés de douves d'origine médiévale.

Monthelon. Façade principale avec galerie à l'étage.

Montessus (château de)

Voir Changy.

Monthelon

Arr. et c. Autun, Saône-et-Loire.
A 6 km à l'O d'Autun, par la RD 3.
ISMH.
Propr. : M. de Benoist.
On ne visite pas.
Dans la plaine d'Autun, au bord de la Selle à l'écart du village de Monthelon.
Hist. : Cette seigneurie fut achetée au XVIᵉ s. par la famille de Rabutin. Guy de Rabutin-Chantal, qui en prit possession en 1580, était le père de Christophe de Rabutin qui épousa en 1592 Jeanne-Françoise, fille de Bénigne Frémyot, président au Parlement de Dijon. Le souvenir de

Jeanne-Françoise, devenue sainte Jeanne de Chantal, confère à ce manoir son caractère émouvant : devenue veuve en 1601, elle vécut à Monthelon avec ses enfants auprès de son beau-père Guy de Rabutin; saint François de Sales y vint et y bénit le mariage de son frère avec une fille de Jeanne de Chantal; celle-ci quitta Monthelon en 1610 pour aller fonder à Annecy le premier couvent de la Visitation. Monthelon fut la dot de Françoise, sa seconde fille, mariée à Antoine de Toulongeon : leur fils, mort sans enfant, laissa Monthelon à sa nièce ·Françoise de Rabutin, fille de Bussy-Rabutin et femme de Gilbert de Langheac. Charlotte de Langheac le vendit. En 1774, il appartenait à Antoine Chartraire de Montigny, trésorier général des États de Bourgogne.
Descr. : Cette maison forte, d'aspect assez

modeste, remonte au XVe s. Elle consiste en un logis rectangulaire flanqué de deux tours rondes qui font saillie sur la façade NE. La façade principale a été refaite par Guy de Rabutin. Elle donne sur une cour qui n'a conservé ni mur de défense ni fossé. Un escalier de pierre et un perron amènent à deux portes jumelles encadrées de deux fenêtres doubles dont le cadre de pierre est mouluré d'une gorge. Au-dessus des portes un bas-relief sculpté figure les armes des Rabutin-Chantal (cinq points d'or équipollés à quatre de gueules) entourées du collier de saint Michel, tenues par deux anges et accompagnées de la devise de Guy de

Montpont-en-Bresse
Château de Durtal

Arr. Louhans, Saône-et-Loire.
A 11 km au S de Louhans, par la RD 12 et un chemin privé vers le S.
Propriété privée.
On ne visite pas.
Isolé, en terrain plat, sur une petite butte dans une boucle de la Sane Vive.
Hist. : Le fief de Durtal, sur lequel se trouvait une maison forte tenue du XIVe au XVIe s. par une famille qui en portait le nom, appartenait en 1673 à Alexandre de Périeux du Crozet. En 1755, son fils le légua à François-Florimond du Crozet et

Sainte Chantal par Didier.

Durtal. Tour d'angle en brique.

Rabutin : VIRESCIT VULNERE VIRTUS (La vertu s'acroît par les playes.) Au-dessus, le premier étage a été ajouré par une galerie à quatre colonnettes : les portes en bois qui ouvrent sur cette galerie conservent des traces d'un décor Renaissance. La chapelle logée au N du bâtiment se signale par son petit clocher.   M.R.

Bibl. : Merveilles des châteaux de Bourgogne..., 1969, p. 140.

Montjeu (château de)
Voir Broye.

Montot (château du)
Voir Oudry.

à sa sœur, Mme de Lassale, qui parvint à conserver le château durant l'émigration de son neveu, à qui elle le légua. Comme il menaçait ruine, celui-ci le fit en partie raser en 1825. Il mourut en 1830 laissant Durtal à sa fille, Marie-Françoise, épouse d'Alphonse de Choumouroux dont les enfants vendirent Durtal en 1864. Il a été depuis lors utilisé comme ferme.
Descr. : Du château du XVe s., cantonné de tours carrées et précédé d'une double enceinte avec fossés et pont-levis, il ne subsiste qu'une partie des douves et une grosse tour d'angle en brique, admirablement appareillée, que couronnent des mâchicoulis couverts sur consoles. Coiffée d'un toit en pavillon, elle flanque un corps de logis rectangulaire de construction plus récente (XVIIe s.), à deux étages carrés sous un toit à croupes. Un bandeau

règne avec le sol du second étage. Des communs en appareil à pans de bois et hourdis de brique entourent la cour. F.V.

Bibl. : Martinet, *Documents historiques sur les seigneuries, communauté et paroisse de Montpont,* 1910.

Montvaillant (château de)

Voir Clermain.

Morlet

Arr. Autun, c. Épinac, Saône-et-Loire.
A 18 km à l'E d'Autun, par la RD 973 et la RD 232.
Propr. : Comte de Louvencourt.
On ne visite pas.
Le château est construit au creux du vallon dans lequel s'étage le village de Morlet.
Hist. : Attestés par les textes dès la fin du XIIIe s., les seigneurs de Loges prêtent hommage au duc pour la maison forte de Loges, les fossés tout autour, la basse cour et l'avant-cour fortifiée ou *belle* avec chapelle et grange. Simon de Loges fait reconstruire à l'entrée du château l'imposante porterie de 1584. En 1680, la seigneurie est acquise par Jean Morelet, doyen de Notre-Dame de Beaune, auquel succède son neveu; c'est ce Jean Morelet, écuyer, qui obtient par lettres patentes du 9 juin 1700 de substituer le nom de Morlet à celui de Loges. Le château passa ensuite aux Bouhier et aux Vogüé avant de parvenir à la famille de Louvencourt.
Descr. : Le château de Morlet comporte un corps de logis entre deux tours carrées inégales : celle de l'E, très massive et coiffée d'un toit élevé, semble la plus ancienne. Les fenêtres à accolades ou à meneaux verticaux de la façade S et des tours sont du XVe s. A la façade N les fenêtres à balconnets ont été refaites au XVIIIe s. Ce château était protégé par un fossé. Au-delà de l'avant-cour s'élève le pavillon d'entrée qui porte la date de 1584. Le bâtiment central, où s'ouvre la porte en plein cintre flanquée d'une petite porte latérale, et les pavillons carrés qui l'encadrent sont appareillés à bossages. Cette construction massive présente les éléments de défense d'un château

Morlet. Logis entre deux tours carrées.

médiéval : canonnières réparties vers toutes les directions et mâchicoulis sur toute la longueur de l'édifice, mais l'influence de la Renaissance italienne se marque dans le style de ces mâchicoulis qui se présentent comme une frise de médaillons figurant des mufles de lions et qui sont portés par de petites consoles moulurées. La polychromie du marbre ajoute à l'aspect décoratif de ces ornements. Des cartouches de marbre au-dessus de la porte portent une inscription latine, les lettres PDM, et des armoiries détruites. Une chapelle a été aménagée au milieu du XIXe s. dans le pavillon de gauche.   M.R.

Moroges

Arr. Chalon-sur-Saône, c. Buxy, Saône-et-Loire.
A 10 km à l'O de Chalon par la voie express Chalon-Montceau-les-Mines.
Propr. : Docteur Bernard Tremeau.
Visite possible sur demande écrite.
En bordure du village de Moroges. Le château et son parc dominent la vallée orientée EO que suit la route express Chalon-Montceau-les-Mines.
Hist. : A l'origine, château féodal adapté à l'exploitation viticole, il est devenu par transformations successives, une résidence campagnarde. Il a appartenu essentiellement à deux familles de vieille noblesse bourguignonne : les Moroges pendant quatre siècles, les Thésut pendant deux siècles. Une hypothèse séduisante semble expliquer l'origine de la famille et du nom de Moroges : Hugues, duc de Bourgogne, fut pendant huit mois l'hôte de Guillaume de Villehardoin, prince de Morée — le Péloponnèse actuel — avant de rejoindre, à la Pentecôte 1249, la flotte du roi Saint Louis qui faisait voile vers l'Égypte. De ce long repos précédant la croisade naquit un bâtard, à qui le duc donna nom, armes, terres et devise. Le fait est que le nom de Moroges n'apparaît dans aucun document antérieur à cette croisade, que les armes sont celles des premiers ducs de Bourgogne et que la devise des Moroges est *Dieu ayde au More chrétien*. De 1289 à 1633, le château et la seigneurie furent transmis sans aucune discontinuité, de père en fils, au sein de la famille de Moroges. De 1633 à 1726, il resta encore dans la famille mais par les femmes : il passa d'abord aux Rabutin, puis aux

Champier. Il fut acheté en 1733 par Louis de Thésut du Parc et resta entre les mains de ses descendants jusqu'en 1920. Depuis 1945, Moroges est entré dans la famille de Mme Bernard Tremeau, qui en assure l'entretien et la conservation avec beaucoup de soin.
Descr. : Le château comprend actuellement un grand bâtiment dont la façade O, tout entière garnie de verdure, donne sur une cour à laquelle on accède par un portail. Il est flanqué, au N, d'un donjon d'aspect imposant : c'est une très grosse tour carrée coiffée bizarrement d'un toit en bâtière que couvrent de petites tuiles plates. A l'autre extrémité du bâtiment se dresse une tour ronde moins importante. Tout cet ensemble doit remonter aux XIIIe et XIVe s., certaines ouvertures ayant par la suite subi des réfections. La façade orientale, sur le parc, a été remaniée en 1850-1855 : elle est de style classique et comporte un étage de comble éclairé par des lucarnes. A l'intérieur, de grandes cheminées ont été dégagées, ainsi que des plafonds à solives apparentes à la française. La salle basse du donjon a récemment retrouvé son aspect primitif. Devant la façade E, s'étend un parc en terrasse.   P.C.

La Motte (château de)

Voir Épervans.

La Motte-Saint-Jean

Arr. Charolles, c. Digoin, Saône-et-Loire.
Au N de Digoin par la RN 79 et une rue à partir du Bas-de-la-Motte ou du lieu dit *La Villa.*
Propr. : Mme Bayard, M. Vachia.
On ne visite pas.
Sur une avancée de la colline qui domine le confluent de la Loire et de l'Arroux. A l'E et au N se trouve le bourg du Haut-de-La-Motte.
Hist. : L'existence du château, à l'origine vaste enceinte fortifiée appartenant à Thibaud de Chalon, est attestée en 1065. Il appartient ensuite à la famille de Bourbon, dont une branche prit le nom de La Motte-Saint-Jean et en fit le centre d'une baronnie importante. Par mariage il passa au conseiller Lourdin de Saligny, mort en 1440, dont la fille, Catherine, épousa Guillaume de Coligny. Parmi leurs descendants figurent les principaux chefs du protestantisme et Jean de

Coligny qui fut exilé sur ses terres pour avoir pris une part active à la Fronde. Il mit à profit cette retraite pour raser la vieille forteresse et édifier, à partir de 1676, un nouveau château, au centre d'une terrasse de plan approximativement rectangulaire, qui seule subsiste aujourd'hui, les bâtiments, propriété du duc de Cossé-Brissac à la fin de l'Ancien Régime, ayant été rasés en 1836.

Descr. : Le château disparu de Jean de Coligny comportait un corps central à deux étages carrés et un étage de comble sur un étage de soubassement, flanqué de deux pavillons à trois étages carrés et un étage de comble sur un étage de soubassement, eux-mêmes précédés au N de deux petits pavillons de même élévation que le corps central. Seule subsiste actuellement la terrasse de 95 m sur 80 m, précédée vers le N d'une demi-lune large de 40 m. Sous la partie SE se trouve la *glacière,* salle voûtée de 25 m sur 9 m. Les habitations des propriétaires sont situées à l'O de la terrasse, en contre bas de celle-ci, à l'emplacement de communs qui figurent sur une gravure du XVIIᵉ s.

P.Cd, F.V.

Bibl. : P. Chaussard, *Images du passé digoinais,* 1966, 156 p. ill; *id., Marine de Loire et mariniers digoinais;* P. Lahaye, « Les forteresses médiévales du Val de Loire Autunois », dans *43ᵉ congrès de l'ABSS,* 1973, pp. 23-40, ill.

Nobles (château de)

Voir La Chapelle-sous-Brancion.

Nochize
Château de Chevenizet

Arr. Charolles, c. Paray-le-Monial, Saône-et-Loire.
A 9 km au SO de Charolles par la RD 10 et un chemin privé.
Propr. : M. Lorain.
On ne visite pas.
Isolé, à flanc de pente, dominant la vallée de l'Arconce.

Hist. : La maison forte de Chevenizet appartenait en 1367 à Jean et Hugues de Marcilly, enfants de Robert de Marcilly. Elle passa au début du XVᵉ s. à la famille de Vichy-Chamrond qui la rebâtit. Une chapelle, dédiée à Notre Dame, y fut fondée en 1422 par Antoine de Vichy. Au début du XVIIIᵉ s., la terre fut vendue à Marc-Antoine de Lévis.

Descr. : Les deux tours rondes qui flanquent la façade donnant sur la vallée

de l'Arconce et la tour d'escalier polygonale avec porte à linteau en accolade actuellement incluse dans œuvre dans l'angle des deux ailes dont est constitué le château appartiennent, ainsi que quelques éléments de murs très épais, un petit oratoire et la moitié d'une cheminée, à une construction des XVᵉ et XVIᵉ s., totalement englobée dans des bâtiments du XIXᵉ s. : de cette époque datent le corps de logis, de plan rectangulaire, à un étage carré et un demi-étage dont la façade sur cour, plaquée contre celle du château primitif, comporte au rez-de-chaussée une galerie à arcades en plein cintre, et l'aile en retour d'équerre, de même élévation. Les baies ont des linteaux en arc segmentaire. Les toitures à croupes sont couvertes d'ardoises. A une centaine de mètres, se trouve la chapelle, de style gothique flamboyant, qui a été totalement restaurée, voire reconstruite, au XIXᵉ s. C'est un petit bâtiment de plan presque carré avec abside en hémicycle.

F.V.

Bibl. : M. Gauthier, *Comté de Charolais,* t. II, 1973, pp. 168-172.

Oudry
Château du Montot

Arr. Charolles, c. Palinges, Saône-et-Loire.
A 13 km au N de Paray-le-Monial par la RD 352 et la RD 52 (entre Oudry et Saint-Vincent-lès-Bragny).
Propr. : Mᵐᵉ Louis Lauferon.
Visite extérieure autorisée.
Isolé, le long de l'Oudrache, petit affluent de la Bourbince.

Hist. : La seigneurie du Montot est mentionnée en 1376, puis en 1439 pour des partages dans la famille de Fautrières. En 1491, Pierre de Bazay était seigneur du Montot et il fut maintenu dans cette seigneurie par le duc de Bourgogne en 1499. En 1519, Claude de Bazay était seigneur du Montot; sa fille Jeanne l'apporta à Claude de Bresches par son mariage, en 1542. En 1581, reprise de fief par Humbert de Bresches. Il y avait alors au Montot une chapelle dans laquelle le propriétaire obtint en 1607 de l'évêque d'Autun la permission de faire célébrer la messe. De 1638 à 1667, apparaissent au Montot la famille d'Albon, puis en 1669 la famille du Bois de La Rochette, enfin et jusqu'à la Révolution, leur descendant Antoine-Louis des Champs, baron de La Villeneuve. Mˡˡᵉ des Champs de La

Villeneuve le légua à Mlle de Varax vers 1920. Légué ensuite à M. de Gevigney, le Montot fut acheté en 1956, par M. Louis Lauferon.

Descr. : En 1695, la seigneurie du Montot consistait *en la maison seigneuriale se composant d'un corps de logis, chapelle, donjon renfermé de murailles, quatre tours aux quatre coins du-dit donjon et une autre tour servant à monter dans les tours et greniers de la dite maison, un colombier au-dessus du portail du-dit donjon. Tout autour, des côtés de matin et midi sont des réservoirs servant de' fossé...* En 1764, le châtel était en partie ruiné et inhabité, mais toujours composé d'un corps de logis et de cinq tours. Actuellement, il ne reste que trois des quatre tours rondes qui cantonnaient le manoir et la tourelle abritant un escalier en vis en pierre. Du corps de logis ne subsiste que l'extrémité S à un étage carré, éclairé sur le côté par deux fenêtres, et un étage de comble. Ce fragment de bâtiment au toit aigu semble avoir été édifié au XVIIe s. Le reste du corps de logis primitif a été démoli à la fin du XIXe s. et remplacé par un bâtiment plus petit, légèrement en retrait sur la façade sur cour et ne s'appuyant plus sur les tours d'angle. L'étage a été supprimé et remplacé par un grand grenier dont le toit descend très bas. On a reporté sur cette nouvelle façade quelques sculptures, notamment des armoiries au-dessus de chacune des ouvertures et, dans le toit, des têtes médiévales maintenant rassemblées sous l'auvent d'une grande lucarne à deux baies à arcs trilobés. Ces sculptures proviennent sans doute du bâtiment primitif : on reconnaît en effet les trois chardons des Villeneuve et le *sautoir* des La Rochette.   P.C.

Oyé

Arr. Charolles, c. Semur-en-Brionnais, Saône-et-Loire.
A 18 km au SO de Charolles, par la RD 20.
Propriété privée.
On ne visite pas.
Au centre du village, à côté de l'église.
Hist. : La baronnie d'Oyé, enclave du Brionnais en Mâconnais, a été détachée au XIIIe s. de celle de Semur pour constituer l'apanage d'un puîné de la famille de Luzy issue de celle de Semur. Elle resta entre les mains des Luzy jusqu'en 1566 et passa alors par mariage à

la maison de Breschard. En 1636, Gabrielle de Ryan, veuve de François de Cugnac, marquis de Dampierre, qui l'avait reçue dans des conditions qui ne sont pas connues, vendit la baronnie à Hector Andrault de Langeron, marquis de Maulevrier, qui la réunit à ce marquisat que ses descendants conservèrent jusqu'à la fin de l'Ancien Régime. Le château avait alors déjà perdu son dispositif défensif puisque le dénombrement qui en fut alors donné précise : *Avec le circuit ancien dudit château qui souloit être entouré de murailles dans lequel circuit est assise l'église paroissiale avec le cimetière dudit Oyé.* Le logis a été restauré vers 1850.
Descr. : De la vaste forteresse, dont le souvenir subsistait en 1636, il ne reste qu'un logis des XVe et XVIe s., de plan rectangulaire, à un étage carré et un étage de comble sous un toit à croupes. Il est flanqué de deux tours rondes, coiffées de toits coniques, sur son angle NE et à l'extrémité S de la façade E et d'une tour d'escalier octogonale hors œuvre sur le pan sur sa façade O. Les fenêtres du corps de logis sont surmontées de linteaux ornés d'accolades, très restaurés au XIXe s.; celles de la tour d'escalier, rectangulaires, ont des encadrements et des meneaux et croisillons moulurés. La porte percée au rez-de-chaussée de celle-ci est couronnée d'un gâble en accolade entre deux pinacles, dans le tympan duquel sont sculptées des armoiries comportant trois bandes qui peuvent être soit celles des Luzy, soit celles des Breschard.   F.V.

Oyé
Château de Chaumont

Arr. Charolles, c. Semur-en-Brionnais, Saône-et-Loire.
A 17 km au SO de Charolles, par la RD 20 et un chemin vicinal.
Propr. : Baron J. du Marais.
On ne visite pas.
Au S d'un hameau, au sommet d'une butte.
Hist. : Domaine de l'abbaye de Cluny, la terre de Chaumont fut vendue en 1638 à Hector Andrault de Langeron, marquis de Maulévrier, qui avait acquis deux ans plus tôt la seigneurie d'Oyé dont le château, situé au centre du village, offrait peu de possibilités d'extension. C'est vraisemblablement pour cette raison que

Chaumont. Ensemble composite de bâtiments des XVIIe, XVIIIe et XIXe s.

fut bâtie à Chaumont, dans les années qui suivirent cet achat, une vaste demeure que la famille Andrault de Langeron conserva jusqu'à la fin de l'Ancien Régime. En 1818, elle passa par mariage à la famille du Marais qui la possède toujours. Au XIXe s., les ailes en furent aménagées dans le style néo-gothique, puis l'ensemble fut complété par la grande salle du château médiéval de Moulin-l'Arconce, remontée là pierre à pierre. Celle-ci a fait l'objet, il y a quelques années, d'une restauration complète.

Descr. : De plan en U, le château comporte un corps central à un étage carré et un étage de comble, flanqué sur les angles de sa façade extérieure de deux

tours carrées plus élevées d'un demi-étage, souligné par un bandeau, et sur ceux de sa façade sur cour de deux gros pavillons, de même élévation que lui et comme lui couverts de toits brisés percés de lucarnes à frontons, que prolongent deux ailes en retour d'équerre à un seul étage et étage de comble sous des toits à croupes. Ces ailes sont elles-mêmes complétées chacune par un pavillon à toiture brisée, implanté sur leur angle extérieur. Entre les baies à linteaux en arc segmentaire ornés de coquilles et de masques des bâtiments principaux, des bustes ou des statues s'abritent sous des entablements arrondis ou reposent sur de simples consoles, décor qui semble avoir

seconde grille que dissimule une charmille taillée en arc de triomphe. Les parterres gazonnés d'un parc décoré de statues des XVIe, XVIIe et XVIIIe s. et d'arbustes taillés entourent l'ensemble. Le bâtiment du XVe s., provenant de Moulin-l'Arconce, a été rebâti dans l'alignement du corps principal. Il comprend un rez-de-chaussée et un étage de comble sous une haute toiture à deux versants. Il est percé de vastes baies à meneau et croisillon et flanqué d'une tour d'escalier carrée hors œuvre et d'une échauguette d'angle circulaire. La plus grande partie en est occupée par une salle s'élevant de fond du sol au comble. Les baies inférieures en sont pourvues de coussièges. Elle possède une cheminée dont le manteau, orné d'armoiries, repose sur des colonnettes. Les murs en ont été récemment recouverts de fresques évoquant la vie de Saint Louis.   F.V.

Ozenay

Arr. Mâcon, c. Tournus, Saône-et-Loire.
A 8 km à l'O de Tournus par la RD 14.
ISMH.
Propr. : Marquis d'Ozenay.
On ne visite pas.
Dans une boucle de la Natouse, à côté de l'église d'Ozenay.
Hist. : Au Moyen Age, Ozenay appartenait en grande partie à l'abbaye de Tournus, au chapitre de Saint-Vincent et à celui de Saint-Pierre de Mâcon, qui concédèrent en arrière-fief une part de leur domaine, moyennant hommages et redevances à des seigneurs laïcs parmi lesquels les Montbellet en 1282, les Chacipol en 1343 et les Chanay en 1267 et de nouveau au XVIe s. En 1587, Claude Barthelot, marié à Pierrette de Rymon, est coseigneur d'Ozenay et de Gratay. Ils furent bienfaiteurs de l'abbaye de Tournus. Les Barthelot, qui portaient le titre de marquis d'Ozenay, conservèrent le fief jusqu'à la fin du XIXe s. Le dernier représentant de la famille légua Ozenay à son petit-neveu Amédée de la Barge de Certeau qu'il adopta en lui transmettant son titre. C'est le petit-fils de ce dernier, le marquis d'Ozenay, qui en est le propriétaire actuel.
Descr. : Le château d'Ozenay, tout entier couvert de laves, comprend un grand bâtiment à un étage carré et un demi-étage, orienté NS, flanqué à ses deux extrémités par deux tours carrées, qui

été en grande partie mis en place ou remanié au XIXe s. en utilisant des éléments sculptés provenant d'autres édifices. Les ailes sont percées de portes cochères à linteau en anse de panier et de baies à linteau en accolade. Des lucarnes à allèges sculptées de motifs végétaux et frontons couronnés de fleurons, en rythment la ligne des toitures. Entre les pignons des deux ailes, une grille ferme la cour à laquelle donne accès une porte cochère sans couronnement, dont les piliers sont couronnés de vases d'ornement. Au-delà, une allée s'allonge entre des plates-bandes ponctuées d'ifs taillés, de centaures chevauchés par des amours et de vases d'ornement. Elle aboutit à une

Ozenay vu du S.

semble dater du début du XVIIe s., et deux ailes rectangulaires en retour d'équerre au N et au S. L'aile N est du XVIIe s. tandis que celle du S, dont on voit les fenêtres à meneaux dans la cour intérieure, paraît plus ancienne, sans doute du XVIe s. Cette dernière aile ne porte pas d'ouvertures extérieures, tandis que les autres bâtiments sont largement ouverts sur la campagne et sur la cour. A son extrémité O se trouve une grosse tour ronde qui est peut-être le donjon primitif. A l'intérieur, de curieuses cheminées *sarrasines*. Les trois étages du château sont desservis par un escalier rampe sur rampe du XVIIe s. A côté de la salle des gardes, une chambre a conservé des boiseries peintes de même époque sur lesquelles sont représentées des fables de La Fontaine. Un colombier carré couvert de laves paraissant remonter, lui aussi, au XVIIe s., se dresse, isolé,

dans le pré qui borde le château au S. P.C.

Bibl. : C. Dard et J. Martin, *Ozenay et ses hameaux,* Mâcon, 1922, 128 p. ill.

Ozolles
Château de Rambuteau

Arr. et c. Charolles, Saône-et-Loire.
A 10 km au NE de La Clayette par la RD 79.
Propr. : Comte de Rambuteau.
On ne visite pas.
Isolé, sur une hauteur.
Hist. : Cette demeure a été édifiée au XVIIIe s., dans un style qui rappelle celui du château de Digoine à Palinges, par Claude Barthelot de Rambuteau, dont les ancêtres s'étaient fixés en ces lieux au XVIe s. Elle appartient toujours à la famille de Rambuteau qui a donné à la

tympan du fronton de l'avant-corps central, d'établir en avant de la façade sur le parc, entre les deux tours, une terrasse à laquelle on accède par un escalier à deux montées convergentes à rampes de fer forgé. La cour qui précède le logis est

Rambuteau. Façade d'entrée.

France, sous Louis-Philippe, un préfet de la Seine auquel la capitale doit de grands travaux de voirie et qui fut très aimé de ses administrés. Retiré à Rambuteau de 1815 à 1827, il restaura le château et planta le parc qui l'entoure.
Descr. : Au XVIIIe s., le château de Rambuteau était composé d'un corps de logis rectangulaire à un étage de soubassement, un rez-de-chaussée surélevé, un étage carré et un étage de comble, flanqué à ses extrémités de deux pavillons du côté de l'entrée et de deux tours circulaires du côté du parc. A la fin du XIXe s., une restauration complète a permis de rehausser les toitures d'ardoises, de donner aux dômes couronnés de lanternons qui couvraient les tours une forme plus élancée, de décorer de masques les agrafes des fenêtres à linteaux en arc segmentaire, de sculpter d'armoiries le

encadrée de communs à un rez-de-chaussée et un étage carré couverts de toits à croupes en tuiles plates. A l'E, s'étend un grand parc paysager agrémenté d'une allée d'eau.   J.M d.

Palinges
Château de Digoine

Arr. Charolles, Saône-et-Loire.
A 17 km au NO de Charolles, par la RD 128.
Monument historique.
Propr. : Comte F. de Croix.
Isolé, sur un léger mamelon dominant la rive gauche de la Bourbince.
Hist. : La famille de Digoine, puissante dès le Xe s., bâtit une maison forte sur une motte et la dota d'une *grant tour* qui, à la fin du XIIIe s., échappait à la vassalité du

Rambuteau. Façade sur le parc, avec tour couverte d'un dôme.

comte de Clermont, seigneur de Charolles. Les Digoine, parmi lesquels figurent
des membres éminents de l'entourage des
ducs capétiens et Valois, en restèrent
maîtres jusqu'à la décapitation, en 1481,
de Chrétien de Digoine qui avait pris le
parti de Marie de Bourgogne. Sa fille
unique, Anne, porta tous ses biens à Jean
Damas de Marcilly qu'elle avait épousé
en 1472. Le château et la terre restèrent
aux Damas jusqu'en 1700, date de leur
vente par décret à François de Reclesne
des Regard. Le fils de celui-ci, Claude-
Éléonore de Reclesne, rasa la vieille
forteresse et entreprit vers 1709 la
construction d'un nouveau château que sa
fille, Jacqueline-Éléonore de Reclesne,
femme de Louis-Marie Frottier de la
Coste-Messelière, devait achever vers
1770 avec, dit-on, le concours d'Edme
Verniquet. Leur héritière, Marie-Elisa-
beth, n'émigra point et transmit par son
mariage le patrimoine familial à Jac-
ques-Henri-César de Moreton-Chabrillan
auquel on doit une partie du décor
intérieur et des aménagements extérieurs,
en particulier le beau portail de fer forgé
à ses armes, œuvre d'un forgeron d'origine normande nommé Chambreuil. Le
dernier des Chabrillan, mort célibataire,
laissa tous ses biens à un lointain cousin,
Philibert Le Borgne, baron d'Ideville, qui
disparut lui aussi sans héritier direct en
1908. Le château fut vendu en 1909 au
comte Pierre de Croix dont le propriétaire
actuel est le fils. Coquelin et Sarah
Bernhardt ont répété *L'aiglon* dans le
théâtre aménagé, vers 1840, par les
Chabrillan dans un pavillon situé dans le
parc.
Descr. : Le château comprend un corps
principal de plan rectangulaire allongé
flanqué aux deux angles de la façade N
de grosses tours circulaires et, aux deux
extrémités de la façade S, de courtes ailes
en retour d'équerre. Les deux façades

sont de même élévation (un rez-de-chaussée, un étage carré et un étage de comble) mais présentent des caractères très différents. Au N, vers le parc, au-delà d'un degré de six marches, l'avant-corps central de trois travées comporte un étage-attique qui équilibre celui des deux tours coiffées de bulbes surmontés de lanternons. Cet avant-corps, percé aux deux premiers niveaux de baies en plein cintre et à l'étage-attique de fenêtres rectangulaires, est rythmé au rez-de-chaussée par six colonnes à chapiteaux ioniques portant un entablement composite légèrement incurvé au centre, à l'étage par six colonnes à chapiteaux composites portant un entablement de même type et à l'étage-attique par des pilastres à chapiteaux corinthiens altérés. Des balcons à appuis-corps en fer forgé règnent devant les baies des deux étages. Des trophées couronnent le tout. De part et d'autre de cet avant-corps, s'ouvrent de hautes fenêtres à plates-bandes en arc

Digoine. Façade N, avant-corps central.

segmentaire dont les clefs sont sculptées de masques humains. Des balconnets à appuis-corps en fer forgé complètent celles de l'étage. Un bandeau règne avec les appuis de celles du rez-de-chaussée. La façade S, plus austère, est animée par un avant-corps central à peine saillant de trois travées, percé au rez-de-chaussée de trois portes-fenêtres en plein cintre séparées par des tableaux et couronné d'un

de pierre reposant sur des pattes de lion. Les salons ont des boiseries de style Louis XIV. Dans l'une des tours on a aménagé vers 1825 une bibliothèque de style troubadour dont les boiseries en loupe d'orme et la cheminée en marbre blanc dessinent des arcs brisés. Le théâtre possède un plafond circulaire dont le décor fait alterner candélabres, guirlandes de fleurs, instruments de musiques et

Digoine. Façade S.

fronton triangulaire très bas dont le tympan est sculpté d'armoiries. Le décor de l'ensemble réside dans le rythme des ouvertures (à plate-bande en arc segmentaire au rez-de-chaussée et rectilignes à l'étage), dans les moulures à crossettes qui les encadrent, dans les pilastres nus qui soulignent les angles du corps central et des façades des ailes, dans les bandeaux qui règnent avec les appuis des fenêtres du corps principal et le sol de l'étage. La couverture à croupes en ardoises est percée de lucarnes à croupes. Le grand vestibule d'entrée, dallé de marbre noir et blanc, est décoré de bas-reliefs représentant des divinités aquatiques et de bancs

angelots ou monstres ailés portant des armoiries. Des armoiries en ornent également le balcon blanc et or. Une large allée, entre deux parterres de gazon ponctués de buis taillés, sépare la façade S de la grille d'entrée. Un vaste parc boisé et un étang de 5 ha complètent l'ensemble.   F.V.

Bibl. : P. Marmin, « Le château de Digoine », dans *Pays de Bourgogne,* n° 60, 1968, pp. 690-691; M. Gauthier, *Comté de Charolais,* t. II, pp. 184-188; *Merveilles des châteaux de Bourgogne,* pp. 190-197.

Parc (château du)

Voir Sancé.

Péronne
Château de La Tour-Penet

Arr. Mâcon, c. Lugny, Saône-et-Loire.
A 18 km au N de Mâcon, par la RD 103
et la RD 455.
Propr. : M. André Ferret.
On ne visite pas.
A l'extrémité du village, à flanc de pente.
Hist. : On ignore tout de l'histoire de ce
petit château qui semble avoir été
entièrement bâti au XVIIe s. sur une terre
dépendant de la seigneurie de Vaux-
sous-Targe. A la fin du XVIIIe s., il
appartenait à Suzanne de Lamartine du
Villars, chanoinesse de Salles, tante
d'Alphonse de Lamartine, à qui elle le
légua en 1842. Celui-ci le vendit, ainsi
que le domaine de 90 ha en partie planté
de vignes qui l'accompagnait, à M. de
Contenson en 1850. Les propriétaires
actuels ont profondément modifié la
distribution des pièces d'habitation et fait
disparaître derrière une cloison une
cheminée portant la date de 1702.
Descr. : Le corps de logis principal, de
plan rectangulaire allongé à un étage
carré et un demi-étage, est flanqué sur ses
angles NE, SE et SO de tours carrées à
deux étages couvertes de toits en pavillon.
Un balcon couvert et une véranda ont été
plaqués, au XXe s., entre les deux tours S.
La tour SO, pourvue d'une porte rectangulaire, renferme un escalier de pierre
tournant à deux volées droites. Deux
portes en plein cintre s'ouvrent au
rez-de-chaussée de la façade O. Autour de
la cour, à laquelle on accède par une
porte charretière en plein cintre accostée
d'une porte piétonne de même type, sont
répartis divers communs, entre autres au
N, une longue grange percée d'une porte
charretière en plein cintre à agrafe
sculptée d'une palmette, au pignon O de
laquelle s'appuie une tour carrée arasée
au-dessus du premier étage, dans laquelle
s'ouvre au rez-de-chaussée une porte de
même dessin que celles du logis principal.
A l'E s'étendait un jardin en terrasse. F.V.

Péronne
Château de Vaux-sous-Targe

Arr. Mâcon, c. Lugny, Saône-et-Loire.
A 18 km à l'O de Cluny, par la RD 15.
Propr. : Mme Neyrand.
On ne visite pas.
Isolé, en fond de vallée, à l'O du village.
Hist. : Le château actuel a été construit en
1830 par Jean-Raphaël Loustauneau à
l'emplacement d'une forteresse médiévale
flanquée de tours rondes et cernée de
douves, dont la présence est attestée à la
fin du XVe s. Elle avait appartenu à la
famille de Mincé, puis était passée par
mariage en 1651 à Jacques de La Fage
dont les descendants l'avaient possédée
jusqu'en 1810. Jean-Raphaël Loustauneau, armateur d'origine basque qui avait
épousé une Lyonnaise, l'acquit peu après
du marquis de Saint-Huruge et la fit
raser, bien qu'elle fût encore en assez bon
état. Il n'en conserva que les douves qui
furent ultérieurement asséchées et trans-
formées en jardins. Le château, dont
l'architecte n'est pas connu, a été décoré
par des peintres italiens. Il appartient
actuellement aux descendants des héritiè-
res du constructeur.
Descr. : C'est un bâtiment de plan en H
formé d'un corps central et de deux ailes
en retour d'équerre sur les deux façades
principales. Il comporte un rez-de-chaussée et deux étages carrés et est couvert de
toits plats. La façade S du corps central
est précédée au rez-de-chaussée d'une
galerie de sept arcades en plein cintre qui
relie les deux ailes et supporte une
terrasse bordée d'une balustrade. L'arcade centrale, plus large et soulignée par
des pilastres, dessert la porte d'entrée.
Des entablements horizontaux surmontent les linteaux des fenêtres du premier
étage qu'une corniche sépare du second
étage. Les ailes, percées au rez-de-chaussée de baies en plein cintre, sont
couronnées de frontons, le corps central
d'une balustrade. Des pilastres corniers
soulignent les angles. Au N, une galerie
sur colonnes règne au second étage. Dans
les appartements subsistent de beaux
papiers peints panoramiques et un mobilier de style Restauration. Des communs
s'étendent à l'E.   F.V., A.N.

Perrières (château des)

Voir Mâcon.

Perrigny-sur-Loire
Château de Charnay

Arr. Charolles, c. Bourbon-Lancy, Saô-
ne-et-Loire.
A 15 km au SE de Bourbon-Lancy, par la
RD 979 et un chemin vicinal.
Propr. : Docteur Merle. On ne visite pas.

Pierre-de-Bresse. Corps principal avec galerie à arcades portant une terrasse à balustrade.

Sur une légère éminence dominant la vallée de la Loire.

Hist. : Franc-alleu connu depuis le début du xve s., il appartenait à la famille de Ramilly qui fit construire le château actuel. Jean de Ramilly le vendit au début du xviiie s. à Claude de Morey de Vianges qui le transmit en 1755 à Jean-Baptiste Mac-Mahon, marquis d'Éguilly.

Descr. : Les bâtiments d'habitation et les

communs sont disposés autour d'une cour carrée, flanqués à l'angle NE d'une tour ronde et entourés en partie de fossés asséchés. Le corps de logis principal, au S, est du xve s., mais remanié au xviie s. et profondément transformé de l'extérieur au xixe s. Il renferme cependant au rez-de-chaussée une cheminée monumentale du xve s. et, à l'étage, les fresques restaurées de l'ancienne chapelle (xve s.

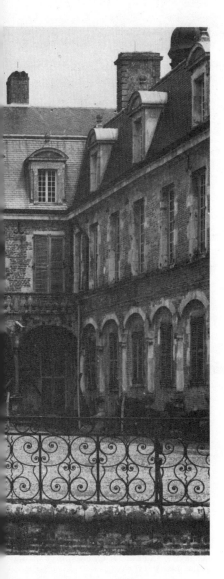

également). La tour ronde flanquée d'une tourelle d'escalier a été construite au XVᵉ s. Elle possède encore des embrasures à double ébrasement en sous-sol et au rez-de-chaussée et des archères en étages. Elle est couronnée de mâchicoulis couverts sur corbeaux et coiffée d'un toit conique en tuiles. L'intérieur a été remanié au XVIIᵉ s. (cheminée au premier étage). P.L.

Pierre-de-Bresse

Arr. Louhans, Saône-et-Loire.
Prendre à Chalon-sur-Saône la RN 83 bis qui conduit à Dole. 25 km après Chalon, emprunter la RD 73 qui, par Charette, permet de gagner Pierre-de-Bresse.
Monument historique et ISMH.
Propr. : Département de Saône-et-Loire.
Visite autorisée.
A la sortie SE de Pierre-de-Bresse, en plaine.
Hist. : Le château a été construit en 1680 pour Claude de Thyard sur l'emplacement d'une ancienne forteresse dont il ne reste rien. Jacques de Thyard qui mourut en 1744 fit orner le château d'un parc et de jardins. Le château resta aux mains des Thyard jusqu'au XIXᵉ s. En 1852, mourut Théodore de Thyard qui laissa deux filles : l'aînée épousa le marquis d'Estampes. Après la mort de la marquise d'Estampes en 1880, le second de ses fils hérita du château. Le 2 septembre 1944, l'aile gauche des communs brûla mais le logis seigneurial fut épargné. En 1955, mourut le comte André d'Estampes et en 1956 le département de Saône-et-Loire acquit le château et transforma les communs en une maison de retraite.
Descr. : Le château se compose de deux parties très nettement distinctes : d'une part les communs et, d'autre part, le logis seigneurial. Chacune de ces parties est entourée de fossés remplis d'eau. On accède aux communs par un pont de pierre reliant le parc à ceux-ci, et au logis, par un autre pont de pierre assurant la communication entre les deux ensembles. Le second pont est original par quatre dés qui ornent ses extrémités et qui supportent à l'O deux lévriers et à l'E deux sphinx et par ses parapets en fer forgé qui se prolongent de part et d'autre de la terrasse sur laquelle se trouve le château. Les communs sont formés, de part et d'autre d'une grande cour rectangulaire, de deux corps de bâtiments oblongs, d'orientation EO et précédés chacun, à l'O par un petit pavillon. Une fois le premier pont franchi, on accède à une sorte de terrasse, limitée, au N et au S, par ces deux pavillons et à l'E par une grande grille de fer forgé. Une porte cochère sans couvrement, dans le prolongement du pont, donne accès à la première cour; elle est constituée de deux piliers en bossages couronnés de vases d'ornement et surmontée d'un écusson portant les armes des Thyard, entouré du

Pierre-de-Bresse. Vue générale du château et des communs.

collier de l'ordre du Saint-Esprit avec la devise *Retro cedere nescit*. Les communs qui correspondent aux anciennes écuries, remises, cuisines et logements des gens de service, sont entièrement construits en brique. Il s'agit de deux corps de bâtiments semblables l'un à l'autre, à un seul étage, couverts de toits à croupes de tuiles et comprenant de nombreuses ouvertures donnant sur la cour intérieure. Le bâtiment N présente six portes en plein cintre que l'on ne retrouve pas sur le bâtiment S qui lui fait face. Qu'elles soient d'origine ou qu'elles attestent un remaniement ultérieur, ces portes créent une notion de diversité au sein d'un ensemble austère. Dans l'angle SE de la cour, se trouve un puits dont la margelle supporte une décoration en fer forgé. Construit également en brique, le château est un bâtiment de plan rectangulaire, formé de trois corps en U et cantonné de tours. L'élévation extérieure comprend un rez-de-chaussée, un bel étage et un étage de combles percé de lucarnes, le tout coiffé d'un toit brisé en ardoise. Le corps de logis est animé d'un avant-corps

central, légèrement en saillie, délimité par un chaînage en pierre à refend continu. Il comprend deux travées dans lesquelles s'inscrivent deux portes au rez-de-chaussée et deux fenêtres barlongues au bel étage. Au niveau du toit, il est surmonté d'un fronton trapézoïdal composé d'une corniche et de deux rampants en forme de volutes, réunis au sommet par un arc de cercle couronné d'un trophée. Le tympan est décoré d'un bas-relief aux armes des Thyard (écusson soutenu par deux lévriers). Sur le fronton de l'édifice se lit la devise suivante : *Qui lotharos rexit, caesis turcis et iberis, Bissius, hanc struxit, marte silente, domum.* De part et d'autre de l'avant-corps central se développe un rez-de-chaussée percé de huit baies rectangulaires. A l'aplomb de celles-ci, s'alignent les huit fenêtres du bel étage, à piédroits harpés, et les huit lucarnes du toit, surmontées de frontons curvilignes avec boule d'amortissement. Cette façade principale est précédée d'un portique tout le long du bâtiment. Celui-ci est constitué d'arcades en arcs surbaissés inscrites dans des travées ioniques. Au niveau du

décrochement de l'avant-corps central, les colonnes sont jumelées et engagées dans un pilastre en bossage. A l'étage noble, une balustrade court le long de la terrasse qui couvre le portique du rez-de-chaussée. Les deux ailes en retour d'équerre présentent la même élévation extérieure que le corps de logis. La lecture horizontale souligne toutefois quelques nuances importantes. D'abord, le péristyle a disparu et le rez-de-chaussée est percé de douze baies rectangulaires, inscrites dans une embrasure en arcades (l'arcature engagée rappelle ainsi le péristyle du corps de logis). Ensuite, un bandeau mouluré très décoratif, qui n'existait pas dans le premier bâtiment, sépare le rez-de-chaussée du bel étage. Enfin, si les douze fenêtres du bel étage correspondent exactement aux douze fenêtres du rez-de-chaussée, les lucarnes du toit ne sont qu'au nombre de six et leurs intervalles plus larges contribuent à alléger les deux façades. Signalons encore le cadran solaire à l'extrémité O de l'aile N. Les trois façades donnant sur l'extérieur ne comportent pas la belle ordonnance et la symétrie des ouvertures de la cour intérieure, surtout en ce qui concerne l'aile S. Le corps de logis, néanmoins, présente un avant-corps central, surmonté d'un fronton triangulaire avec, de part et d'autre, quatre travées au rez-de-chaussée et au bel étage. L'étage des combles diffère de ce qu'il est à l'intérieur par la forme de ses lucarnes alternativement rondes et ovales. Le château de Pierre se caractérise aussi par la présence de quatre tours aux angles du logis seigneurial. Si elles ont toutes une structure semblable, des différences permettent cependant de les opposer. La tour NO possède quatre canonnières (deux en bas et deux au premier étage), la tour NE aucune, les tours SE et SO, deux au rez-de-chaussée. De même, seules les deux tours orientales sont couronnées de mâchicoulis. Elles sont toutes quatre couvertes de dômes en forme de bulbe surmonté d'un campanile. P.G., J.P.-D.
Bibl. : P. Gibaud, *Le château de Pierre,* 1959, III.

Pierre-de-Bresse
Château de Terrans

Arr. Louhans, Saône-et-Loire.
A 3 km à l'O de Pierre-de-Bresse, en bordure de la RD 73.
Monument historique.

Propr. : Vicomtesse de Truchis.
On ne visite pas.
A la lisière O du village, en terrain plat.
Hist. : Possédé au XVᵉ s. par une famille qui en portait le nom et dont un membre fut, en 1427, conseiller du duc Philippe le Bon, Terrans fut ensuite partagé entre plusieurs propriétaires, jusqu'à ce que les Chateray, à la fin du XVIIᵉ s., parviennent à rassembler entre leurs mains les éléments dispersés de la seigneurie.

Edme Verniquet, architecte, lithographie de Nesle.

Celle-ci passa, par mariage, en 1707, à Jean-François de Truchis. Les descendants de celui-ci en possèdent toujours le château bâti en 1765 par l'architecte Edme Verniquet pour Jean-François-Guillaume de Truchis, leutenant pour le roi de la citadelle de Chalon.
Descr. : Une longue grille en fer forgé, datée de 1776, sépare le château de la route. Elle est interrompue en son centre par une porte cochère sans couvrement dont les piliers, ornés de tableaux encadrant des guirlandes, sont couronnés de vases d'amortissement. Elle donne accès à la cour d'honneur qu'encadrent des communs à un étage carré et un étage de comble au-dessus d'un rez-de-chaussée percé d'une série d'arcades en anse de panier, séparées par des jambes en bossage. Le château lui-même est de plan rectangulaire. Il comporte un sous-sol, un rez-de-chaussée surélevé, un étage carré et un étage de comble éclairé par des œils-de-bœuf percés à la base de la haute toiture à croupes. Au centre de la façade, deux jambes en bossage délimitent un avant-corps d'une travée dans lequel

s'ouvrent, au rez-de-chaussée, au haut d'un degré flanqué de deux lions portant des écussons bûchés, une porte en plein cintre surmontée d'une guirlande et, à l'étage, une porte-fenêtre rectangulaire donnant sur un large balcon sur consoles à appui-corps, en fer forgé. Un fronton, sculpté de cartouches armoriés, couronne le tout. Les chaînages d'angle sont harpés. Un bandeau règne avec le sol de l'étage carré. Les appartements sont desservis par un vestibule central qu'une arcade en anse de panier sépare d'un escalier tournant muni d'une belle rampe en fer forgé. Le grand salon du premier étage est décoré de trophées militaires et, au-dessus des portes, de médaillons ovales entourés de lauriers dans lesquels figurent, en bas-relief, des allégories des quatre saisons.   P.C.

Pierreclos

Arr. Mâcon, c. Tramayes, Saône-et-Loire.
A 12 km à l'O de Mâcon, par la RD 85 et la RD 185.
Site inscrit.
Propr. : Mairie d'Aubervilliers.
On ne visite pas.
Au S du village, sur une terrasse verrouillant la vallée de la Petite Grosne.

Terrans. Porte et avant-corps central.

Hist. : Le plus ancien seigneur connu de Pierreclos est, au XIIe s., Hugues II de Berzé, mais la première mention d'un château apparaît en 1403 à l'occasion du don de la seigneurie par Louis de Savoie, prince de Morée, à Imbaud de Bletterans, dont la nièce la porta par mariage à Humbert de Rougemont en 1434. Leurs descendants la conservèrent jusqu'en 1665, date à laquelle, ayant été saisie, elle fut vendue à Jean Michon, de Lyon. La famille Michon posséda Pierreclos jusqu'à sa cession, en 1817, à Jacques Chaland-Thivelier. Construit avant 1403, le château fut occupé à deux reprises par les Armagnacs en 1422 et 1430, puis par le comte de Clermont en 1432, menacé par les Écorcheurs en 1437, enfin ravagé en 1471 par les troupes royales. Après ces opérations, une reconstruction partielle fut entreprise par Antoine de Rougemont qui ne parvint toutefois pas à éviter le pillage de sa demeure par les calvinistes en 1562. De nouveaux travaux furent réalisés après 1665 par Jean Michon.
Descr. : Au bout d'une allée pavée en hérisson, une grille, entre deux petits pavillons couverts de toits à l'impériale, donne accès à une avant-cour qu'un passage voûté, desservi par une porte en plein cintre en bossage, surmontée des armoiries des Michon, sépare de la cour du château. Des bâtiments en équerre entourent celle-ci sur deux côtés. Au SE se dresse une haute tour carrée couronnée des consoles d'un chemin de ronde ou de hourds disparus sous un toit en pavillon à égout retroussé. Contre elle s'appuie un bâtiment rectangulaire, orienté NS, à un rez-de-chaussée et deux étages carrés dont le premier étage est éclairé vers la cour par deux grandes baies rectangulaires à encadrements moulurés. Il englobe, sur sa façade occidentale, une tour carrée dans œuvre et est flanqué sur son angle NO d'une grosse tour carrée, à trois étages couverts de voûtes en berceau, cantonnée d'échauguettes rondes sur culots construites au XIXe s. Cette tour est coiffée d'un toit en pavillon. Le corps de logis principal en retour d'équerre vers l'E comporte deux étages carrés dont les couvertures ont été très remaniées. Un bâtiment inachevé s'adosse contre lui au N. Ces bâtiments sont desservis, dans l'angle qu'ils forment, par un escalier intérieur en vis suspendu dont les paliers sont couverts de voûtes d'arêtes retombant sur des piliers d'ordre toscan. Des communs et les restes d'une ancienne

Pierreclos. Le château et l'église, vue d'ensemble.

église de la seconde moitié du XIIᵉ s., dont il ne subsiste que le clocher et le chœur, complètent l'ensemble.   F.V.

Bibl. : R. Oursel, *Inventaire départ... Cant. de Tramayes,* Mâcon, 1974, pp. 45-48.

Pignon blanc (château du)

Voir Brion.

Plessis (château du)

Voir Blanzy.

Pommier (château de)

Voir Cortevaix.

Ponneau (château de)

Voir Jully-lès-Buxy.

Pouilly (château de)

Voir Fuissé.

Prissé
Château de La Combe

Arr. Mâcon, c. Mâcon-Sud, Saône-et-Loire.

A 7 km à l'O de Mâcon, par la RD 89 et un CV vers l'O au N de Prissé.

Propriété privée.

On ne visite pas.

Isolé, à flanc de pente, sur une terrasse dominant la Grosne.

Hist. : Le domaine de La Combe semble avoir été érigé en fief au XVIIᵉ s. seulement pour François Barjot, avocat au Parlement de Paris, mort en 1712. Un château y fut bâti en 1750 par son fils, Jacques-Marie Barjot, maire de Mâcon. Il fut peu habité par son successeur, Brice Barjot, qui résidait généralement à Paris. En 1811, Brice-Alexis Barjot, qui avait réussi à conserver la demeure intacte durant la période révolutionnaire, la vendit à son gendre, Pierre-Marie Chappuis de Maubou, lequel la céda en 1822 au baron des Tournelles. Celui-ci en transforma en 1845 la façade E. Le château a été acquis en 1901 par M. de Boisset-Clavière.

Descr. : Précédé à l'O d'une vaste cour limitée par des écuries, des communs et un tinailler, le château est formé d'un corps central de plan rectangulaire entre deux ailes en légère avancée sur sa façade occidentale. Il comprend un sous-sol voûté, un rez-de-chaussée, un étage carré et un étage de comble. Des toits brisés couvrent chacun des corps de logis. Les baies de la façade sur cour ont des linteaux en arc segmentaire, celles de la façade E, soulignées par des bandeaux, sont rectangulaires. A l'O, la travée centrale, couronnée d'un fronton triangulaire, est percée d'une porte que surmonte un édicule encadrant un oculus ovale. A l'E, les lucarnes qui éclairent le comble sont dissimulées par un attique et la porte centrale, ouvrant sur un large degré, est surmontée d'une simple corniche horizontale. Elle dessert un très vaste salon aménagé en 1845. De part et d'autre du château se dressent, isolés, deux pavillons carrés à un seul étage, coiffés de toitures à l'impériale surmontées de lanternons. Celui du S abrite une chapelle décorée de deux pilastres cannelés à chapiteaux doriques.   F.V.

Bibl. : F. Perraud, *Les environs de Mâcon*, 1912, pp. 174-177.

Prissé
Château de Monceau

Arr. Mâcon, c. Mâcon-Sud, Saône-et-Loire.
A 8 km à l'O de Mâcon, par la RD 979 et un chemin vicinal vers le N.
ISMH et site classé (salon de verdure).
Propr. : Fondation Ozanam.
Au S de Monceau, à flanc de pente.

Hist. : Il ne semble pas qu'il y ait eu de château à Monceau avant 1648, date à laquelle Philippe Moisson, propriétaire engagiste de la terre qui avait été démembrée de la châtellenie de Prissé, fit bâtir un *pavillon* et fonda une chapelle. Le domaine passa peu après à la famille Albert dont l'un des membres, Pierre, obtint en 1706 l'autorisation d'éloigner de ses bâtiments le chemin qui les longeait.

Château de Monceau, Prissé.
A. de Lamartine, près de Mâcon.

Quatre ans plus tard, Françoise Albert, veuve de Jean-Baptiste de Lamartine, héritait de Monceau qui devait parvenir en 1834 entre les mains d'Alphonse de Lamartine à la suite d'un legs de sa tante Anne-Charlotte. La demeure avait été transformée au XVIIIe s. par les Lamartine et dotée d'un salon de verdure. Le poète l'agrandit à son tour et y résida fréquemment. Après son décès, son héritière dut

Monceau. Portail d'entrée et chapelle en 1835.

F. A. Pernot d'ap. R.
Donné par l'auteur à M. Art... ...

le vendre en 1869 à la famille Virey, de Mâcon, pour acquitter les dettes de sa succession.

Descr. : C'est un bâtiment rectangulaire en U comportant un corps principal et deux ailes en retour d'équerre, mais les constructions ainsi groupées sont assez hétéroclites. L'élément le plus ancien est le corps principal, lui-même formé d'un corps central et de deux ailes en retour d'équerre en légère avancée sur sa façade S, décorées aux angles de pilastres corniers doriques d'ordre colossal, qui encadrent le degré à double volée parallèle donnant accès au rez-de-chaussée surélévé. Cette partie centrale comprend un sous-sol, un rez-de-chaussée surélevé, un demi-étage et un étage de comble; elle est couverte de hautes toitures à croupes. Au N, des communs,

137

Monceau. Façade S ornée de pilastres corniers doriques.

couverts de toitures de tuiles creuses, encadraient une cour ouverte. Ils ont été réunis au château primitif par des constructions à toits plats, couronnés au S d'une balustrade, qui en enveloppent les ailes et sont reliées entre elles au N par une galerie fermée plaquée contre la façade, avec avant-corps à trois pans desservi par un escalier à double montée convergente. Ces constructions, dont les parties N paraissent avoir été conçues au XVIIIe s., englobent au NO la chapelle dont la porte d'entrée rectangulaire est couronnée d'un petit fronton brisé. Dans l'aile E, le grand-père de Lamartine avait créé une salle de spectacle dont le seul aménagement fut une estrade depuis longtemps disparue. Des logements y ont récemment été substitués. Dans le parc subsiste un salon de verdure. F.V.

Bibl. : F. Perraud, *Les environs de Mâcon,* 1912, pp. 419-427, ill.

Pymont (château de)

Voir Boyer.

Rambuteau (château de)

Voir Ozolles.

Rigny-sur-Arroux
Château de La Vaivre

Arr. Charolles, c. Gueugnon, Saône-et-Loire.
A 8 km au S de Gueugnon, par la RD 994 et la RD 226.
Propr. : Baron P. de Ponnat.
On ne visite pas.
Isolé, le vieux château est en terrain plat, sur les alluvions de l'Arroux; le nouveau château, à 400 m au NE, au bas du versant oriental de la vallée.
Hist. : Le vieux château a été bâti au XVIe s. par François de Ganay, bourgeois de Charolles, puis remanié au XVIIe s. par la famille Pérard, avant de passer, par mariage, à Bénigne-Germain Le Goux au début du XVIIIe s. et d'être finalement vendu, en 1728, à Jacques Maublanc, de Digoin. Après diverses successions, il parvint au baron Antoine de Ponnat, grand-père du propriétaire actuel. Le vieux château avait alors été abandonné à un fermier et une nouvelle résidence bâtie aux lisières de la forêt voisine.

Descr. : Le logis, de plan rectangulaire, comprend un rez-de-chaussée, un étage carré et un étage de comble coiffé d'une haute toiture à croupes en tuiles plates. Il est flanqué sur son angle NE d'une tour carrée à un étage carré et un demi-étage. Au centre de la façade S, s'ouvre une porte rectangulaire entre deux pilastres d'ordre toscan portant un linteau à triglyphes. Les piédroits des lucarnes à fronton sont en bossages rustiques un sur deux. Un bandeau règne avec l'appui des fenêtres de l'étage. Le château moderne est formé d'un corps central à un étage carré et un étage de comble sous un toit à croupes en ardoises, entre deux ailes, dans le même alignement, couvertes à l'O de terrasses à balustrade. Le chevet à trois pans d'une chapelle de style flamboyant émerge du pignon S. Les ouvertures du rez-de-chaussée du corps central sont en plein cintre.   P.C d. F.V.

La Roche-Vineuse
Château de Milly

Arr. Mâcon, c. Mâcon-Nord, Saône-et-Loire.
A 10 km à l'O de Mâcon, par la RN 79 et un chemin vers le N à l'O de La Roche-Vineuse.
Propriété privée.
On ne visite pas.
Hist. : Milly n'est qu'une maison bourgeoise rurale mais c'est là qu'a vécu Alphonse de Lamartine de 1794 à 1801, puis, après de courts séjours espacés, pendant la Restauration. Maire de sa commune, le poète a si bien chanté Milly que ce petit coin de terre mâconnaise est devenu aussi célèbre que Saint-Point, une de ses autres résidences bourguignonnes. Mais Milly n'était pas pour lui la *terre natale* puisqu'il n'y est venu qu'à l'âge de quatre ans. C'est cependant là qu'il a *laissé son cœur,* ainsi que le rappelle une inscription gravée sous son buste, devant la mairie. Ses besoins d'argent étant trop importants, ses créanciers trop nombreux et trop exigeants, il dut se résigner à se séparer de cette maison, si chère à son cœur, et qui était, comme il l'écrira, *la moelle de ses os.* Il la vendit donc en 1860 pour une somme dérisoire estimait-il, à un certain M. Mazoyer de Cluny.
Descr. : La maison est très simple, carrée, datant sans doute du XVIIIe s. et ne comporte qu'un étage de trois fenêtres sur un rez-de-chaussée auquel on accède par un escalier de quelques marches. L'extérieur n'a pas été modifié, mais la façade est recouverte de verdure. A l'intérieur, seule la disposition des pièces rappelle le souvenir du poète.   J.M d.

Alphonse de Lamartine par Decaisne.

La Rochette (château de)
Voir Saint-Maurice-des-Champs.

Romanèche-Thorins
La Tour de Romanèche

Arr. Mâcon, c. La Chapelle-de-Guinchay, Saône-et-Loire.
A 16 km au S de Mâcon, par la RD 186.
Propriété privée.
On ne visite pas.
Isolé, en terrain plat.
Hist. : Bâti vers 1450, le château de La Tour de Romanèche appartint à la famille de Chabeu jusqu'à la fin du XVIe s. Vendu par Étienne de Ribé, mari de Françoise de Chabeu, à Claude de Noblet, il passa ensuite, par mariage, aux Thibaut, qui relevèrent le nom de Noblet. Vendue en 1717 à Abel-Michel Chesnard, la Tour de Romanèche demeura jusqu'en 1791 entre les mains de ses descendants, qui y fondèrent une chapelle en 1751. En 1791, il fut acquis par un jeune Suisse, Jean-Frédéric Schalleimer. Vers 1840, il passa aux mains de Clément Carra.

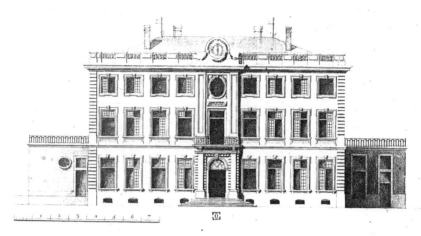

Rosey. Façade N, état primitif.

Descr. : Entouré sur trois côtés de fossés d'eau vive, restes d'une enceinte que précédait une basse cour, le château se compose d'un corps principal et de deux ailes en retour d'équerre à un sous-sol, un rez-de-chaussée surélevé et un étage de comble à surcroît. Les deux angles extérieurs sont flanqués de deux tours rondes comportant un étage carré et un étage de comble à surcroît. Le tout est couvert de toitures basses en tuiles creuses. F.V.

Rosey

Arr. Chalon-sur-Saône, c. Givry, Saône-et-Loire.
A 15 km au SO de Chalon-sur-Saône, par la RD 981 et un chemin vers l'O. ISMH.
Propr. : M. Robert Arnal. On ne visite pas.
Au S du village, à flanc de pente.
Hist. : Il ne semble pas qu'il y ait eu de château en ce point du territoire de Rosey, appelé Le Meix Loisey, avant 1767, date à laquelle Antoine Clerguet, capitaine chef du vol de la grande fauconnerie de France, y fit bâtir une élégante demeure qui paraît avoir été inspirée par les œuvres de l'architecte Emiland Gauthey. La construction de celle-ci était l'aboutissement d'une évolution lente et complexe qui fit d'Antoine Clerguet l'unique propriétaire de la terre de Rosey et de la *prévôté de Loisey*, partagée depuis le XVIe s. entre deux seigneurs et consistant uniquement en l'exercice de la basse et moyenne justice. Depuis la fin du XVIIe s., la famille était parvenue, par achats successifs, à donner consistance à ce fief. Après la mort, sans héritier direct, d'Antoine Clerguet, il échut en 1789 à Vincent-Mathias Villedieu de Torcy qui émigra. Le château fut alors vendu à Antoine-Denis Bottex, greffier au tribunal de Chalon, lequel abattit chapelle et bibliothèque qui formaient deux courtes ailes d'un seul niveau, couvertes de terrasses à balustrade, de part et d'autre du bâtiment central. Il entra en 1819 dans la famille Vitteaut, puis fut cédé en 1903 à Mme de La Grandière. Il a été acquis, en 1976, par le propriétaire actuel.
Descr. : C'est un bâtiment de plan rectangulaire qui comprend un sous-sol voûté d'arêtes, un rez-de-chaussée, un étage carré et un demi-étage. Il est couvert d'un toit bas à quatre pans en tuiles creuses que dissimulait à l'origine une balustrade de pierre, rythmée par des dés, qui a disparu durant la période révolutionnaire. Un avant-corps d'une seule travée forme une légère avancée au centre de la façade N : il est percé, au rez-de-chaussée, d'une porte en plein cintre entre deux pilastres toscans se détachant sur un encadrement rectangulaire en bossage en table, au premier étage d'une porte-fenêtre donnant sur un balcon sur consoles à appui-corps en fer forgé que surmonte une frise de grecques

et, au second étage, d'un oculus ovale. Prolongeant de part et d'autre de ces baies la ligne verticale des pilastres, des tables fouillées montent du balcon à la corniche, qui supporte un fronton cintré décoré d'un cartouche ovale entouré de motifs végétaux. L'avant-corps de la façade S embrasse trois travées. Le rez-de-chaussée, en bossage continu en table, en est percé de trois baies en plein cintre. Il est couronné d'un fronton percé d'un oculus. Le décor extérieur est complété par les moulures plates à crossettes qui encadrent les fenêtres, les tables qui décorent les allèges de celle du premier étage, le bandeau qui règne avec le sol de ce même étage et des chaînes d'angle en bossage en table. Le château est précédé au N d'une cour encadrée de communs, qu'une porte cochère sans couronnements sépare d'une longue allée d'arbres. Un jardin inspiré des jardins à la française l'entoure au S et à l'E.   F.V.

Bibl. : P. Montarlot, « Rosey, ses seigneurs, sa confrérie du Corps de Dieu », dans *Ann. de l'Académie de Mâcon*, t. XVIII, Mâcon, 1913, pp. 115-178.

Ruffey (château de)

Voir Sennecey-le-Grand.

Rully

Arr. Chalon-sur-Saône, c. Chagny, Saône-et-Loire.
A 5 km au S de Chagny, par la RD 981 et un itinéraire fléché dans le village.
ISMH.
Propr. : Comte d'Aviau de Ternay.
Visite des extérieurs
A flanc de coteau, au S du village de Rully, le château domine toute la région, face à la plaine qui s'étend en direction de la Saône. Vers l'O, il commande la petite combe des Agneux vers Nantoux et Chassey-le-Camp.
Hist. : Cité pour la première fois en 851, Rully faisait partie en 920 des domaines de la puissante maison de Vergy. En 1194, le château appartenait à Hugues de Rully, dont les descendants le conservèrent jusqu'au XIIIe s. Puis le fief passa au

Rully. Façade d'entrée, état actuel.

Rully. Façade d'entrée, état vers 1835.

Rully. Courtines à mâchicoulis percées de fenêtres, et tours d'angle.

duc de Bourgogne qui en fit don à des chevaliers revenant de la croisade. Après avoir appartenu à la famille de Saint-Léger jusqu'en 1578, puis à la famille de Tintry, le château devint par héritage, en 1619, la propriété de la famille de Montessus, dont les descendants le possèdent depuis trois siècles. Il appartient actuellement au comte J. de Ternay, héritier des Montessus, qui continue de l'entretenir avec amour. A noter que sous la Révolution, la marquise de Montessus, détenue quelque temps à la prison de Chalon, mérita ce certificat du Conseil général de la commune de Rully: *Les malheureux ont toujours trouvé en elle une mère, l'opprimé un soutien... que tant de vertus et de qualités sociales étaient un* excellent titre à l'estime publique et pouvaient être regardées comme le vrai patriotisme en action.

Descr. : A la fin du XIIIᵉ s., c'était uniquement une maison forte, composée d'un donjon carré, de trois tours d'angle rondes et d'une tour de flanquement, dont tous les éléments, réunis par des courtines surmontées d'un chemin de ronde, étaient crénelés au sommet et protégés à la base par un large fossé profond franchissable sur un seul pont-levis, dont l'emplacement est nettement visible sur la face S. Au XVᵉ s., elle fut rendue habitable par la famille de Saint-Léger. Celle-ci fit construire sur les faces E, N et O de la cour intérieure des bâtiments qu'il fallut couvrir, d'où les magnifiques charpentes en chêne, appuyées extérieurement sur le chemin de ronde en encorbellement et recouvertes de tuiles plates bourguignonnes. Pour la cohérence de l'ensemble, il fallut couvrir aussi les tours : les merlons furent rasés, à part quelques-uns encore visibles, ainsi que les corbeaux, sous les charpentes. Des fenêtres furent ouvertes dans les murs extérieurs au XVIIe s. Les aménagements intérieurs témoignent de ces successives campagnes de travaux : les pièces du rez-de-chaussée des tours sont voûtées, les chambres et les corridors sont couverts de plafonds à poutres et solives apparentes. Les transformations de la fin du XIXe s. furent moins heureuses car elles firent en partie disparaître certains aspects de la maison forte du Moyen Age : comblement des douves sèches, suppression du pont-levis et des grosses portes qui interdisaient l'accès à la cour d'honneur, construction d'un bâtiment néo-gothique avec mâchicoulis à l'intérieur de la cour, au pied du donjon. Les bâtiments d'exploitation, restes de l'ancienne basse cour, qui entourent la grande cour extérieure et servent d'avenue d'honneur en avant du portail, ne manquent pas de majesté sous leurs toits en laves. P.C.

Bibl. : P. et F. Grivot, Notes sur l'histoire de Rully, Autun, 1971, in 16, 48 p., pl. ; J. de Ternay, Notice à l'usage des visiteurs de Rully ; A. Perrault-Dabot, Rully, Chalon, 1922.

Saint-Ambreuil
Château de La Ferté

Arr. Chalon-sur-Saône, c. Sennecey-le-Grand, Saône-et-Loire.
A 12 km au S de Mâcon, par la RN 6 et la RD 6. ISMH.

Propr. : Baron A. Thenard.
On ne visite pas.
Isolé, à proximité de la Grosne.
Hist. : Première *fille* de l'abbaye de Cîteaux, celle de La Ferté a été fondée en 1113 par l'abbé Étienne, sur un terrain situé entre la forêt de Bragny et les marais de la Grosne. Bénéficiant des libéralités de l'entourage des ducs de Bourgogne et de nombreux seigneurs, en particulier des Gros de Brancion, l'établissement acquit rapidement une grande importance. Les bâtiments conventuels, reconstruits au début du XIIIe s., furent entourés en 1415 d'une muraille percée d'une unique porte desservie par un pont-levis. Ce système de défense fut impuissant à arrêter, en 1570, les troupes protestantes de l'amiral de Coligny qui mirent le feu à l'abbaye dont seules subsistèrent l'église, la sacristie, la salle capitulaire et une pièce voisine. Quatre ans plus tard, l'abbé François de Beugre obtint l'autorisation de vendre des terres pour payer les frais de reconstruction. Celle-ci fut entreprise par son successeur, Yves Sauvageot, qui rebâtit le dortoir et orna l'église. En 1682, l'abbé Claude Petit acheva cette œuvre en édifiant le logis abbatial et le cloître, tandis que les fortifications étaient détruites et les fossés comblés. De nouveaux travaux furent entrepris vers 1760 à l'initiative de l'abbé François Filzjean de Chemilly, auquel on doit sans doute l'avant-corps central dudit logis abbatial, dont le fronton était orné de ses armes. Le dernier abbé, Antoine-Louis Desvignes de La Cerve, en confia la décoration intérieure à un architecte chalonnais nommé Rameau qu'il gratifia d'une pension pour prix de ses services. Au début de la Révolution l'abbaye n'abritait

La Ferté. L'église et le palais abbatial au XVIIIe s.

La Ferté. Palais abbatial, état actuel.

plus que quatorze moines et les bâtiments étaient en partie occupés par des ouvriers et le personnel, en majorité féminin, de la filature de coton installée dans les dépendances. L'ensemble fut vendu en 1791 à Jean-Marie et Joseph Passaut, de Sennecey, qui le revendirent trois jours plus tard à Jean-Baptiste Humblot, député à l'Assemblée nationale, avec un substantiel bénéfice et en se réservant la moitié des matériaux provenant de la démolition de l'église et des bâtiments occupant deux des côtés du quadrilatère qui cernait le cloître. Seuls ceux situés à l'O, c'est-à-dire le logis abbatial, devaient être laissés à l'acquéreur. Ainsi fut fait. Des jardins furent aménagés à l'emplacement des constructions disparues.

Descr. : C'est un long bâtiment de plan rectangulaire à un étage carré et un étage de comble sous une toiture à croupes percée de lucarnes à ailerons à frontons alternativement triangulaires et cintrés. Il est flanqué aux deux extrémités de sa façade O de deux pavillons un peu plus hauts mais de même élévation, dont les chaînes d'angle harpées contrastent avec les jambes et les bandeaux plats qui découpent rigoureusement les façades et soulignent les niveaux et le dessin des grandes baies rectangulaires qui en éclairent les pièces. Au centre de la façade O se détache un robuste avant-corps de trois travées percé de baies en plein cintre. Le rez-de-chaussée et les chaînes d'angle, surmontées de vase d'ornement, sont en bossage en table. Des pilastres ioniques, dont les socles reposent sur une corniche déterminant devant chacune des fenêtres de l'étage un petit balcon à appui-corps en fer forgé, montent de part et d'autre de celles-ci et des tables avec gouttes qui les surmontent jusqu'à un épais entablement portant un grand fronton cintré décoré d'un cartouche entouré d'enroulements et de feuillages. Les clefs des baies de l'étage sont constituées d'épaisses volutes. A l'E le rez-de-chaussée est formé de l'une des galeries à voûtes d'arêtes de l'ancien cloître. F.V.

Bibl. : J.-L. Bazin, « Notice historique sur l'abbaye de La Ferté-sur-Grosne », dans *Mém. de la Soc. d'histoire et d'archéologie de Chalon-sur-Saône*, t. V..., Ire partie, 1895, pp. 1-70.

Saint-André-le-Désert
Château de Gros-Chigy

Arr. Mâcon, c. Cluny, Saône-et-Loire.
A 12 km au NO de Cluny, par un chemin

vicinal s'embranchant vers le N sur la RD 14.

ISMH.

Propr. : M. Christian de Champvallier.

On ne visite pas.

Isolé, entre deux hameaux, à flanc de pente.

Hist. : L'histoire connue du château de Gros-Chigy commence en 1435 avec le mariage de Claudine de Vaux et de Guillaume de L'Aubépin qui le rebâtit, le précédent ayant été démantelé par ordre royal. Il passa par les femmes aux Rabutin, au début du XVIIe s., puis aux Champier en 1666, à Claude de Valadoux en 1748 et fut enfin vendu en 1767 à Michel Ducret, officier aux Gardes françaises. Un procès-verbal de visite établi en 1794 le décrivait comme ruiné. Il a été restauré et en partie modifié aux XIXe et XXe s.

Descr. : Les bâtiments du château sont groupés en un quadrilatère irrégulier autour d'une cour centrale. L'entrée en est située au N et consiste en une porte charretière en plein cintre accostée d'une porte piétonne, toutes deux précédées jadis de pont-levis, entre deux grosses tours rondes percées à leur base d'archères-canonnières. De part et d'autre de cette entrée, les courtines sont surmontées d'un chemin de ronde garni de meutrières. A la muraille N s'appuie un long bâtiment rectangulaire qui abrite au rez-de-chaussée une salle divisée en trois nefs de quatre travées, dont les voûtes d'arêtes très aiguës retombent sur des dés cubiques coiffant des colonnes rondes. La nef centrale est beaucoup plus étroite que les nefs latérales. Ce serait l'ancien *Auditoire* de la prévôté de Saint-André. Une grange est adossée au flanc E, lequel est pourvu de corbeaux ayant porté des mâchicoulis et d'archères-canonnières, et percé à son extrémité S d'une petite porte surmontée d'une embrasure de canonnière avec coussiège. A l'extrémité E du flanc S, une conciergerie a été construite au XIXe s. Des communs lui font suite, flanqués à l'extérieur d'une tour carrée hors œuvre, remaniée aux XVIIe et XVIIIe s., donnant dans les fossés par une petite porte en plein cintre. Le corps principal de logis est adossé à la courtine O et flanqué sur son angle SO d'une grosse tour carrée en bel appareil régulier, couronnée de mâchicoulis sur consoles formant chemin de ronde extérieur et défendue par une petite bretèche. Une cave voûtée de croisées d'ogives retom-

bant sur de grosses piles rondes règne sous une partie du logis qui a été très défiguré au XVIIIe s. : il possède encore sous la toiture de sa façade E et sous celle de sa façade S, des corbeaux à ressauts ayant porté des mâchicoulis et est flanquée d'une tour d'escalier carrée hors œuvre, dans le mur de laquelle on distingue les fentes des balanciers d'une planchette. Cette tour est percée au N d'une petite porte en plein cintre dans un encadrement rectangulaire en bossage troué, que surmonte un cartouche armorié daté de 1570. Ce logis comprend à l'étage, à son extrémité S, une grande salle avec cheminée de pierre et plafonds à poutres apparentes à la française, sur lesquels on devine des éléments peints du XVIe ou du XVIIe s. Une petite tour carrée hors œuvre flanque le mur O. Au S, entre le donjon et la tour carrée, se trouve une terrasse soutenue par de puissants contreforts. F.V.

Bibl. : F. Perraud, *Le Mâconnais historique*, 1921, pp. 53-57, ill.

Saint-Aubin-sur-Loire

Arr. Charolles, c. Bourbon-Lancy, Saône-et-Loire.

A 7 km au S de Bourbon-Lancy, par la RD 979 et un chemin à la sortie E du bourg, après la voie ferrée.

Monument historique.

Propr. : M. S. Hénin.

Isolé, sur une colline dominant le bourg et la vallée de la Loire.

Hist. : Agglomération née autour de la source chaude des Naux, Saint-Aubin-sur-Loire ne fut, jusqu'au XVe s., qu'une dépendance de Bourbon-Lancy. Cette terre en fut détachée en 1429 pour la famille de Toulongeon qui bâtit un château au bord de la Loire. C'était un quadrilatère cantonné de tours, que défendaient le fleuve, un étang et des fossés. Il échut en 1577 à Girard de Vienne, mari de Charlotte de Toulongeon, qui le vendit à Claude d'Ambly. Les descendants de celui-ci résidèrent assez régulièrement à Saint-Aubin, puis vendirent terre et château à Charles Le Gendre, bourgeois de Paris, en 1652. Les Le Gendre firent exécuter divers travaux et obtinrent en 1695 l'érection en église paroissiale de la chapelle castrale, mais le dernier d'entre eux, Gilbert-Charles, qui avait obtenu l'érection de la seigneurie de Saint-Aubin en marquisat, mourut ruiné par la banqueroute de Law en 1746. Le

Saint-Aubin-sur-Loire. Façade sur jardin.

domaine fut acheté en 1751 par Pierre-César du Crest, père de la future Mme de Genlis, qui y installa sa famille, puis dut fuir cinq ans plus tard, poursuivi par ses créanciers. En 1757, Charles-Guillaume Le Normand d'Etioles, mari de la marquise de Pompadour, se rendit acquéreur de Saint-Aubin et de la baronnie de Bourbon-Lancy où il ne vint jamais. En 1770, la terre fit retour à la couronne puis, dès 1771, le roi l'échangea contre le bois de Sénonches avec Charles-Jean-Baptiste des Gallois de La Tour, premier président au Parlement de Provence, qui confia immédiatement à l'architecte Edme Verniquet la construction d'un nouveau château sur une colline qui domine la ville (l'entrepreneur en fut Guizot, celui du château du Vigneau) qui fut achevé en 1777. Le président des Gallois de La Tour n'émigra pas et mourut en 1802. Le château passa alors entre les mains de propriétaires successifs avant d'être acquis, en 1897, par le comte de Saint-Genis dont descendent les propriétaires actuels.

Descr. : Du vieux château, abandonné à partir de 1756, partiellement abattu en 1860, il ne subsiste plus que quelques vestiges, difficilement identifiables, au centre du bourg. Le château du XVIIIe s. consiste en un corps principal de plan rectangulaire à un sous-sol, un rez-de-chaussée, un étage carré et un étage de comble entre deux petites ailes en équerre, comprenant un rez-de-chaussée et un demi-étage, qui encadrent la cour au S. Construit en pierre de taille de couleur dorée et couvert d'un toit à croupes en ardoise, le corps principal est orné au centre de chacune de ses façades d'un avant-corps de trois travées, séparées par des pilastres ioniques d'ordre colossal que couronne un fronton. Un bandeau règne avec le sol de l'étage. La cour ouverte, avec parterre, qui s'étend devant la façade S, est limitée au NO et au SE, au-delà des ailes, par de vastes communs en L : leurs corps principaux sont bâtis dans le même alignement que le muret portant une grille qui clôt ladite cour; leurs ailes en retour d'équerre sont percées chacune d'un haut passage voûté en plein cintre ouvrant au S sur une terrasse dominant le

Chaumont-la-Guiche. Façade O de style néo-gothique.

village et au N sur la forêt. Ces communs, couverts de toits brisés, sont en blocage de pierre avec chaînes d'angle, bandeaux et encadrements de baies en briques. Un hémicycle et une longue allée, creusés dans la colline boisée, prolongent au S cet ensemble. Au N, des terrasses à balustrades, réunies par des chemins en pente douce, s'étagent jusqu'aux abords de la Loire. F.V.

Bibl. : H. Dussourd, *Saint-Aubin-sur-Loire*, Moulins, 1967, 36 p., ill.

Saint-Bonnet-de-Joux
Château de Chaumont-la-Guiche

Arr. Charolles, Saône-et-Loire.
A 2 km au NO de Saint-Bonnet-de-Joux, par la RD 7 et un chemin privé.
ISMH (écuries).
Propr. : Marquis de La Guiche.
Visite autorisée du parc et des écuries.
Isolé, sur une éminence, à la frontière de l'ancien fief du Charolais et du duché de Bourgogne.
Hist. : L'ancien château féodal, construit par la famille de Chaumont à l'intérieur d'une grande enceinte fortifiée, avait été cédé au XIVe s. avec terres et justices aux seigneurs de La Guiche et n'est jamais sorti de cette famille. Entre 1500 et 1514, Pierre de La Guiche, ambassadeur de

France, aidé par l'oncle de sa femme, Jacques d'Amboise, en entreprit la reconstruction et édifia l'actuelle façade SO dans le style de la première Renaissance. Les travaux furent achevés en 1584 par Philibert de La Guiche. Au XVIIe s., le château fut complété par deux ailes en retour d'équerre avec pavillons aux extrémités, formant ainsi une cour intérieure qui s'ouvrait vers le N. Vers 1805, on supprima ces deux ailes et au milieu du XIXe s. une façade néo-gothique fut ajoutée aux bâtiments du XVIe s.

Descr. : La façade du XVIe s. est flanquée, sur son angle SE, d'une grosse tour ronde dite *tour d'Amboise* couronnée de mâchicoulis, qui comporte aux fenêtres basses de curieuses grilles forgées par les moines de Cluny. Cette façade, percée de fenêtres à croisillons, est couronnée d'un chemin de ronde avec créneaux et mâchicoulis au-dessus duquel s'élèvent des lucarnes Renaissance à gâbles sculptés. Vers 1840, on a incorporé dans cet ensemble une porte gothique provenant du proche château de Saillant. La façade occidentale, construite en style néo-gothique au siècle dernier, est percée de baies très régulières; elle est agrémentée d'une tourelle et terminée par un pavillon en retour de même style. L'intérieur est orné de tapisseries des XVIe et XVIIIe s.; les salons renferment des portraits de famille, notamment celui de Mme de La Guiche, née de Clermont-Montoison, par Mme Vigée-Lebrun, ainsi que celui de Casimir de La Guiche, pair de France. La partie la plus originale du château est le majestueux bâtiment des écuries, édifié au SO de l'ancienne cour, entre 1648 et 1652, par Henriette de La Guiche, duchesse d'Angoulême, sur des plans de l'architecte François Martel, de Charolles. Ces écuries comportent un rez-de-chaussée, un étage carré et un étage de comble éclairé par des lucarnes à ailerons à frontons cintrés surmontés de vases d'amortissement, alternant avec des œils-de-bœuf. Deux très hautes souches de cheminées en appareil à bossage, couronnées de frontons cintrés aux armes des La Guiche-Angoulême, se dressent à l'aplomb du mur de façade. A l'O deux grands escaliers extérieurs en U à rampes à balustres permettent d'accéder aux pièces du premier étage. Dans chacune de leurs bases, s'ouvre une petite porte en plein cintre, inscrite dans une travée toscane à pilastres se détachant sur un appareil en bossage continu, couronnée d'un fronton cintré brisé encadrant un grand cartouche sculpté. Au centre du bâtiment, le portail principal consiste en une porte en plein cintre à deux vanteaux, inscrite dans une travée ionique que surmonte une niche plate en anse de panier, couronnée d'un fronton, laquelle abrite la statue équestre de Philibert de La Guiche. Cet ensemble est sculpté de motifs guerriers : boulets de canons et faisceaux sur l'entablement de la porte, canons en acrotères de part et d'autre du fronton de la niche. Les corniches en sont denticulées. Le rez-de-chaussée est occupé par une unique salle dont les voûtes retombent sur deux rangées de vingt-huit colonnes; cette écurie était aménagée pour abriter quatre-vingt-dix-neuf chevaux, effectif maximum dont avait le droit de disposer un gentilhomme, le roi pouvant seul en posséder davantage.

J.M d., F.V.

Bibl. : R. Oursel, *Inventaire départ. Cant. de Saint-Bonnet-de-Joux*, Mâcon, 1973, pp. 55-58, ill.

Saint-Bonnet-de-Joux
Château des Hauts

Arr. Charolles, Saône-et-Loire.
A 2,5 km à l'E de Saint-Bonnet-de-Joux, par la RD 7 et un chemin privé.
Propriété privée.
On ne visite pas.
Isolé au milieu des bois, à la pointe extrême des *hauts* granitiques.
Hist. et descr. : Reconstruit en 1855 par la famille Monnier de Boisfranc, ce château comprend un corps central rectangulaire à un étage carré et un étage de comble

Chaumont-la-Guiche. Ecuries avec escaliers monumentaux.

entre deux ailes en retour d'équerre, de même élévation, en avancée sur ses deux façades. F.V.

Saint-Bonnet-de-Vieille-Vigne
Château de Champvigy

Arr. Charolles, c. Palinges, Saône-et-Loire. A 12 km au N de Charolles, par la RD 985 et un CV vers le N à partir de Saint-Bonnet-de-Vieille-Vigne.
Propr. : M. Ducerf.
On ne visite pas.

Isolé, sur un mamelon dominant une région vallonnée.
Hist. : Propriété des Damas de Champvigy de la fin du XIIIe s. à la fin du XIVe s., la maison forte échut, après 1399, à Philibert de Vaux, fils de Jeanne Damas et de Guiot de Vaux, qui avait accompagné l'amiral Jean de Vienne en Écosse. Un siècle plus tard, elle était entre les mains d'Antoine et Léonard Germain. Elle passa ensuite, au XVIIe s., aux Mathieu d'Essertines, en 1721, à Georges-Melchior de Champier, puis en 1742, aux Quarré qui la conservèrent jusqu'en 1945. Elle a été en grande partie détruite en 1944.
Descr. : D'une enceinte, sans doute rectangulaire, il ne reste plus que deux tours circulaires, coiffées de toits coniques. La plus importante et la mieux conservée, à l'E, qui comprend deux étages carrés, est flanqué d'une tour d'escalier à cinq pans hors œuvre, percée au rez-de-chaussée d'une porte à linteau en accolade très restaurée. La plus petite, à l'O, est flanquée à l'E d'une tourelle circulaire et présente au S des traces d'arrachements d'une muraille et d'un bâtiment couvert d'un toit à deux versants qui s'y appuyait. Un parc à l'anglaise donne à ces tours isolées un cadre romantique. F.V.

Saint-Émiland
Château d'Épiry

Arr. Autun, c. Couches, Saône-et-Loire. A 20 km au SE d'Autun, par la RD 978 et la RD 131.
Monument historique.
Propr. : M. de Vazelhes.
On ne visite pas.
A flanc de coteau, à l'écart du village de Saint-Emiland.

Hist. : Au XIIe s. Epiry appartenait à une famille de ce nom qui était apparentée aux seigneurs de Montbard et à la famille de saint Bernard. A partir du XIVe s. les Rabutin sont seigneurs d'Epiry. Le célèbre Roger de Rabutin y est né en 1618. En 1648, la veuve de François de Rabutin, grand-père de Roger, vend Epiry au comte de la Magdeleine de Ragny dont les descendants en furent possesseurs jusqu'à la Révolution et firent construire le corps de logis daté de 1717; ils le rachetèrent en 1800, et le vendirent en 1824 à Antoine de Loisy.
Descr. : Le château a conservé de l'époque médiévale quatre tours rondes et un corps de logis qui indiquent le plan polygonal de l'ancien château fort ordonné autour de la cour; le mur qui à l'origine fermait cette cour vers l'O a été remplacé par une grille, encadrée de deux lions en pierre, à laquelle on accède par un pont qui franchit les douves encore visibles; la courtine qui réunissait les deux tours du S a été abattue. Les quatre tours rondes sont construites en pierre et couvertes de toits d'ardoises qui reposent sur les corbeaux des anciens mâchicoulis. Leurs petites fenêtres rectangulaires, peu nombreuses, sont appareillées en pierre; les moulures indiquent que plusieurs d'entre elles ont été percées au XVe s., mais les tours elles-mêmes pourraient être plus anciennes et dater du XIVe s. La tour du NO a conservé trois bretèches en pierres soigneusement appareillées, réparties à chacun des trois étages et décalées les unes par rapport aux autres de façon à dominer l'angle d'entrée du château. La tour du SE renferme la chapelle du XVe s., couverte d'une voûte à croisées d'ogives et liernes, ornée d'une piscine à décor flamboyant et de vitraux anciens. C'est là que dut être baptisé Roger de Rabutin. Le corps de logis du XVe s. occupe, entre les deux tours, le côté N de la cour. Austère vers l'extérieur où elle s'éclaire de quelques fenêtres à meneaux, la façade est plus ornée vers la cour : les fenêtres sont encadrées de moulures ornées de petites bases qui dessinent au linteau des accolades géminées; à l'étage, ces fenêtres alternent, sans régularité, avec de petites baies en anse de panier. Vers l'E un important corps de logis ferme la cour, face à l'entrée; la date de sa construction est inscrite au tympan de la porte : 1717. L'encadrement de pierre des fenêtres posé sur de minces consoles, le bandeau qui sépare les étages, les deux œils-de-bœuf

Épiry. Vue d'ensemble.

rythment cette façade; la partie centrale marquée sur toute sa hauteur par des refends et couronnée d'un fronton triangulaire percé d'un oculus, s'ouvre par une porte surmontée d'un fronton cintré. Vers le parc, ce corps de logis offre une large façade de même caractère qui se développe au-delà des tours médiévales. La porte centrale est surmontée d'un fronton triangulaire. Il se termine aux extrémités par deux avant-corps peu saillants dont les angles sont soulignés de refends. M.R.

Bibl. : Merveilles des châteaux de Bourgogne, 1969, p. 52, ill.

Saint-Eusèbe
Château du Monay

Arr. Chalon-sur-Saône, c. Montchanin, Saône-et-Loire.
Au S de Montchanin, par la RD 974 et un chemin privé.
Propr. : Général de Montjamont.
On ne visite pas.
Isolé sur un monticule dans un paysage de prés ondulés, de bois et d'étangs.
Hist. : La seigneurie de Monay relevait, au XIIᵉ s., de l'abbaye de Cluny qui la céda au duc de Bourgogne, Hugues V, en 1282. En 1311, celui-ci la donna en fief à Girard de Châteauneuf qui prit le premier le titre de seigneur de Monay. En 1364, les grandes compagnies s'emparèrent de la maison forte qui fut rachetée par le duc de Bourgogne pour 6 000 florins. La seigneurie de Monay appartint successivement, jusqu'à la Révolution, aux familles de Torcy à partir de 1503, Damas de Marcilly à partir de 1600, de Traves, de Ragny et Quarré. En 1805, terre et château furent achetés par la famille Duréault, dont l'un des descendants, le général de Montjamont, le possède actuellement.
Descr. : L'ancien donjon a disparu. Il reste deux corps de bâtiments en équerre avec, à l'angle, une tour carrée. Les parties les plus anciennes datent du XIIIᵉ s. Des restaurations furent faites au XVIIᵉ et au XVIIIᵉ s. Le pont-levis a été remplacé par un pont de pierre mais les fossés subsistent sur la moitié du pourtour du château. A l'intérieur, toutes les pièces, de grandes dimensions, sont couvertes de plafonds à solives apparentes à la française. P.C.

Bibl. : E. Fyot, « Le Monay, son château et ses seigneurs », dans *Mém. de la Soc. éduenne,* t. XXVII, 1899; A. de Charmasse, *L'église d'Autun pendant la guerre de Cent ans, passim.*

151

Saint-Firmin
Tour de Champiteau

Arr. Autun, c. Le Creusot, Saône-et-Loire.
A 9 km au N du Creusot, par la RD 43.
Propriété privée.
On ne visite pas.
Isolé, en bas de pente, au bord d'un étang.
Hist. : Fief possédé dès le XIIe s. par les seigneurs d'Antully, Champiteau semble avoir été pourvu d'une maison forte au milieu du XIVe s. seulement. En 1381, celle-ci échut par mariage à Odile de Montjeu. Elle passa en 1537 à Claude Regnart, en 1554 à Philibert de Montconis, auquel succédèrent Georges de Saint-Belin, puis Nicolas d'Orge. La vente de la terre en 1614 au président Jeannin scella son union définitive à la seigneurie de Montjeu. A cette date la maison forte était déjà à l'abandon.

Descr. : Au N d'un étang se dresse une tour carrée de 10 m de côté, dont la partie supérieure a été modifiée à une période indéterminée pour y établir une couverture en bâtière dont seuls subsistent les pignons. Les angles sont soutenus par des chaînages en pierre de taille. Elle comportait une cave, un rez-de-chaussée percé d'une porte en arc brisé et trois étages séparés par des planchers. Les deux étages supérieurs sont éclairés par de petites baies rectangulaires. Une gaine en pierre de taille demi-hors œuvre monte de fond le long de la façade orientale. F.V.
Bibl. : E. Fyot, « La tour de Champiteau », dans *Mém de la Soc. éduenne*, t. XXXV, pp. 1-28, ill.

Saint-Huruge

Arr. Mâcon, c. Saint-Gengoux-le-National, Saône-et-Loire.
A 20 km au NO de Cluny, par la RD 426.
Propr. : Mme E. Nouveau.
On ne visite pas.
A la lisière O du village, à proximité de la Guye.
Hist. : Propriété, en 1266, de Guillaume Sauvage, Saint-Huruge (alors Saint-Eusèbe) appartint au XIVe s. aux Trezettes. En 1440, Antoinette de Trezettes l'apporta à Girard de Bernaud, puis sa fille Louise, en 1461, à Jean de Traves. Le fief passa ensuite à Antoine de Choiseul-Traves. Jeanne de Choiseul-Traves s'étant unie à Jean de Foudras, Saint-Huruge resta entre les mains des Foudras jusqu'à

sa vente, en 1618, à François Savary qui revendit dès 1625 à François de Thibaut, lequel fit ériger la terre en baronnie en 1631. Par succession collatérale, elle échut en 1722 à Victor-Amédée de La Fage, dont le petit-fils dilapida le patrimoine familial en sorte qu'il fallut vendre Saint-Huruge à Antoine Chaland en 1801. Le baron de La Houssaye en fut alors propriétaire durant quelques années.
Descr. : Le château fort, encore évoqué dans le dénombrement de 1625, était un quadrilatère cantonné de tours : trois tours rondes aux angles NO, SO et SE et une grosse tour carrée à deux étages à l'angle NE. L'ensemble a subi aux XVIIe et XIXe s. d'importantes modifications qui ont laissé intactes les tours. Une tourelle rectangulaire a été accotée à la façade O de la grosse tour, qu'un bâtiment d'habitation à un étage carré rattache à la tour NO. Un corps de logis de même élévation, sous un toit à deux versants, a remplacé la courtine S. F.V.
Bibl. : F. Perraud, *Le Mâconnais historique*, 1921, pp. 193-195, ill.

Saint-Léger (château de)
Voir Charnay-lès-Mâcon.

Saint-Léger-sous-Beuvray
Château de La Bouthière

Arr. Autun, Saône-et-Loire.
A 20 km à l'O d'Autun, par la RD 179.
Propr. : Colonel et Mme Jacques Britsch.
Isolé.
Hist. : Le fief de la Boutière (dont le nom s'orthographiait jadis ainsi) relevant de la châtellenie de Glenne, fut, au Moyen Age, le plus important de la paroisse de Saint-Léger-sous-Beuvray. Au XVIe s. il passe par mariage aux Vichy, puis aux Chargères, aux Arlay de la Boulaye, aux Limenton de la Goutte, puis aux Costa de Beauregard. Le château a été transformé depuis longtemps en bâtiments agricoles. Au milieu du XXe s. il a été aménagé en habitation particulière.
Descr. : Il ne subsiste, du château fort primitif, que deux corps de bâtiment du XVIe s. flanqués de deux tours rondes découronnées de leur système défensif et couvertes de toits coniques, ainsi qu'un pavillon d'entrée qui ne comporte plus de logement pour les bras de herses, et qui a dû être modifié au cours des âges. J.M d

Saint-Léger-du-Bois
Château de Champsigny

Arr. Autun, c. Epinac, Saône-et-Loire.
A 20 km au NE d'Autun, par la RD 151.
Propr. : Duc de Magenta.
On ne visite pas.
A flanc de coteau.
Hist. : Ce fief, tenu de Dracy-Saint-Loup, est entre les mains des Champsigny au XIVe s., puis, à la fin du XVe s., de Robert et Louis de Bournonville qui possèdent : *maisons, granges, portail, verger,... une maison appelée la sale.*
Descr. : Il ne reste du petit château de Champsigny qu'une porte d'entrée et une tour carrée. La tour, construite en pierres et percée de fenêtres rectangulaires, est haute d'un étage qui comporte une grande salle avec une cheminée; elle est accolée à une tourelle carrée qui renferme l'escalier auquel on accède par une porte encadrée de pilastres; de petites volutes ornent l'encadrement des fenêtres de la tourelle. Ces constructions sont dans le prolongement de la porte monumentale, appareillée en pierres, dont les ouvertures verticales indiquent qu'elle était faite pour commander un pont-levis, et qui est couronnée de mâchicoulis portés sur de fortes consoles. La porte elle-même est cintrée et encadrée d'un bandeau rectangulaire garni de chaque côté par une large rosace, et surmonté d'un écusson tenu par deux dragons, sur lequel on reconnaît une croix. Deux canonnières ont été aménagées de part et d'autre de la porte. M.R.

Saint-Léger-du-Bois
Château de Lally

Arr. Autun, c. Epinac, Saône-et-Loire.
A 22 km au NE d'Autun, par la RD 26.
Propr. : M. Pereau.
On ne visite pas.
Le petit château de Lally, situé à l'extrémité du hameau, se trouve dans la vallée, au bord du ruisseau de Lacanche.
Hist. : Le château est attesté dès le XIIIe s. Il passe au début du XVe s. aux Bréchard. Denis Poillot, président au Parlement de Paris, que François Ier envoya en ambassadeur auprès du roi d'Angleterre, en fut seigneur dans le premier tiers du XVIe s., puis le vierg d'Autun Jacques Bretagne entre 1566 et 1574. Au XVIIIe s. on le retrouve entre les mains des Mac-Mahon. Il sert actuellement d'exploitation agricole.

Lally. Tour barlongue entourée de bâtiments.

Descr. : Une grosse tour barlongue à trois étages, appareillée en pierres, semble être la partie la plus ancienne du château; les fenêtres qui l'éclairent au S, vers la cour, ont été remaniées à plusieurs époques; au N une belle fenêtre à meneau cruciforme encadrée de pilastres cannelés et surmontée d'un fronton de style Renaissance paraît avoir été ouverte à l'époque de Denis Poillot; au-dessus subsistent deux baies géminées. De ce côté N, le mur de gros appareil se poursuit de part et d'autre de la tour; il formait le mur d'enceinte polygonal du château fort. Vers l'E un bâtiment moderne à usage agricole s'y appuie. Vers l'O un corps de logis faisant retour d'équerre est venu s'appuyer contre ce mur : des corbeaux de mâchicoulis subsistent à l'angle extérieur; un pignon et des traces de fenêtres de style classique indiquent plusieurs remaniements subis par ce bâtiment. Dans la cour, une tête noyée dans la maçonnerie et plusieurs fragments de sculptures sont encore visibles. Les anciens fossés forment des bief vers le N où se trouvait un petit moulin abandonné. Un bâtiment de communs date du XVIIe s. M.R.

Saint-Martin-de-Commune
Château de Digoine

Arr. Autun, c. Couches, Saône-et-Loire.
A 22 km à l'E d'Autun, au carrefour de la RD 145 et de la RD 43.
Propriété privée.
On ne visite pas.
Isolé, entre un étang et un petit ruisseau, entouré de bois.

Hist. : La date de 1359 sur le manteau d'une cheminée des cuisines est le seul élément de datation dont on dispose actuellement pour situer la construction du château. On n'en connaît pas les propriétaires avant 1548 : il appartenait alors aux Malain. Il passa ensuite aux Loriol-Chandieu puis, par mariage, vers 1775, au marquis de Falletans. Ruinés, les Falletans le vendirent au début du XIXe s. à un parent, le comte de Musy. Il échut au XXe s. à son petit-fils, le comte de Prunelé. Il a été en partie restauré au milieu du XIXe s. par le comte de Musy, puis à nouveau remis en état par le comte et la comtesse de Prunelé qui en dégagèrent les douves situées à l'E.

Descr. : Il est constitué de deux corps de logis en équerre. Celui situé au N, de plan rectangulaire allongé, comporte un étage carré et un demi-étage sous un toit à croupes. Il est flanqué vers la vallée de deux grosses tours carrées un peu plus élevées, en moyen appareil très régulier, coiffées de hautes toitures en pavillon. Son angle SO a été garni au XIXe s. d'une échauguette de style troubadour. Relié à lui par une tour d'escalier polygonale couverte d'un dôme couronné d'un lanternon, le second bâtiment, de plan presque carré, comprend deux étages carrés dont les baies sont soulignées par des bandeaux. Quelques-unes de celles-ci sont surmontées de linteaux en accolade. Ce bâtiment, qui résulte peut-être de l'aménagement au XIXe s. d'un ancien donjon, est flanqué sur son angle SO d'une tour polygonale couverte d'un dôme à lanternon et sur son angle SE d'une tour ronde à toit conique.   F.V.

Bibl. : H. Soulange-Bodin, *Les châteaux de Bourgogne,* pp. 126-127.

Saint-Maurice-des-Champs
Château de La Rochette

Arr. Chalon-sur-Saône, c. Buxy, Saône-et-Loire.
A 27 km au N de Cluny, par la RD 60, la RD 236 et un chemin vicinal vers l'E.
Propr. : École Saint-Benoît.
On ne visite pas.
A l'E du hameau de La Rochette, sur un promontoire dominant Saint-Gengoux-le-National.
Hist. : Le château de La Rochette appartenait au chapitre de Saint-Vincent de Chalon qui y fit faire d'importantes réparations en 1406 et 1407. Les ravages

que lui infligèrent les calvinistes amenèrent les chanoines à vendre ce fief, en 1592, à Louis de Rymon et François Royer. Louis de Rymon procéda à une reconstruction presque totale : il édifia une tour carrée, deux tours rondes à l'E, une quatrième tour au S, rénova les murailles et y établit des canonnières. Sa nièce, Claude, ayant épousé Charles de Hénin-Liétard, le château resta entre les mains de cette famille jusqu'en 1750, date à laquelle il fut vendu à Claude-Philibert de La Vernette dont les descendants en furent propriétaires durant deux siècles. Il a été totalement restauré vers 1880.

Descr. : C'est un bâtiment de plan rectangulaire formé de trois corps en U et cantonné de tours : une tour carrée couverte en pavillon sur l'angle NO et trois tours rondes couvertes de toits coniques à sommets arrondis sur les angles NE, SE et SO. Le corps de logis principal, à l'E, comprend un étage de soubassement, un rez-de-chaussée ouvrant à l'O sur la cour intérieure par une série d'arcades en plein cintre, un étage carré et un étage de comble éclairé par des œils-de-bœuf. Il est flanqué au centre de chacune de ses façades de tours rectangulaires demi-hors œuvre formant avant-corps, dont les toitures en pavillon sont beaucoup plus hautes que celles du logis lui-même. La tour O est percée au rez-de-chaussée d'une porte en plein cintre encadrée de pilastres à bossages portant un fronton cintré au-dessus duquel s'ouvre une grande baie rectangulaire surmontée d'un fronton triangulaire, lui-même surmonté d'une lucarne pendante couronnée d'un grand fronton cintré avec vases d'amortissement. L'aile O comprend un niveau de soubassement, souligné par un boudin, et deux étages carrés. Elle est desservie au N par un escalier en vis compris dans une tourelle à quatre pans hors œuvre dont le dernier étage, de plan carré, repose sur des culots d'angle en surplomb. L'aile N, à deux étages carrés, est complétée par une courte aile en retour d'équerre, de même élévation, dans le mur S de laquelle apparaissent les arrachements d'une muraille sommée d'un chemin de ronde. L'ensemble est bâti de petits moellons avec chaînes d'angle et entourages des baies en pierre de taille blanche. Les toitures sont en ardoise. Les communs flanqués de deux petites tours rondes s'alignent au S. Un vaste parc boisé entoure le tout.   F.V.

La Rochette. Façade E et aile S, état au XIXᵉ s. avant restaurations.

Saint-Maurice-de-Satonnay
Château de Saint-Mauris

Arr. Mâcon, c. Lugny, Saône-et-Loire.
A 17 km au N de Mâcon, par la RD 82 et
la RD 403.
Propriété privée.
On ne visite pas.
Dans la partie N du village, à flanc de
pente.
Hist. : Ce petit château, bâti sans doute
au XIIIᵉ s., appartint à la puissante famille
de Chevriers, de cette époque à 1783. Il
passa alors par legs à Gabrielle de Musy,
comtesse de Vallin, sur qui il fut séquestré
en 1792. Divers propriétaires s'y succédèrent au XIXᵉ s.
Descr. : D'un enclos presque carré il ne
subsiste que deux côtés, constitués de
vieux bâtiments agricoles disposés en L,
sur l'angle extérieur desquels se dresse
une tour circulaire percée d'une archère-
canonnière. Une seconde tour flanque la
façade d'un petit logis rectangulaire à un
étage carré et un étage de comble, couvert
d'un toit brisé, qui a été aménagé aux

XVIIIᵉ et XIXᵉ s. à l'emplacement de la
courtine orientale. Cette tour, qui comporte trois étages et domine nettement
l'ensemble des constructions, est couverte
d'un dôme de tuiles vernissées à égout
retourné, couronné d'un lanternon. Le
portail monumental, édifié en 1629 par
Laurent de Chevriers, dont les montants
étaient décorés de douze écussons aux
armes de ses prédécesseurs, a disparu à la
fin du XVIIIᵉ s.   F.V.

Saint-Mauris (château de)

Voir Saint-Maurice-de-Satonnay.

Saint-Micaud

Arr. Chalon-sur-Saône, c. Mont-Saint-
Vincent, Saône-et-Loire.
A 15 km au SE de Montchanin, par la
RD 28.
Propr. : M. E. de Fréminville.
On ne visite pas.

A la lisière S du village, à flanc de pente, en contrebas de l'église et de la route.

Hist. : Saint-Micaud semble avoir été détaché à la fin du XVIᵉ s. de la châtellenie de Mont-Saint-Vincent qui faisait partie du domaine ducal, puis royal, et engagé à François Royer qui en prit le titre; ses descendants conservèrent la terre jusqu'à la fin de l'Ancien Régime. Le château a été bâti par eux au XVIIᵉ s.

Descr. : Le château est constitué d'un corps central de plan rectangulaire entre deux gros pavillons carrés en légère avancée sur sa façade O. Il comprend un rez-de-chaussée et deux étages carrés, soulignés par trois bandeaux qui règnent tout autour de l'édifice. Les fenêtres de la façade E ont été pourvues au XIXᵉ s. de balconnets à appuis-corps en fer forgé, aménagés en avant de leurs allèges. A la même époque, une porte passante, surmontée d'un fronton cintré et précédée d'un escalier, a été percée entre le rez-de-chaussée et le premier étage de la façade O. La façade E est précédée d'une vaste cour rectangulaire entourée de communs et fermée par une grille et une porte cochère sans couronnement, donnant sur la route.   F.V.

Saint-Pierre-de-Varennes
Château de Brandon

Arr. Autun, c. Couches, Saône-et-Loire.
A 12 km au NE du Creusot, par la RD 43 et la RD 225.
Propr. : Comtesse L. de Masin.
Isolé, au sommet d'une butte.

Hist. : Poste militaire à une bifurcation de routes romaines, la colline de Brandon semble avoir été dotée d'une tour fortifiée dès le XIIIᵉ s. Possédée successivement par des seigneurs qui en portaient le nom, puis par des capitaines qui la gardaient au nom des ducs, elle fut confiée en 1365 à Robert d'Essertenne qui en devint seigneur héréditaire. Lorsque, après une vente intervenue en 1453 et des successions complexes au sein de la famille de Lugny, le château fut acquis en 1528 par Hugues-Bernard de Montessus, il consistait en une grande tour à deux étages et un étage de comble, un petit bâtiment annexe d'une seule pièce, une enceinte de murailles dans laquelle on pénétrait par une tour-porche. Le tout était entouré de bois. Saisi en 1633 sur Charles de Montessus, il fut vendu à Alphonse de Chaumelis en 1638, lequel le transmit en

Saint-Point en 1855.

Saint-Point, état actuel.

1653 à sa fille Huguette, épouse de Claude de La Coste. C'est vraisemblablement aux Chaumelis que l'on doit la construction du corps de logis, abandonné bientôt à des fermiers par leurs successeurs, les Beaurepaire, dont les descendants le conservèrent jusqu'en 1826. Il fut alors cédé à l'avocat Nicolas Tripier, dont descend le propriétaire actuel. D'importants travaux de restauration furent réalisés vers 1900 par la petite-fille de Nicolas Tripier, alors veuve de Ferdinand de Jouvencel.

Descr. : Les bâtiments sont répartis autour d'une enceinte de forme irrégulière, divisée en deux par un mur de soutènement séparant la basse cour de la cour du logis des maîtres. Celui-ci, de plan rectangulaire allongé et qui comprend un sous-sol, un rez-de-chaussée surélevé et un étage en surcroît, dont les lucarnes pendantes à ailerons sont couronnées de frontons alternatifs triangulaires et cintrés, occupe le flanc N. Il est flanqué sur ses angles NO et NE de tours carrées à 45°, celle du NE, plus importante, dont la base est légèrement talutée et qui abrite des salles voûtées desservies par un escalier en vis, est sans doute le donjon primitif. On y a aménagé au XVIIIᵉ s. un escalier tournant à rampe en fer forgé. Une aile en retour d'équerre aux baies obturées (fenêtres à linteau en arc segmentaire et lucarnes à frontons triangulaires et cintrés) occupe le flanc E.

Un pan de muraille relie cette aile à une troisième tour carrée où se trouve la chapelle restaurée vers 1900. Viennent ensuite des bâtiments agricoles et une écurie dont la porte en plein cintre est surmontée d'un écusson vide. La tour-porche qui donne accès à cet ensemble, par la basse cour, est située à l'angle SO; elle est percée d'une porte charretière et d'une porte piétonne en arc brisé surmontées des trois fentes des balanciers des ponts-levis dont l'ordonnance a été bouleversée par l'aménagement d'une grande fenêtre rectangulaire. F.V.

Bibl. : E. Fyot, « Le château et les seigneurs de Brandon », dans *Mém. de la Soc. éduenne,* t. XXVIII, 1900, pp. 1-104.

Saint-Point

Arr. Mâcon, c. Tramayes, Saône-et-Loire.
A 10 km au S de Mâcon, par la RD 22.
Monument historique (le cabinet de travail, le salon attenant et la chambre du premier étage), façades et toitures. ISMH.
Propr. : Comte de Noblet d'Anglure.
Visite autorisée.
A la lisière N du village, à proximité de l'église, à flanc de pente.
Hist. : On ignore la date de construction du château, mais il y eut des seigneurs de Saint-Point dès la fin du XIᵉ s. Leur lignée s'éteignit en 1629 en la personne de Claire de Saint-Point qui institua pour héritier son petit-fils, Claude de Rochefort

d'Ailly. La terre passa par mariage, en 1762, à Charles-Louis Testu de Balincourt qui la vendit, en 1776, à Esprit-François-Henri de Castellane. Endetté, le fils de celui-ci la céda, en 1802, à Pierre de Lamartine, ancien capitaine de cavalerie, qui devait en faire don à son fils, Alphonse, lors de son mariage, en 1820, avec Marianne Birch. Le jeune ménage fit tout d'abord restaurer le château que les pillages de 1789 avaient laissé en mauvais état, puis le poète, séduit par le style gothique anglais, le compléta, de 1852 à 1855, par un donjon, une galerie, des créneaux, tous aménagements fort coûteux qui contribuèrent à le ruiner. A sa mort, il passa à sa nièce, Valentine de Cessiat, puis il fut racheté, en 1894, par l'un des cohéritiers, Pierre-Jean-Charles de Montherot, grand-père du propriétaire actuel.

Descr. : Encore décrit au XVIIᵉ s. comme une maison forte cantonnée de quatre tours et défendue par des murailles à crénaux, le château n'a conservé de ses éléments primitifs que le corps de logis oriental, de plan rectangulaire, à un étage de soubassement et deux étages carrés, entre deux tours rondes un peu plus élevées, découronnées en 1789. Cet ensemble, remanié, paraît dater du XVᵉ s. L'étage de soubassement est enveloppé à l'E et au S par un portique à arcades en anse de panier, supportant une terrasse à garde-corps ajouré dû à Lamartine. Contre la façade occidentale de ce bâtiment, il a plaqué un ensemble de constructions parmi lesquelles, dans œuvre en façade, un donjon carré à trois étages carrés et un demi-étage, souligné par un bandeau, que couronnent des consoles de pierre sous un toit en pavillon. Une porte en accolade, précédée d'un porche hors œuvre de style flamboyant, donne accès au rez-de-chaussée. A droite du donjon, séparé de lui par un corps de logis comportant trois baies à chaque niveau, se dresse une haute tourelle circulaire hors œuvre couronnée d'un chemin de ronde crénelé ceignant la base d'une haute toiture conique. Le bâtiment qui fait suite à cette tourelle au S abrite le cabinet de travail voûté en berceau et tapissé de toile à rayures où Lamartine écrivit *Jocelyn*, *La chute d'un ange* et les *Recueillements poétiques*. L'ensemble comporte deux autres tours rondes, couronnées de mâchicoulis remontés au XIXᵉ s., et près du portail d'entrée, des communs moins remaniés

que le château. Dans le parc, se trouve un banc de pierre qu'affectionnait le poète et une table dite *table d'Abélard* qui proviendrait de l'abbaye de Cluny.   F.V.
Bibl. : L. Lex, *Histoire de Saint-Point*, Mâcon, 1898, 255 p., ill.

Saint-Racho
Château de Chevannes

Arr. Charolles, c. La Clayette, Saône-et-Loire.
A 6 km à l'E de La Clayette, par la RD 987. ISMH.
Propr. : Mᵐᵉ Colette Du Barry, comtesse Bernard de Noblet d'Anglure.
Visite autorisée (expositions).
Isolé, en fond de vallée.
Hist. : La seigneurie de Chevannes ou Chavannes appartint en 1478 à un certain Antoine Gachet, en 1645 à Antoine de Sermant et Barbe de Lestouf qui y résidèrent, en 1677 à Laurent de l'Aube, frère utérin du précédent, qui la légua en 1682 à son fils Philibert-Hubert. Celui-ci la vendit en 1727 à Claude de Brosses dont le petit-fils, Claude-Barthélemy, la tenait encore en 1789. La propriétaire actuelle l'a acquis en 1970 et en a entrepris la restauration. On ne sait rien des conditions dans lesquelles fut bâti le château qui date de la fin du XVIᵉ s.
Descr. : Le logis, de plan rectangulaire allongé, est flanqué sur ses angles NO et SO de deux tours rondes à toits coniques qui semblent n'avoir jamais eu de rôle défensif. Il comprend un rez-de-chaussée, un étage carré et un étage de comble couvert d'un toit à croupes. La façade O est irrégulièrement percée de baies rectangulaires, la façade E de grandes fenêtres à meneau et croisillon sans moulures. Les lucarnes, qu'un muret de pierre sépare des fenêtres de l'étage, sont surmontées de frontons à rampants concaves, flanqués de boules d'amortissement, dont les tympans sont ornés d'une demi-sphère et couronnés de petits éléments moulurés alternativement triangulaires et cintrés. A l'intérieur, un escalier droit, plaqué contre la façade à l'emplacement d'une fenêtre, dessert l'étage. Deux ailes en retour d'équerre s'appuient aux deux extrémités de la façade E. L'aile S est constituée de deux galeries ouvertes superposées : au rez-de-chaussée, une unique colonne de pierre soutient la galerie de bois de l'étage. L'aile N renferme une grange, des étables et un four à pain.   F.V.

Saint-Rémy
Château de Taisey

Arr. et c. Chalon-sur-Saône, Saône-et-Loire.
Au SO de Chalon-sur-Saône, par la RD 69.
ISMH.
Propr. : Colonel Mourey.
On ne visite pas.
A la lisière S du village, sur une terrasse dominant la Saône.
Hist. : Il y avait une maison forte à Taisey à la fin du XIIIe s.; en 1276 elle appartenait à Gaudin de Taisey. Un siècle plus tard, Girard de Montfaucon la laissait à sa fille Jeannette, épouse de Jacques de Saint-Clément, dont les descendants la conservèrent jusqu'en 1646 et y accueillirent, en 1595, les représentants de Mayenne et d'Henri IV qui y signèrent une trêve préliminaire au traité de Folembray. Vendue en 1646 à Philippe Bataille, capitaine major de Chalon, elle fut revendue, dès 1682, à Guillaume Magnien, secrétaire du roi, fils d'un avocat chalonnais, qui, sans détruire l'ancienne forteresse, fit bâtir à côté d'elle, de 1685 à 1690, une aimable demeure. Les plans furent donnés par l'architecte Convers, la réalisation confiée à Marcelin-Martin Lenoir, de Chalon. Après la mort de Guillaume Magnien, en 1692, le château échut à ses neveux, puis à leurs héritiers, les Burgat, qui en restèrent propriétaires jusqu'en 1815. Au XIXe s., il appartint successivement aux familles Meulien et Renaudin.
Descr. : De la maison forte primitive il ne subsiste qu'une tour carrée à trois étages carrés et un étage de comble, percée au premier étage d'une porte en plein cintre que surmontent les deux rainures d'un pont-levis. Le château du XVIIe s., édifié sur un niveau de soubassement percé de baies en arc segmentaire au-dessus desquelles règne un cordon, comprend un corps principal de plan rectangulaire allongé à un rez-de-chaussée et un étage de comble, entre deux ailes en retour d'équerre sur ses deux façades. L'avant-corps central, dont la porte est desservie par un escalier en fer à cheval, comporte un étage carré éclairé par une haute fenêtre passante en plein cintre. Ses angles sont adoucis par des pans concaves en bossages en tables, motif qui se répète aux angles intérieurs des ailes, les angles extérieurs étant soulignés par de simples chaînages. Les grandes fenêtres

Taisey. Façade E.

rectangulaires sont surmontées de tables rectangulaires. Les combles, couverts de toits brisés, certainement remaniés au XIXe s., sont éclairés par des œils-de-bœuf et, sur les façades latérales, par des lucarnes à fronton cintré, tandis que de grands frontons cintrés percés d'oculus couronnent les façades des ailes. Dans l'aile occidentale, subsiste un escalier tournant en bois à deux noyaux. P.C., F.V.
Bibl. : R. Violot, *Le château de Taisey,* dans *Mém. de la Soc. d'histoire et d'archéologie de Chalon-sur-Saône,* t. XXVIII, 1938, pp. 161-167, ill.

Saint-Romain-sous-Versigny

Arr. Charolles, c. Toulon-sur-Arroux, Saône-et-Loire.
A 10 km au SE de Toulon-sur-Arroux, par la RD 985.
Propr. : M. Yves de Maigret.
On ne visite pas.
Isolé, à flanc de pente.
Hist. : Ce château a été bâti vers 1850 par la famille Maublanc de Chiseuil sur une terre qui lui appartenait depuis le XVIIIe s. Le domaine fut vendu peu après et passa entre les mains de divers propriétaires, avant d'être acquis à la fin du siècle par la famille de Maigret. En 1900, des dépendances furent aménagées, modifiées ou augmentées au N du parc. En 1910, deux ailes furent ajoutées de part et d'autre du corps central et la propriété fut close d'un mur et d'un fossé en saut-de-loup.
Descr. : C'est un bâtiment de plan rectangulaire à un étage carré et un étage de comble, flanqué vers le N de deux courtes ailes en retour d'équerre et sur ses angles NE et NO de petits pavillons à un seul niveau. Le corps central et les ailes sont couverts de toits brisés en ardoise, percés de lucarnes à pignon découvert, les

159

pavillons de terrasses à balustrade. Au centre de la façade N, un avant-corps peu saillant d'une travée est souligné par deux chaînes en bossage en table. Un bandeau règne au niveau du sol de l'étage. La façade S est animée par un avant-corps à trois pans.   F.V.

Saint-Vincent-Bragny
Château de La Chassagne

Arr. Charolles, c. Palinges, Saône-et-Loire.
A 14 km au SE de Gueugnon, par la RD 352 et un chemin vers l'E.
Propriété privée.
On ne visite pas.
Isolé, en terrain plat.
Hist. et descr. : Le manoir de La Chassagne ayant été détruit au XIXe s. par un incendie, un vaste château, inspiré du style de la fin du XVIIe s., fut bâti à son emplacement. C'est un bâtiment de plan rectangulaire à un sous-sol, un rez-de-chaussée surélevé, un étage carré et un étage de comble sous un toit brisé en ardoises. La façade N est flanquée à ses extrémités de deux courtes ailes en retour d'équerre et animée en son centre d'un avant-corps à peine saillant d'une seule travée. La porte, percée au rez-de-chaussée, est accostée de pilastres en bossage en table, la porte-fenêtre de l'étage de pilastres corinthiens jumelés portant un entablement orné d'une guirlande et un grand fronton dont le tympan est décoré d'une coquille. Cet avant-corps est en pierre de taille de teinte dorée, de même que les encadrements des baies rectangulaires, les chaînes d'angle, le bandeau qui règne avec le sol de l'étage et les tableaux et médaillons placés entre les baies du corps principal. Ce ton contraste harmonieusement avec la blancheur du crépi qui recouvre les murs. Devant la façade, entre les ailes, se trouve une terrasse à balustrades que quelques marches séparent d'un parterre orné d'ifs taillés. Au-delà de ce parterre, quatre statues animent l'entrée d'une longue et large allée de tilleuls qui aboutit à une grille, entre deux pavillons carrés coiffés de toits à l'impériale. Au-delà de cette grille, une statue de Pomone et des vases d'ornements soulignent un hémicycle de tilleuls.

Sainte-Croix. Façade sur le parc.

Des communs s'étendent à l'O du château. F.V.

Saint-Yan
Château de Selore

Arr. Charolles, c. Paray-le-Monial, Saône-et-Loire.
A 12 km au SO de Paray-le-Monial, par la route de Saint-Yan à Anzy-le-Duc.
Propriété privée.
On ne visite pas.
Isolé, en fond de vallée.
Hist. : Le fief de Selore appartenait en 1563 à Guillaume Baudinot. On le retrouve ensuite, en 1642, entre les mains d'Isaac Baudinot, puis, en 1675, de Palamède Baudinot qui y fonda une chapelle dédiée à saint Maurice. Peut-être est-ce lui qui fut le constructeur du château. Sa veuve, Marie Lenet, en fit don en 1702 à Henry Lenet, abbé commendataire de Notre-Dame de Châtillon-sur-Seine. Celùi-ci le légua, en 1711, à son neveu, Louis-Bernard Duprat qui mourut en 1713, le laissant à Antoine Lenet.˙ En 1754, Antoine-Ignace Lenet le vendit à Philibert Verchère, conseiller au Parlement de Dijon, dont la veuve, Gabrielle Le Cocq, céda le domaine et le château entièrement meublé à Joseph de Monteynard de Monfrein et de Sousternon, grand sénéchal de Beaucaire, en 1777.
Descr. : Le château comprend un corps central de plan rectangulaire, à un étage carré et un étage de comble sous un haut toit à croupes, flanqué à ses deux extrémités d'étroites ailes en légère avancée sur ses deux façades, comportant deux étages carrés et un étage de comble. La travée centrale de chacune des façades principales est percée au rez-de-chaussée d'une petite porte carrée entre des pilastres en bossages en table et couronnée d'un fronton cintré. Celui du N est interrompu par le cadran d'une horloge, tandis que celui du S, plus volumineux, encadre des armoiries. Des bandeaux plats règnent avec les appuis des fenêtres. La demeure est précédée au N d'une cour close par un mur crénelé, interrompu par une porte cochère sans couronnement dont les piliers en bossages arrondis sont surmontés de boules d'amortissement. Au S, une vaste terrasse, portée par un mur de soutènement, la sépare d'un petit ruisseau. Répartis de part et d'autre du château, des communs et un pigeonnier circulaire complètent l'ensemble. F.V.

Sainte-Croix

Arr. Louhans, c. Montpont-en-Bresse, Saône-et-Loire.
A 7 km au S de Louhans, par la RD 396.
Propr. : Comte de Varax.
On ne visite pas.
A la lisière E du village, au bord du Solnan.
Hist. : Ancienne baronnie possédée dès le XIIIe s. par la famille de Vienne, la terre de Sainte-Croix passa par mariages, au milieu du XVe s., aux Hochberg, puis, au début du XVIe s., aux Orléans-Longueville. En 1626, Henri II d'Orléans-Longueville la vendit à Charles de Champlecy (ou Chanlecy) dont hérita immédiatement sa fille, Charlotte, qui devait épouser en secondes noces, en 1659, Charles de Batz de Castelmore d'Artagnan, modèle du héros d'Alexandre Dumas. Leur petit-fils, Louis-Gabriel, vendit Sainte-Croix en 1741 à Jean-François-Joseph d'Iverny qui restaura le château et fit ériger la seigneurie en marquisat en 1744. En 1759, le château avec son mobilier fut vendu à Claude-François de Renouard de Fleury dont descendent les propriétaires actuels.
Descr. : Le château est constitué d'un corps de logis de plan rectangulaire à un rez-de-chaussée, un étage carré et un demi-étage, flanqué sur ses angles NE et SE de pavillons reliés entre eux par un bâtiment à un seul niveau, plaqué contre la façade orientale, qui porte une terrasse à appui-corps en fer forgé. Dans les angles formés par les pavillons et le corps central ont été établis, à la hauteur du demi-étage, de petits balcons sur trompes. Au centre de la façade O du logis s'ouvre une porte en arc brisé, à assises alternées de pierre ocre et noire, que surmonte une petite fenêtre à linteau en accolade. Toutes les autres baies ont des linteaux en arc segmentaire. F.V.
Bibl. : R. Oursel, *Inventaire départ... Cant. de Montpont*, 1977, pp. 70-72, ill.

La Salle

Arr. Mâcon, c. Lugny, Saône-et-Loire.
A 15 km au N de Mâcon, au carrefour de la RD 86 et du chemin de La Salle à Clessé.
Propriété privée.
On ne visite pas.
Isolé, à flanc de pente, dans la vallée de la Mouge.
Hist. : Le château de La Salle a été édifié au XIIe s. pour surveiller un péage établi

161

sur la Saône à hauteur du confluent de la Mouge avec celle-ci. L'histoire en est confuse jusqu'au XIVe s. : il semble qu'il ait alors été entre les mains d'une famille seigneuriale qui en portait le nom. En 1368, le propriétaire en était Girard de Vers qui partageait le péage qui en dépendait et les domaines qui l'avoisinaient avec Catherine de La Salle. Au début du XVe s., il passa à la famille de Saint-Point, puis, dans des conditions mal définies, à Melchior Mitte de Chevrières. Les héritiers de celui-ci le vendirent vers 1659 à Pierre Perrachon qui parvint à réunir entre ses mains les éléments dispersés de la seigneurie qui échut par mariage en 1675 à Gabriel de Briord. Celui-ci en obtint, en 1691, l'union à la baronnie de Sennozan au sort de laquelle elle demeura liée jusqu'à la fin de l'Ancien Régime. Un château a été construit à quelque distance au XIXe s.

Descr. : Parmi les constructions hétéroclites très remaniées qui ne permettent pas de reconstituer les structures du château lui-même, se dresse une tour rectangulaire, haute de trois étages, couronnée de consoles à ressaut ayant porté des mâchicoulis en bois. Les planchers et escaliers intérieurs ont disparu. Quelques baies ont été percées à des époques diverses dans les murailles qui ont conservé les trous des bois d'échafaudage.

F.V.

Bibl. : F. Perraud, *Le Mâconnais historique*, 1921, pp. 199-201.

Salornay (château de)

Voir Hurigny.

Sancé
Château du Parc

Arr. Mâcon, c. Mâcon-Nord, Saône-et-Loire.
A 6 km au N de Mâcon, par la RD 103.
Propr. : M. Renoud-Grapin.
On ne visite pas. Isolé, à flanc de pente.
Hist. : Le premier titulaire connu du fief du Parc est, en 1231, Jean, panetier du comte de Mâcon. Guy de Chevrier le possédait en 1366, dont la fille le porta en 1393 à Guillaume de Busseul. La famille de Busseul le conserva un siècle. Vers 1500, il passa à Jacques Mareschal, puis, en 1550, à Jean Mitte-Miolans de Chevrières, issu d'une famille du Forez. Les Mitte de Chevrières en furent maîtres jusqu'en

1659, date à laquelle il fut acquis par Pierre Perrachon, richissime seigneur de Senozan, qui abandonna le château du Parc à des régisseurs, exemple que suivirent tous ses successeurs jusqu'à la Révolution. Au milieu du XIXe s., il appartenait à la famille de Lacretelle.

Descr. : Les murailles extérieures, en partie conservées, décrivent un polygone irrégulier. Épaisses de 1 m et hautes de 6 à 7 m, elles étaient, jusqu'en 1835, entourées de larges fossés d'eau vive que franchissait un pont-levis. A l'intérieur de cette enceinte, à laquelle sont adossés divers communs, s'élève un donjon circulaire contre lequel s'appuie au N, l'ancien corps de logis, lui-même flanqué d'une petite tour ronde. Le donjon comprend un rez-de-chaussée voûté dépourvu de toute ouverture, un étage voûté d'arêtes occupé par une chapelle éclairée par trois étroites baies à arc en lancette et un second étage, relié au précédent par un escalier pratiqué dans l'épaisseur du mur, que ceinture à l'extérieur une rangée de consoles de pierre destinées à soutenir des hourds auxquels donnaient accès trois ouvertures circulaires. Le logis comporte lui-même un rez-de-chaussée, pourvu d'une vaste cheminée et un étage carré avec plafond à poutres apparentes à la française, qu'une petite porte met en communication avec la chapelle. Les divers bâtiments, y compris le donjon, sont couverts de toits plats en tuiles creuses. L'ensemble paraît avoir été bâti au début du XIIIe s., puis remanié aux XIVe et XVIIe s.

F.V.

Bibl. : F. Perraud, *Les environs de Mâcon*, 1912, pp. 443-453.

Sassangy

Arr. Chalon-sur-Saône, c. Buxy, Saône-et-Loire.
A 26 km au SO de Chalon, par la RD 245 et un chemin privé.
Propr. : M. Albert Bourgeon.
On ne visite pas (visible de la RD 977 en bordure de laquelle se trouve une grille entre deux pavillons).
En contrebas du village, sur une terrasse naturelle dominant un fond de vallée.
Hist. : La plus ancienne mention connue du lieu de Sassangy remonte à 1218, mais on ne sait rien de ses seigneurs avant 1473, date à laquelle le fief était entre les mains de Jean de Messey et de François de Saulx. Les Messey en réunirent les divers éléments, notamment une tour

située près de l'église, puis le transmirent par mariage, à la fin du XVIe s., aux Damas (mariage de Jean III Damas de Marcilly avec Catherine de Messey en 1584). Ceux-ci conservèrent Sassangy jusqu'à la fin de l'Ancien Régime. Sur un emplacement sans doute vierge jusqu'alors de toute construction, Antoine-François Damas bâtit vers 1740 un nouveau château, qui n'était pas achevé lorsqu'il mourut en 1747, laissant ses biens à sa sœur, Marie-Philippe-Nicole Damas de Marcilly, qui habitait avec lui à Sassangy. Celle-ci légua ses biens en 1750 à son cousin Jean-Pierre Damas de Thianges, maréchal de camp, qui poursuivit l'embellissement du château, qu'entouraient des bosquets et un vaste parc à l'anglaise. Lui-même était le dernier de sa lignée. Il vendit Sassangy en 1792. Le domaine fut acquis au début du XIXe s. par la famille de La Roche La Carelle qui le conserva jusqu'à la fin du siècle. Il passa ensuite à la famille de Fleurieu. En 1923, le château fut vendu à Jean-Louis Bonnot, géomètre à Chalon, qui abattit en 1925-1926 les pavillons latéraux et édifia à l'E une petite tour. M. Bourgeon en a hérité en 1960.

Descr. : Construit sur le bord d'une terrasse naturelle qui en constitue le soubassement, le château, de plan rectangulaire, comprend un sous-sol, un rez-de-chaussée, un étage carré et un étage de comble sous un toit brisé. Au centre de la façade S, se détache en légère avancée un avant-corps de trois travées surmonté d'un fronton triangulaire à oculus, couronné d'un clocheton. Il est percé au rez-de-chaussée d'une porte rectangulaire à deux vantaux entre deux pilastres en bossage en table, portant un entablement sur lequel prend appui, entre deux vases d'amortissement, un fronton cintré. Les baies de l'étage ont des linteaux en arc segmentaire. La façade N présente la même disposition, mais la porte centrale est surmontée d'un entablement en plein cintre. Des boules d'amortissement complètent les lucarnes à pignon découvert. De part et d'autre du corps central, des bandeaux règnent avec les appuis des fenêtres. A l'origine, ce bâtiment était flanqué de deux pavillons, dans le même alignement, cités dans un dénombrement de 1758-1759. Ils comportaient un sous-sol, un rez-de-chaussée surélevé, un étage carré et un demi-étage soulignés par des bandeaux et étaient couverts de toits à croupes dont le faîte était au même niveau que celui du corps central. Ils ont été abattus en 1925-1926; contre le pignon E, fut alors édifiée une petite tour carrée à toit très aigu de tuiles polychromes. Le château est relié au parc, aujourd'hui en presque totalité transformé en pâtures, par un escalier en fer à cheval à deux doubles volées droites et repos formant retour d'équerre, dont le palier est porté par une voûte d'arête retombant sur des piles carrées et des colonnes. Volées, repos et palier sont bordés de balustrades rythmées par des dés. De vastes communs des XVIIe, XVIIIe et XIXe s. occupent, à l'E, une échancrure de la falaise. F.V., A.B.

Sassenay

Arr. Chalon-sur-Saône, c. Chalon-Nord, Saône-et-Loire.
A 9 km au NE de Chalon, par la RD 5.
Propr. : La commune (mairie).
On ne visite pas.
Au milieu du village, à côté de l'église, sur une petite éminence.
Hist. : L'origine du bourg de Sassenay remonterait à un transfert plus ou moins mythique, au IXe s., des reliques de saint Senoch. Le premier seigneur connu en est Girard de Rion qui tenait le château à la fin du XIIe s. Sa fille, Béatrix, épousa vers 1193 le second fils du duc Hugues III, Alexandre, dont est issue la famille de Bourgogne-Montaigu. Sassenay passa à Guillaume et enfin à Odard de Montaigu qui se fit confirmer la possession de la maison forte par le duc Eudes IV en 1326. Son fils Henry étant mort en 1347 sans héritier mâle, la terre de Sassenay revint à sa sœur Isabelle, femme de Robert Damas de Marcilly. A la mort de celui-ci, vers 1365, Sassenay fut partagé entre ses fils Hugues et Philibert, puis échappa définitivement à la famille de Damas dès le milieu du XVe s. Un siècle et demi plus tard, le titulaire en était François de Montmorency. En 1540, il vendit le fief à Denis de Pontoux qui en fit don, en 1570, à sa fille Anne lors de son mariage avec Bénigne Tisserand. Par héritage, celui-ci parvint ensuite entre les mains d'Edme Régnier de Montmoyen sur la succession duquel il fut confisqué et vendu en 1656 à Bernard Bernard, président au Parlement. Les Bernard firent ériger la terre en marquisat et reconstruisirent le château, depuis longtemps laissé à l'abandon, qu'ils conservèrent jusqu'en 1840, bien

qu'il ait été pillé et dépouillé de ses grilles durant l'émigration en Amérique de Henri Bernard. La commune, qui en est propriétaire depuis 1850 environ, y a aménagé des locaux administratifs et des logements.

Descr. : Le château est précédé au S d'une terrasse en terre-plein bordée d'un garde-corps dont les contours, de part et d'autre d'une rampe d'accès centrale en pente douce, dessinent un pan concave entre deux angles droits. Il est formé d'un corps central de plan rectangulaire, flanqué de deux ailes en légère avancée sur chacune de ses façades, la saillie étant nettement plus prononcée au S qu'au N. Le toit de tuiles, à deux versants, du corps central s'appuie à ses deux extrémités sur les toits à croupes des ailes. L'ensemble comprend un rez-de-chaussée et un étage carré percés de grandes baies rectangulaires et un étage de comble éclairé par des œils-de-bœuf et, sur les façades latérales, des lucarnes à ailerons couronnées de frontons. Un gros pigeonnier circulaire subsiste dans une propriété voisine. F.V.

Bibl. : G. Morin de Finte, *Un petit village du Chalonnais : Sassenay à travers les âges,* Paray-le-Monial, 1947, 91 p., ill.

Sauvement (château du)

Voir Ciry-le-Noble.

Savianges

Arr. Chalon-sur-Saône, c. Buxy, Saône-et-Loire.
A 25 km au SO de Chalon, par la RD 245 et un chemin vicinal vers l'O.
Propr. : M. d'Anthouard. On ne visite pas.
Isolé, à côté de l'église, au S du village, sur une butte dominant la vallée de la Guye.
Hist. : En 1363, Hugues de Lespinasse tenait le château et maison forte de Savianges, qui passa en 1374 à Girard de Damas, époux de Catherine de Lespinasse. Savianges échut, en 1618, à Elizabeth de Damas, mariée à Charles de Senailly, puis fut légué, en 1664, à Jean-Nicolas de Fuligny-Damas dont la femme l'aliéna à Claude de Thyard, lequel avait tenté en vain durant deux ans d'obtenir un rabais sur le prix de vente en raison du mauvais état du château. Les Thyard conservèrent le domaine jusqu'à sa vente, en l'an XI, à Antoine de La Vaure et Antoine Dulac. La structure générale du château pourrait remonter au

XIIIe s. L'ensemble des bâtiments a été remanié à maintes reprises, notamment au XVIe et au XIXe s.
Descr. : Précédé d'une basse cour, en partie transformée en terrasse, mais dont le côté S et une partie du côté O sont occupés par des communs en équerre, le château est formé d'un ensemble de bâtiments entourant sur trois côtés une petite cour rectangulaire. Cette cour était jadis séparée de la basse cour par un mur percé d'une porte en plein cintre, flanquée d'une tour carrée, encore en place, dont le dernier étage est ceinturé de corbeaux ayant porté des hourds. Une tour d'escalier circulaire, dans l'angle SE de la cour, dessert les galeries sur portiques à arcades en plein cintre, de même type que celles des maisons vigneronnes de la région, qui s'appuient sur les façades des trois corps de logis. Une tour circulaire flanque la muraille extérieure E, dont le tracé arrondi reprend celui, entouré de fossés, de la motte primitive. F.V.

Savigny-sur-Grosne

Arr. Mâcon, c. Saint-Gengoux-le-National, Saône-et-Loire.
A 18 km au N de Cluny, par la RD 127.
Propriété privée.
On ne visite pas.
Dans un hameau, au sommet d'une butte dominant la vallée.

Hist. : On ne sait rien de l'histoire de ce château avant 1560, date d'une reprise de fief par Antoine de Colombier. Encore cette mention n'apporte-t-elle aucune précision sur le passé ni sur l'avenir de la maison forte qui ne réapparaît ensuite qu'en 1669, lorsque Michel Le Tellier, fils du ministre Louvois, en effectua à son tour une reprise de fief. Il est probable que ce domaine lui avait été apporté par son épouse, Anne de Souvré. Par mariage il passa ensuite à François de La Rochefoucault, à Charles-Emmanuel de Crussol d'Uzès, puis, en 1755, à la fille de celui-ci qui devait épouser Louis-Marie-Bretagne de Rohan-Chabot, duc de Rohan, qui tenait Savigny à la veille de la Révolution. Cette succession de propriétaires aux noms prestigieux qui faisaient gérer leurs terres sans jamais y résider, avait été néfaste au château, laissé à l'abandon. Au XIXe s., il fut morcelé entre plusieurs propriétaires qui y aménagèrent des logements et des granges et remises.

Descr. : Le château a vraisemblablement été bâti au XIIIᵉ s., puis remanié au XVIᵉ s. Sa structure générale est encore lisible dans les pans de murs et bases de tours qui subsistent : il s'agit d'un grand quadrilatère cantonné de grosses tours rondes. Il semble que l'entrée, précédée d'un fossé, en ait été située au N, entre deux gros pavillons de plan presque carré appuyés à la courtine. Le pavillon situé à l'O de cette entrée est percé de grandes fenêtres à meneau et croisillon et flanqué, dans l'angle qu'il forme avec la courtine, d'une petite tour rectangulaire renfermant un escalier en vis auquel on accède par une porte dont le linteau, orné d'un arc trilobé, porte des traces d'un écusson peint. Un escalier à plafond peint, encore cité il y a quelques années, semble avoir disparu dans l'effondrement des planchers intérieurs du pavillon. Des maisons de style mâconnais, avec galerie à l'étage, s'appuient à l'extérieur des courtines O et S.   F.V.

Selore (château de)

Voir Saint-Yan.

Semur-en-Brionnais

Arr. Charolles, Saône-et-Loire.
Au centre du bourg, par la RD 989.
ISMH.
Propr. : Commune et comtesse de Maison-Rouge.
Visite autorisée.
Au centre du bourg, au point le plus étroit d'un éperon rocheux.
Hist. : Le site naturellement fortifié de Semur fut probablement occupé dès les temps préhistoriques. En 879, il fut temporairement confié par Boson à l'évêque d'Autun, avant de donner asile, dans l'insécurité de la fin du IXᵉ s., à Freelan de Chamelet (ou Chamilly) dont est issue l'une des plus puissantes familles bourguignonnes, qui en prit le nom et affirma au XIIᵉ s. son indépendance à l'égard du comté de Chalon dont l'endroit, en principe, relevait. A la fin du Xᵉ s., Joceran, fils de Freelan de Chamelet, y bâtit un donjon entre les murs duquel devait naître son petit-fils, Hugues, futur rénovateur de l'abbaye de Cluny. Le château de Semur, qui dépendait sur le plan religieux de la paroisse de Saint-Martin-la-Vallée, resta entre les mains des Semur durant quinze générations, le dernier d'entre eux s'étant éteint

Semur-en-Brionnais. Tour ronde flanquant la porte et donjon rectangulaire.

en 1244. La baronnie fut cédée en 1262 à Jean de Châteauvillain, puis passa vers 1320, par mariage, aux sires de Beaujeu qui laissèrent la place forte à l'abandon, ce qui autorisa le duc à y établir un capitaine châtelain. Les Bourbon leur succédèrent à partir de 1400, puis Louis de La Témouille, à qui Gabrielle de Bourbon l'apporta en dot en 1485. Finalement la baronnie de Semur fut vendue au roi Charles VIII, peu de temps après ce mariage, et désormais confiée à des seigneurs engagistes qui ne la conservèrent jamais longtemps. Parmi ceux-ci figurent le maréchal Jacques de Chabannes et, au XVIIᵉ s., la famille de Coligny. Gaspar-Alexandre de Coligny aliéna Semur en 1693 à Jean du Puy, qui se fit construire une nouvelle demeure à Saint-Martin-la-Vallée. Le fils de celui-ci en fut en partie dépossédé en 1793, la baronnie ayant alors été restituée à l'État comme bien engagé. Le château, qui avait cessé d'être une résidence à la fin du XIIIᵉ s., fut renforcé lorsque les ducs de Bourgogne l'eurent pourvu d'un capitaine châtelain (1379-1477) : le donjon fut alors fortifié, le mobilier et l'artillerie soigneusement entretenu. Compris au XVIᵉ s. dans le domaine engagé, il fut aliéné parcelle par parcelle, le donjon carré et les deux tours circulaires qui le précédaient restant seuls à la charge du seigneur engagiste, qui devait y entretenir les prisons du bailliage, créé vers 1560, en même temps qu'il subvenait à tous les frais de justice. C'est ainsi que Jacques-Nicolas Dupuy fit bâtir, vers 1760, la maison du geôlier, à l'O des tours rondes, et, en 1775, l'auditoire du bailliage sur des plans de l'architecte Guillemot. Au début du XIXᵉ s., on tenta d'abattre le donjon en pratiquant des brèches à sa base. Depuis 1968, des travaux de mise en valeur ont été menés par une équipe de jeunes gens animée par M. J.-L. Dosso-Greggia.

Descr. : De l'ensemble fortifié qui occupait la totalité de l'éperon rocheux, il ne subsiste que les restes d'une poterne et, sur une terrasse, une haute tour de plan rectangulaire. La poterne, totalement modifiée par les travaux entrepris en 1760, consistait en une porte située à l'étage, défendue par une herse et par un mâchicoulis sur arcade, de même type que ceux de Chamilly et Sercy. Celui-ci était lancé entre deux tours rondes, à bases légèrement talutées, percées de très rares archères à embrasures plongeantes. La porte a été bouchée et des escaliers ont été construits à son emplacement pour donner accès au premier étage des tours. Celles-ci comportent un rez-de-chaussée et un étage voûtés en calotte. La tour N comporte une citerne, la tour O un escalier aménagé dans l'épaisseur du mur. La tour rectangulaire, haute de 22 m et dont les murs ont à la base 2 m d'épaisseur, présente les trous des poutres de quatre niveaux de plancher. Sa construction est le résultat de remaniements successifs du XIᵉ au XVᵉ s. Les niveaux inférieurs sont bâtis en moyen appareil dans lequel apparaissent des assises en arête de poisson, les troisième et quatrième niveaux en petit appareil. On discerne dans les murailles des ouvertures en plein cintre qui ont été obturées, une petite porte, au premier étage dont l'encadrement rectangulaire paraît indiquer qu'une passerelle la fermait, enfin, au S et à l'O, deux fenêtres à meneau et croisillon dont les embrasures sont munies de coussièges et qui sont sans doute contemporaines d'une vaste cheminée dont seuls subsistent les piédroits. Les substructures d'une petite tour dominent au SO la vallée. F.V.

Bibl. : F. Cucherat, « Semur-en-Brionnais, ses barons, ses établissements civils, judiciaires et ecclésiastiques depuis l'an 860 jusqu'à nos jours », dans *Mém. de la Soc. éduenne*, t. XV, 1887, pp. 251-313 et t. XVI, 1888, pp. 95-174.; J. Richard, « Aux origines du Charolais... (Xᵉ-XIIIᵉ s.) », dans *Ann. de Bourgogne*, t. XXXV, 1963, pp. 81-114.

Sennecey-le-Grand

Arr. Chalon-sur-Saône, Saône-et-Loire.
A 14 km au S de Chalon, par la RN 6.
ISMH, site classé.
Propr. : La commune.
Château détruit.
A la sortie du village, en terrain plat.

Hist. : L'existence d'un château à Sennecey remonte sans doute au XIIᵉ s. Il appartenait alors à Tibert de Sennecey. La famille de Sennecey s'éteignit vers 1400 et la terre passa alors par héritage à Jean de Toulongeon, futur maréchal de Bourgogne, qui dut rebâtir le château à partir de 1423, après qu'il eut été pris et ruiné par les troupes de Bernard d'Armagnac. Après sa mort, en 1427, les travaux furent achevés par son fils Jean II. Celui-ci disparut en 1462 sans unique fils en 1479, aussi la baronnie de Sennecey revint-elle à sa sœur Clauda, femme de Jean de Bauffremont. Les Bauffremont la conservèrent jusqu'en 1641 et transformèrent complètement le château : vers 1550, Nicolas de Bauffremont, grand prévôt de l'hôtel du roi, en agrandit la chapelle, puis, à partir de 1580, en entreprit la totale restauration que son fils acheva en 1592. En 1641, il échut à Jean-Baptiste Gaston de Foix, mari de l'unique héritière des Bauffremont. Dès 1714, il passait à Guillaume-Alexandre de Vieux-Pont qui entama avec les habitants, qu'il voulait contraindre à restaurer les fortifications en partie ruinées, un interminable procès que poursuivirent ses successeurs, Pierre-Louis et Joseph-Joseph d'Ailly. En 1777, ce dernier vendit Sennecey à Madeleine Olivier de Senozan Viriville, mariée peu après à Archambaud Talleyrand de Périgord. Durant la période révolutionnaire, les créneaux des courtines furent seuls démantelés. Le château était presque intact quand, en 1824, après en avoir dispersé le mobilier, le comte de Noailles, qui en avait hérité, le vendit à la commune qui le démolit pour construire une église paroissiale.

Descr. : Entouré de fossés, le château primitif était de plan approximativement rectangulaire, cantonné de tours circulai-

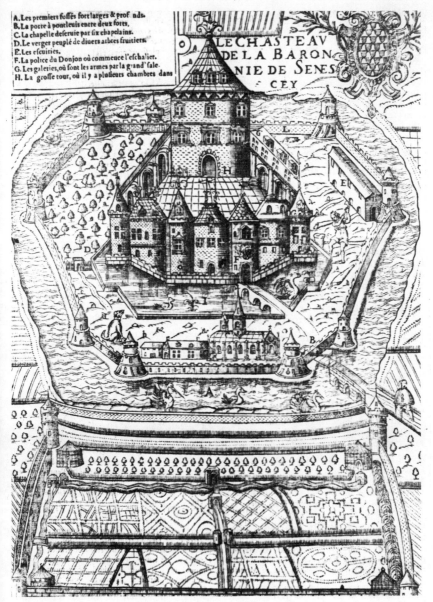

A. Les premiers fossés fort larges & profonds.
B. La porte à pontleuis entre deux forts.
C. La chapelle deseruie par six chapelains.
D. Le verger peuplé de diuers arbres fruitiers.
E. Les escuiries.
F. La police du Donjon où commence l'eschalier.
G. Les galeries, où sont les armes par la grand'sale.
H. La grosse tour, où il y a plusieurs chambres dans

LE CHASTEAV DE LA BARONNIE DE SENESCEY

Sennecey-le-Grand. Vue cavalière du XVIᵉ s.

res. Au XVᵉ s., il avait été renforcé, sur son angle SO, de deux grosses tours flanquant la porte d'entrée, qui ne disparurent qu'au début du XIXᵉ s. Les travaux du XVIᵉ s. portèrent essentiellement sur le percement de hautes fenêtres et la transformation de la disposition et du décor du grand corps de logis appuyé contre la courtine N. Ils furent complétés par l'aménagement, après comblement des fossés, d'une vaste enceinte rectangulaire cernée de courtines crénelées, can-

167

tonnée de bastions et environnée de douves d'eau vive, qui englobait l'ancienne basse cour où était située la chapelle et était précédée au N d'un pont de pierre aboutissant à un corps de passage flanqué de pavillons à toits aigus que couronnaient des statues de Jupiter, Vénus et Junon. Les façades étaient couvertes de sculptures. Tout à disparu à l'exception des quatre pavillons d'angle, des bases des murailles, d'une partie des douves, de deux ponts de pierre et des communs. Dans l'aile orientale des communs qui abrite la mairie, s'ouvre une porte en plein cintre, entre deux pilastres cannelés, que surmonte un entablement sur lequel alternent des bucranes et des rosaces, séparés par des triglyphes, supportant un édicule à niche concave au-dessus de laquelle est gravée la date de 1592. Une porte de même type, ornée de médaillons, donne accès à l'aile O. Les pavillons N, bâtis sur des bastions dont on conserve encore, sur son angle extérieur, un cartouche aux armes des Bauffremont, comportent des chaînages d'angle, des bandeaux et des encadrements de baies en bossage troué. F.V.

Bibl. : L. Niepce, *Histoire de Sennecey et de ses seigneurs*, Chalon, 1866, pp. 217-248 et 264-518, ill.

Sennecey-le-Grand
Château de Ruffey

Arr. Chalon-sur-Saône, Saône-et-Loire.
A 2 km au SO de Sennecey-le-Grand, par un chemin vicinal. ISMH.
Propriété privée. On ne visite pas.
Au N du hameau de Ruffey, au fond du vallon.
Hist. : Vraisemblablement bâti dès le XIIIe s. par la famille de Brancion à l'emplacement d'un ancien poste romain, le château de Ruffey, après être passé entre les mains de la famille de Nanton au XIVe s., fut aménagé à la fin du XVe s. par Claude de Lugny qui fit, dans le même temps, édifier une chapelle seigneuriale à l'église Saint-Julien. Par succession il passa ensuite à la famille de La Chambre qui le vendit à la fin du XVIe s. aux Bauffremont de Sennecey. En 1714, le fief de Ruffey fut détaché de la baronnie de Sennecey pour le duc de Lauzun qui le laissa aux Gontaut-Biron. Vendu en l'an VI, il fut partiellement détruit vers 1825 puis laissé à l'abandon jusqu'à sa restauration par J.-B. Virey à partir de 1875.

Descr. : Entouré de larges fossés taillés dans le roc au N et à l'O, le château occupait une plate-forme rectangulaire cantonnée de trois tours rondes et d'une tour carrée à l'E. Des bâtiments entouraient sur trois côtés la cour centrale limitée à l'O par une courtine percée d'un portail qu'un pont-levis reliait à la basse cour fortifiée. Il en subsiste, isolée, la tour de l'angle O et à l'E, entre la tour carrée et une tour ronde, le corps de logis principal et une courte aile en retour d'équerre qui comprennent un rez-de-chaussée et deux étages carrés qui sont éclairés de fenêtres à meneaux et possèdent de belles cheminées à vastes manteaux moulurés. Un chemin de ronde règne dans l'épaisseur des murs, à la base des toits. Les communs sont dotés du même dispositif. F.V.

Bibl. : L. Niepce, *Histoire du canton de Sennecey-le-Grand*, t. III, Chalon, 1903, pp. 1-83 ; J. Virey, « Excursion à Sennecey-le-Grand et Tournus », dans *Ann. de l'Acad. de Mâcon*, t. XIV, 1909, pp. 462-464, pl.

Sennecey-le-Grand
Château de la Tour de Sennecey

Arr. Chalon-sur-Saône, Saône-et-Loire.
A 14 km au S de Chalon, par la RN 6 et un chemin en direction de l'O.
Propr. : M. Bouchard.
On ne visite pas.
A la lisière SO du village, en terrain plat.
Hist. : A moins de 200 m au SO du château de Sennecey s'élevait un second château, bâti peut-être dès le XIe s. par un prévôt bénéficiaire de l'émiettement du pouvoir comtal. Au XIIe s. ce château, appelé La Tour, appartenait à la famille Gallois d'Arlay à laquelle succéda, au début du XIVe s., la famille de Vuillafans. Après l'extinction de celle-ci, le fief de La Tour fut vendu en 1576 à Claude de Bauffremont qui démantela les fortifications de la maison forte qu'il engloba dans le vaste parc de sa demeure de Sennecey.
Descr. : Un corps de logis, flanqué de deux tours rondes du XVe s. et des communs percés de portes en plein cintre sont disposés en U autour d'une cour ouverte à l'E. Isolée, à l'angle NE, se dresse une grosse tour carrée, appartenant peut-être à la construction primitive qu'entourait une muraille ceinte d'un profond fossé. Elle était jadis couronnée de merlons régnant autour d'une terrasse qui ont disparu à la fin du XVIIIe s. pour faire place à une toiture en pavillon. A

Ruffey. Château et communs, vue générale.

l'E, dans l'axe de la cour, une demeure comprenant un sous-sol, un rez-de-chaussée surélevé, un étage carré et un étage de comble sous un toit d'ardoise a été bâtie au XIXe s. sur une légère éminence. F.V.

Bibl. : L. Niepce, *Histoire du canton de Sennecey-le-Grand,* Lyon, 1875, t. I, pp. 249-263.

Sercy

Arr. Chalon-sur-Saône, c. Buxy, Saône-et-Loire
A 23 km au N de Cluny, par la RD 981.
Monument historique.
Propr. : Baron de Contenson.

Sercy. Vue générale.

Visite autorisée sur demande.
En bordure du village de Sercy, en terrain plat.

Hist. : Le château de Sercy, qui remonte dans ses parties les plus anciennes aux XIIᵉ et XIIIᵉ s., était alors une puissante forteresse. *Au temps des ducs,* assure l'historien bourguignon Pierre de Saint-Julien de Balleure, *le sieur de Sercy était le plus riche écuyer de la contrée.* Le premier Sercy connu est cité en 1067, vraisemblablement un cadet de la puissante maison de Brancion. Comme l'a remarqué récemment M. Marcel Dazy, *les Sercy sont, tout au cours du Moyen Age, des générations d'hommes rudes et batailleurs, mêlés aux batailles de leur temps :* rivalités seigneuriales, croisades, guerre de Cent ans et guerres bourguignonnes. Il leur fallait donc un château fort capable de résister aux attaques imprévues : les seigneurs de Sercy s'appliquèrent avec constance à le rendre imprenable. Sercy resta dans la même maison pendant sept siècles successifs, jusqu'au XVIIIᵉ s., ce qui assura une belle continuité de travaux à la forteresse. Après Jean de Sercy, qui rapporta de la croisade l'innovation des hourds de maçonnerie copiés sur ceux du krak des Chevaliers, citons Guillaume de Sercy, le plus illustre de la maison : bailli de Chalon en 1450, maître des Foires, premier écuyer d'écurie du duc Philippe, qui eut comme page Charles, alors comte

Sercy. Tour-porche et tour d'angle avec hourds.

du Charolais, le futur Charles le Téméraire. C'est Guillaume qui perfectionna la défense du château et y introduisit un certain confort. Au xvie s., Claude de Sercy commença sur la colline, à quelques centaines de mètres de la forteresse, un nouveau château de style Renaissance, qui ne fut jamais achevé. Claude mourut en effet prématurément, ainsi que son fils. Ce fut la fin de la descendance mâle des Sercy. En 1771, terre et château furent adjugés à Antoine Viard, lieutenant général du bailliage de Mâcon, puis furent acquis par Claude Perroy de La Foretille, conseiller en la Chambre des comptes de Dijon, qui fut guillotiné un des derniers sur la place de la Révolution au début de 1793. Sa petite-fille, Jacqueline-Marie, épousa en 1806 le baron de Contenson, ancêtre du propriétaire actuel. Restauré de 1811 à 1815, mais très endommagé par un incendie en 1929, le château est en cours de remise en état.

Descr. : Un des châteaux médiévaux les mieux conservés et les plus curieux de la région. Il comportait à l'E une première enceinte dont il ne reste que la tour-pigeonnier circulaire qui en occupait l'angle SE. On y accédait par un pont-levis situé au S. Un pont dormant situé à l'E lui fut substitué après une destruction partielle intervenue pendant la guerre de Cent ans. Il est maintenant enfoui sous une pelouse que précède un étang. La seconde enceinte comprenait, entre deux cours triangulaires dont seule subsiste celle du S, le château proprement dit, dont les bâtiments, rassemblés autour d'une petite cour intérieure, forment un quadrilatère irrégulier cantonné de tours de divers types. Au centre du flanc E se dresse une haute tour-porche de plan rectangulaire, coiffée d'un toit en pavillon. La défense de la porte, précédée depuis 1811 d'un escalier tournant de pierre à deux doubles volées droites, était assurée, au niveau du second étage carré, par un mâchicoulis couvert à parapet sur arc brisé, rappelant ceux du palais des Papes à Avignon, qui dissimule un second rang de mâchicoulis sur consoles. L'angle SE est flanqué d'une tour carrée, l'angle NE d'une tour circulaire dite *tour du Hourd,* couronnée d'une charpente à claire-voie reposant sur des corbeaux de pierre, dispositif qui compte parmi les plus anciens connus en France. L'angle NO est flanqué d'une tour circulaire dite *tour des Archives,* dont la toiture pointue a été détruite par l'incendie de 1929,

l'angle SO par un ensemble complexe formé d'une grosse tour ronde ou donjon, plusieurs fois remaniée, que couronnent des mâchicoulis sur consoles avec parapets sur arcs brisés, à laquelle sont adossées une tourelle d'escalier circulaire et une tour carrée formant poterne vers l'O qui comporte au niveau de l'étage carré, une porte jadis surmontée d'une bretèche. Des bâtiments en appareil à pans de bois et des bâtiments de pierre modifiés au xviie s. entourent la cour intérieure. Ils s'appuient aux courtines et sont desservis par une tourelle d'escalier octogonale. Des baies rectangulaires ont été ouvertes aux xviiie et xixe s. P.C.

Bibl. : G. de Contenson, « Historique du château de Sercy », dans *Ann. de l'Acad. de Mâcon,* t. VIII, 1903, pp. 335-383, plan, fig.; L. de Contenson, « Le château de Sercy», dans *Bull. monumental,* t. 73, 1909, pp. 98-126, ill.

Sermaizey (château de)
Voir Laives.

La Serrée (château de)
Voir Curtil-sous-Burnand.

Sigy-le-Châtel

Arr. Mâcon, c. Saint-Gengoux-le-National, Saône-et-Loire.
A 17 km au NO de Cluny, par la RD 126 et la RD 426, dans le village.
Propriété privée.
On ne visite pas.
Au N du village, sur un éperon dominant le col sur lequel il est bâti.

Hist. : Cité dès le xe s., reconstruit au xiie s., le château de Sigy appartenait en 1266 à Archambaud de Chanay. Il passa ensuite à la famille de Trezettes. En 1560 il était entre les mains de Philibert de La Guiche, dont la fille le porta à Louis-Emmanuel de Valois, fils de Charles de Valois, duc d'Angoulême. Dès cette époque la vieille forteresse semble avoir été laissée à l'abandon. Par le jeu des successions elle revint ensuite à la famille de La Guiche : le dernier seigneur en fut Charles-Amable de La Guiche, exécuté en 1794.

Descr. : Ce château, qui est un des plus anciens du Mâconnais, était formé d'une grande enceinte irrégulière close d'épaisses courtines. L'entrée, au N, vers le plateau, était flanquée de deux tours hémicylindriques de maçonnerie pleine.

Sully. Pont de pierre desservant la façade O.

Il ne subsiste plus que des pans de murailles, les bases de deux grosses tours circulaires percées d'archères-canonnières et, à l'extrémité occidentale, l'angle d'un bâtiment construit en moyen appareil auquel s'accroche une échauguette. F.V.

Bibl. : F. Perraud, *Le Mâconnais historique,* 1921, pp. 207-210, ill.

Sully

Arr. Autun, c. Épinac, Saône-et-Loire.
A 18 km au NE d'Autun, par la RD 26.
Monument historique.
Propr. : Duc de Magenta.
On ne visite pas (tour extérieur autorisé).

Sur un terrain humide et plat au fond de la large vallée de la Drée, affluent de l'Arroux, à l'extrémité N du village.

Hist. : Mentionnée en 1180 avec Hugues de Sully, la première famille seigneuriale de Sully s'éteint au milieu du XIIIe s. et est remplacée par une branche des seigneurs de Couches. Sully passe ensuite avec Couches, aux Montaigu, branche cadette de la maison ducale de Bourgogne. Jeanne, fille de Claude de Montaigu, épouse en 1469 Hugues de Rabutin, seigneur d'Épiry, et lui apporte le *chastel, maison forte et forteresse du dit Sully.* En 1515, Christophe de Rabutin vend le domaine de Sully à Jean de Saulx, époux de Marguerite de Tavannes, dont les deux fils Guillaume puis Gaspard furent successivement seigneurs de Sully. C'est Gaspard de Saulx-Tavannes (1509-1573), lieutenant général en Bourgogne, maréchal de France en 1570, puis gouverneur de Provence, qui entreprit de reconstruire le château de Sully. Son fils Jean, après avoir guerroyé en ardent ligueur puis reconnu le roi Henri IV en 1595, se retira à Sully où il écrivit ses *Mémoires* consacrés surtout à la vie de son père : il nous renseigne sur la construction du château dont celui-ci avait seulement conçu et tracé le plan et qui était *quasi parachevé* à l'époque où il écrivait, entre 1616 et 1621. C'est la veuve du maréchal qui avait réalisé le projet de son mari et confié en 1573 la construction du château à l'architecte langrois Nicolas Ribonnier, qui avait déjà reconstruit pour le maréchal de Tavannes le château du Pailly. Elle précise en 1581 qu'elle veut *rendre la dite maison de mesme valleur et estimation que celle du Pailley* car cette maison *n'est pas à beaucoup prest sy bien bastie que celle du Pailley,* ceci pour assurer un partage égal entre ses deux fils. Le château resta dans la famille de Saulx-Tavannes jusqu'en 1714 où il fut vendu à Claude de Morey, seigneur de Vianges. Les Morey firent construire la façade et les terrasses qui dominent le miroir d'eau au N. La veuve de Jean-Baptiste de Morey, mort en 1748, Charlotte Le Belin, se remaria à Jean-Baptiste Mac-Mahon d'Éguilly. La famille de Mac-Mahon a depuis lors conservé Sully. Edme-Patrice de Mac-Mahon, duc de Magenta, maréchal de France, président de la République, y naquit en 1808. Au XIXe s., le château subit quelques réfections : en particulier la chapelle, refaite en style gothique vers 1830, fut de nouveau transformée vers 1890.

Descr. : Majestueux et cité comme l'un des plus beaux de Bourgogne, le château de Sully est précédé d'une longue cour bordée de buis taillés et encadrée de chaque côté des bâtiments des communs. Bussy-Rabutin et Mme de Sévigné l'ont beaucoup admiré. En plan, le château

Maréchal de Mac-Mahon par Vernet.

174

forme un vaste quadrilatère et comporte quatre corps de logis bâtis en retour d'équerre qui encadrent une cour centrale et quatre tours carrées plantées de biais qui occupent les angles. L'ensemble est entouré de douves remplies par l'eau de la Drée. Vers l'O, un pont de pierre qui franchit les douves dont la balustrade a été garnie vers 1890 de tout un décor de boulets et pyramides de pierre, précède la façade édifiée par Saulx-Tavannes. L'appareil à bossages du socle de l'édifice et du rez-de-chaussée percé de petites fenêtres à meneaux fait contraste avec la richesse du décor du premier étage dont les fenêtres à meneaux et croisillons sont encadrées de pilastres terminés par des têtes et séparées par des tableaux qui imitent des niches. Les pilastres sont ornés de tableaux comme au Pailly. Une composition formée des mêmes éléments marque le centre; elle a été surmontée d'un large fronton sculpté où deux Maures soutenaient le blason des Morey qu'une horloge a maintenant remplacé. La cour intérieure forme un ensemble remarquable par l'ordonnance des façades et leur décor Renaissance. Un décor de bossages règne sur tout le rez-de-chaussée éclairé de baies cintrées. A l'étage, des pilastres ioniques munis de tableaux encadrent les fenêtres qui sont groupées par deux; une niche plate ménagée entre chaque groupe est surmontée d'une tête sortant d'un cartouche ou d'un médaillon. L'allège des fenêtres est décorée de tables qui se terminent en fleuron. Le décor sculpté comporte aussi une frise qui court sous la corniche et des médaillons ronds contenant un buste en haut-relief qui sont placés sous les niches, à hauteur du rez-de-chaussée. L'ornementation de ces façades se complétait par des fresques : des figures allégoriques étaient peintes dans les niches. Il faut noter la présence d'un pavillon central à la façade du logis oriental qui présente cependant la même élévation et les mêmes motifs. Derrière cette façade, subsiste en partie un mur plus ancien percé de portes et de fenêtres indiquant une construction du XVe s. C'est donc en avant d'un logis médiéval — en ménageant la largeur d'un couloir — qu'a été construite cette façade qui achève de donner à là cour son unité monumentale. On peut penser que les premières constructions des Saulx-Tavannes avaient comporté trois corps de logis en laissant subsister un logis du XVe s., œuvre des

Sully. Façade O du XVIᵉ s. et façade S néo-Renaissance.

Couches ou des Rabutin, en avant duquel on aurait élevé un peu plus tard la façade de style classique avec son pavillon central. La présence d'une salle voûtée, déjà attestée par des reproductions anciennes, confirme que des parties de la construction médiévale ont subsisté dans ce logis. Les quatre tours d'angle pourraient aussi en partie remonter au château du Moyen Age. Elles sont hautes de trois étages et couvertes de toits à lanternons. La façade vers l'extérieur du corps de logis du N date du début du XVIIIᵉ s.; elle a été établie au niveau de l'angle des tours entre lesquelles elle s'insère, ce qui lui donne un développement considérable. Des pilastres séparent ses fenêtres rectangulaires; un avant-corps à fenêtres cintrées couronné d'un fronton est précédé d'un escalier monumental et d'une vaste terrasse qui domine le miroir d'eau des douves. Vers l'E la façade qui comporte un fronton central a été remaniée au XIXᵉ s. et le pont qui franchissait les douves a été supprimé. La façade S qui a subi plusieurs transformations et la chapelle qui fait saillie de ce côté ont été refaites dans le style néo-Renaissance. Les communs qui s'allongent en avant du château comportent un bâtiment entre deux pavillons. L'aile des écuries du côté N, indiquée par une tête de cheval sculptée au-dessus de la porte centrale, est complétée par tout un ensemble de bâtiments groupés autour d'une cour. L'un d'eux abrite un théâtre aménagé en 1840.   M.R.

Bibl. : D. Grivot, *Sully-le-Château*, Dijon, 1972; *Merveilles des châteaux de Bourgogne*, 1969, pp. 176-181.

Champignolle. Façade principale.

La Tagnière
Château de Champignolle

Arr. Autun, c. Mesvres, Saône-et-Loire.
A environ 25 km au S d'Autun par la
RD 46 et la RD 256. ISMH.
Propr. : M. Jean-Pierre Desplaces de
Charmasse, Mme du Bessey de Conten-
sion.
On ne visite pas. Au N du village.
Hist. : Rien n'apparaît dans les archives
avant 1650, date à laquelle le château est
acheté de N. d'Ecrots, par Charles
Lebrun, comte du Breuil en Bourbonnais.
Avec son épouse Henriette de la Tour-
nette, il crée par testament sur leurs terres
de Champignolle, dont relève entre autres
le fief de Trélague, un majorat en faveur
de leur descendance. Leur fils aîné
Alexandre, époux de Suzanne de Bala-
thier-Lantage, entre en possession de ces
terres au détriment de son frère puîné
Louis-Casimir qui y renonce en échange
d'une pension. La Révolution survient :
Antoine de Villers-La Faye, gendre
d'Alexandre, émigre en 1792. La terre de
Champignolle, placée sous séquestre,
revient à Louis-Casimir qui fait annuler
sa renonciation par la cour de Dijon en
l'an XI. Le château reste dans la famille
Lebrun du Breuil jusqu'en 1836, puis
passe de main en main pour être acheté
par Benoît-Charles de Maizière en 1862.
Il semble avoir été construit au XVIIe s. à
la place d'une demeure médiévale dont il
a conservé les douves et les témoins, dans
les parties basses. Les remaniements qui
ont eu lieu au siècle dernier, tels que le
rhabillage avec les enduits découpant des
chaînes d'angle en fausse pierre, le toit à
terrasson plat en zinc, ont altéré son
caractère classique.
Descr. : Le château se compose d'un
corps de logis allongé complété à chaque
extrémité d'un pavillon faisant saillie sur
les deux façades. Il comprend un sous-
sol, un rez-de-chaussée et un étage coiffé
d'une toiture à brisis et terrasson pour le
corps de logis et en pyramide à terrasse
faîtière pour les pavillons qui comportent
un comble à surcroît. Les fenêtres sont
disposées selon un rythme alterné 1, 2, 1,
2, 1, avec un encadrement rectangulaire,
à l'exception de celles du premier niveau
des pavillons qui présentent une imposte
en plein cintre et une petite balustrade en
pierre. Les portes ouvrant sur la travée
centrale sont l'une, sur la façade antérieure, ouverte en plein cintre, encadrée
par deux colonnes engagées d'ordre
toscan supportant une frise avec rinceaux
surmontée d'un fronton triangulaire à
volutes rentrantes interrompu pour faire
place à un blason, l'autre sur la façade
postérieure ouverte en plein cintre, encadrée de pierres taillées en pointe de
diamant, dominée par un fronton cintré
interrompu par une petite baie rectangulaire à fronton triangulaire. Les lucarnes
à ailerons en volutes et frontons triangulaires sur le corps de logis, passantes et à
fronton en arc de cercle sur les pavillons,
complètent cette architecture classique.
Celles qui coiffent la travée centrale sur
chacune des façades reposent sur un
soubassement portant un pot à feu à

chaque extrémité et sont couronnées d'un fronton arrondi interrompu au centre par un pot à feu. L'enduit formant chaînages d'angles à ligne de refends a été refait au XIXe s. A l'intérieur, la bibliothèque, le grand et le petit salons, la salle à manger présentent encore des plafonds à la française pour beaucoup d'entre eux transformés au XIXe s. Mais c'est au sol-sol que l'on trouve des vestiges de la première construction : cheminées aux corbeaux frustes, murs épais. Les communs forment deux ensembles, l'un au N comprend un long bâtiment bas terminé à chaque extrémité par une construction carrée, à un étage, coiffée d'une toiture de tuiles plates en pavillon; l'autre, près de l'entrée du château, est constitué d'un pavillon avec deux fausses baies en plein cintre sur la façade donnant sur la cour d'entrée.   M.P.

La Tagnière
Château de Trélague

Arr. Autun, c. Mesvres, Saône-et-Loire.
À environ 28 km au S d'Autun, par la RD 46 et la RD 256.
Propr. : M. Charles de Blois.
On ne visite pas.
Au S du village, sur une arête dominant un étang.
Hist. : Le château de Trélague tirerait son

nom de sa situation géographique : les *tres laci* qui l'entouraient encore en 1829 étaient les étangs de Trélague, des Cloux, du Tabou. Il s'agit d'un ancien château fort construit sans doute au début du XVe s., dont il reste le donjon flanqué de deux tours d'angle, agrandi d'un corps de logis bâti certainement au XVIe s. Le seigneur de Montcenis, en 1399, avait fait construire son donjon par Perrot le Limousin, Jean Syméon et Jehan de la Cahotte, maîtres d'œuvre qui avaient vraisemblablement travaillé à Trélague puisque Pierre Doyen, conseiller du duc de Bourgogne était non seulement seigneur de Montcenis mais encore de Chaumart et de La Tagnière. Sur l'extension ultérieure du château, une phrase d'un inventaire révèle que *par acte de justice de 1614 le seigneur de Trélague, Bénigne Doyen, avait décidé de fermer sa cour pour ne pas avoir à payer le droit de guet et de garde.* En 1911, Camille Roche de La Rigodière est propriétaire de Trélague et confie l'exécution de restaurations, de 1920 à 1926, à l'architecte Laffarge, de Blois et à Édouard André, paysagiste. A l'intérieur, il rebâtit l'escalier d'honneur, fait poser dans le grand salon des lambris du XVIe s. provenant d'un hôtel particulier du midi de la France; à l'extérieur, il ajoute des meneaux aux baies et crée un deuxième étage dans les combles. Les châteaux

Trélague. Donjon flanqué de deux tours d'angle.

blésois de la Renaissance ont inspiré cette restauration.

Descr. : Le château de Trélague se compose d'un donjon massif de plan carré, flanqué aux angles NO et SE de deux tours de plan circulaire, dont l'une, au NO, abrite un escalier en vis et d'un corps de logis à deux ailes, l'une prolongeant au N le donjon et l'autre, en retour d'équerre, fermant la cour d'entrée au NO. Sur leur angle extérieur, se dresse une tour de plan circulaire; dans leur angle interne, une tourelle polygonale dans œuvre. Le donjon et les tours sont élevés de trois niveaux et couverts respectivement de hautes toitures de tuiles et d'essentes; quant au logis il comprend deux niveaux, éclairés par des baies à meneau et croisillon. A l'intérieur, particulièrement modifiés dans les années 1920-1926, subsistent des boiseries peintes à petits cadres, un plafond à la française d'époque Renaissance dans le grand salon au rez-de-chaussée, un plafond à la française et des cheminées restaurées dans les pièces du donjon ainsi que l'escalier en vis.   M.P.

Taisey (château de)

Voir Saint-Rémy.

Terrans (château de)

Voir Pierre-de-Bresse.

Terreau (château du)

Voir Verosvres.

Terzé (château de)

Voir Marcilly-la-Gueurce.

Thil (château du)

Voir Chenoves.

Thoiriat (château de)

Voir Crèches-sur-Saône.

Torcy

Arr. Autun, c. Montcenis, Saône-et-Loire.
Au S du Creusot, par la RD 28 et un chemin vers le NE.
Propr. : Société Creusot-Loire.
On ne visite pas.
Isolé, dans un vallon.
Hist. : Du XIIIe au XVIIe s., le fief de Torcy appartint à une famille qui en portait le nom. De 1615 à 1743 il passa entre les mains de divers propriétaires avant d'être acquis par le conseiller au Parlement Jean Villedieu responsable, vraisemblablement, de la construction du château actuel. Les biens de Vivant-Mathias-Léonard-Raphaël Villedieu de Torcy ayant été saisis, le château fut vendu en l'an IV à la famille Lagoutte. Ventes et partages se succédèrent au cours du XIXe s. jusqu'à sa cession, en mai 1918, à la famille Schneider.
Descr. : C'est un logis de plan rectangulaire comprenant un sous-sol, un rez-de-chaussée surélevé et un étage. Il est couvert d'un toit à croupes en tuiles plates. Au centre de chacune des façades principales, un avant-corps de trois travées est souligné par des chaînes d'angle en bossage en table et couronné d'un fronton triangulaire sculpté de motifs végétaux encadrant les armoiries des Villedieu. Percé au rez-de-chaussée de baies en plein cintre, l'avant-corps SO est relié au parc à l'anglaise par un escalier en U. Des bandeaux plats règnent avec le sol de chacun des étages. Le bâtiment de la porterie, au NO, est percé d'un passage couvert d'un plafond à solives apparentes à la française. Les portes en sont en plein cintre.   F.V.
Bibl. : *Inventaire départ... Cant. de Montcenis*, Mâcon, 1976, pp. 85-86.

La Tour du Bost (château de)

Voir Charmoy.

La Tour-Penet (château de)

Voir Péronne.

Tramayes

Arr. Mâcon, c. Tramayes, Saône-et-Loire.
A 16 km au S de Cluny, par la RD 22.
ISMH.
Propr. : Comtesse Gersende de Sabran-Pontèves.
Isolé, au col qui sépare les vallées de la Grosne et de la Valouze.
Hist. : La seigneurie de Tramayes, apparue à la fin du XIVe s., était partagée

entre plusieurs propriétaires au milieu du XVIᵉ s. Jean, puis Mathurin Bullion en acquirent alors les différents éléments. En 1599, Mathurin Bullion obtint du roi Henri IV l'autorisation de fortifier sa maison de Tramayes, opération qu'il avait en fait engagée dès l'année précédente. En 1684, la terre passa à Charles de Rymon qui l'abandonna en 1687 à Aimé Severt, lequel la vendit à Claude-Hippolyte de Damas, seigneur de Dompierre et Audour. Les Damas conservèrent Tramayes jusqu'à la Révolution, puis le marquis de Mailly de Châteaurenaud vendit le domaine, en 1807, à Antoine de La Charme qui le revendit en 1808 à Claude Bruys, ami de Lamartine, qui entreprit vers 1825 la restauration du château : il combla les fossés, rasa les murs d'enceinte, modifia les ouvertures et la décoration intérieure et créa un parc.

Descr. : Le château, qui s'élevait à l'origine à l'intérieur d'une vaste enceinte rectangulaire cantonnée de tours, consiste en un corps de logis de plan rectangulaire, flanqué sur ses angles NO et NE de deux tours carrées à 45°, sur son angle SE d'une tour carrée plus élevée que les précédentes et sur son angle SO d'une

*Tramayes. Façade O
flanquée d'une tourelle en surplomb.*

tourelle en surplomb. Le corps de logis comprend un sous-sol, un rez-de-chaussée surélevé et un demi-étage. La façade O est reliée au parc par un perron à balustrade; la façade E, précédée d'un balcon reliant les deux tours, au niveau du rez-de-chaussée, est percée en son centre d'une porte en plein cintre inscrite dans un encadrement rectangulaire en bossage vermiculé un sur deux, que couronne un fronton cintré interrompu par l'unique fente verticale d'un pont-levis disparu. Au-dessus de cette porte, subsistent les trois consoles d'une bretèche. Un bandeau règne tout autour des constructions avec les appuis des fenêtres de l'étage carré.

Bibl. : F. Perraud, *Les environs de Mâcon,* F.V. 1912, pp. 682-691, ill.

Trélague (château de)

Voir La Tagnière.

Uchizy
Château de Grenod

Arr. Mâcon, c. Tournus, Saône-et-Loire. A 9 km au S de Tournus, par la RD 163. ISMH.
Propr. : M. Martial Lardy.
On ne visite pas.
Isolé, au S du village, à flanc de pente.
Hist. : Propriété, de la fin du XIVᵉ s. à 1478, d'une famille comtoise, les Fitigny, le fief de Grenod échut ensuite aux Montrichard, également comtois, puis fut partagé en trois lots en 1575, à la mort de Philibert de Montrichard. Vers 1600, Louis de Mincey parvint à le réunifier avant de le léguer à sa fille Jeanne, épouse de Louis de Franc, en 1620. Par mariage il passa, en 1728, à Marc-Antoine de Lavaur. Le château fut saisi en 1791 sur Louis-René de Lavaur, puis racheté par Jean-François de Lavaur. Par les femmes, il parvint ultérieurement à la famille Méziat qui le possédait à la fin du XIXᵉ s.
Descr. : D'un quadrilatère jadis entouré de fossés, il reste un cofps de logis de plan rectangulaire allongé à un étage carré et un étage en surcroît, couvert d'un toit à deux versants en tuiles creuses, entre deux pavillons à deux étages carrés couverts de tuiles plates, dont les façades sont au même alignement que les siennes. On accède au rez-de-chaussée par une porte charretière en anse de panier, accostée d'une porte piétonne en plein

cintre. L'ensemble paraît avoir été bâti au XVIe s. et remanié au XVIIe s. F.V.

Bibl. : F. Perraud, *Le Mâconnais historique,* 1921, pp. 101-104, ill.

Uxelles (château d')

Voir Chapaize.

La Vaivre (château de)

Voir Rigny-sur-Arroux

Varennes-lès-Mâcon
Château de Beaulieu

Arr. Mâcon, c. Mâcon-Sud, Saône-et-Loire.
A 5 km au S de Mâcon par la RN 6 et une route vers l'O dans Varennes.
Propriété privée. On ne visite pas.
Isolé, au bord de la Grosne.
Hist. : La terre de Beaulieu, pourvue d'une petite maison forte tôt disparue, appartint au XVe s. à la famille de Chaintré, puis fut acquise au début du XVIe s. par Philippe Margot, bourgeois de Mâcon et passa ensuite en de multiples mains avant d'être vendue en 1662 à Jacques Ray, procureur au bailliage, qui y fit bâtir un château entre 1662 et 1666 et, s'étant ruiné dans cette opération, dut s'en dessaisir en 1686 en faveur de Claude Bessac, seigneur de Varennes. Celui-ci ne conserva Beaulieu que dix années. Ses légataires, les Mathurins de Fontainebleau, en furent propriétaires jusqu'en 1791, puis le bien fut adjugé à Adam-Philibert d'Origny-Dampierre. Divers propriétaires s'y succédèrent au XIXe s., jusqu'à son acquisition par le comte Marc de Maubou vers 1885. Les fossés, derniers vestiges de la maison forte primitive, ont été comblés vers 1816. Des restaurations sont intervenues au cours du XIXe s.
Descr. : Le corps principal de plan rectangulaire comprend un sous-sol, un rez-de-chaussée, un étage carré et un étage de comble couvert d'une haute toiture à croupes percée de lucarnes à ailerons et frontons. Il est flanqué à ses extrémités de deux ailes un peu plus élevées en légère avancée sur chacune de ses façades : elles comportent un comble à surcroît éclairé par des lucarnes pendantes à croisillon de pierre couronnées de frontons cintrés et sont coiffées de toitures à croupes dont 'le faîte est au même niveau que celui du corps central. Les deux façades principales sont rythmées par de grandes fenêtres à meneau et croisillon. Au centre de chacune d'elles s'ouvre une petite porte donnant accès à un escalier de pierre rampe sur rampe à deux volées droites : celle de l'O est surmontée d'un fronton cintré, celle de l'E d'un fronton triangulaire. F.V.

Bibl. : F. Perraud, *Les environs de Mâcon,* 1912, pp. 21-28.

Molleron. Façade E.

Vaudebarrier
Château de Molleron

Arr. et c. Charolles, Saône-et-Loire.
A 4 km au S de Charolles, par un chemin s'embranchant vers le S sur le chemin vicinal de Charolles à Vaudebarrier.
Propr. : M. de Chanay.
On ne visite pas (le parc est accessible sur demande).
Isolé, sur une terrasse dominant l'Ozolette.
Hist. : La *maison* de Molleron fut tenue à la fin du XIVe s. et au début du XVe s. par Jean puis par Robert de Digoine. Elle passa peu après à la famille Bourgeois qui, à partir de 1510, bâtit un *château et maison forte*. Les Bourgeois conservèrent Molleron jusqu'au début du XVIIe s. A la suite du mariage de Denise Bourgeois avec Henri de Thésut, la terre passa à une branche cadette de la famille de Thésut qui la posséda jusqu'à la fin du XVIIIe s. Par mariages et successions elle échut ultérieurement aux Viard puis aux Macheco et, enfin, à la famille de Chanay, qui vers 1830, modifia le château en prolongeant le logis principal vers le N, en rehaussant ses murs et en flanquant ses angles SO et NO de tours carrées primitivement couvertes de terrasses à balustrades dissimulant des citernes, auxquelles on a récemment substitué des toitures en pavillon.
Descr. : Le corps de logis principal est de plan rectangulaire allongé. Il comprend un étage de soubassement, un rez-de-chaussée, un étage carré à petites baies carrées et un demi-étage qui résulte de la transformation, au XIXe s., d'un étage de comble, éclairé par des lucarnes encadrées de volutes dont les frontons cintrés avec boules d'amortissement dépassent seuls de la corniche sur laquelle repose le toit à croupes. La travée centrale de la façade O est couronnée d'un grand fronton cintré, dans lequel sont sculptées les armoiries des Chanay et des Macheco, et percée d'une porte en plein cintre précédée d'un porche hors œuvre porté par deux paires de colonnes cannelées d'ordre toscan. Ce logis est flanqué sur sa façade E d'une tour carrée hors œuvre sur le pan, qui marque l'extrémité du bâtiment du XVIe s., et sur ses angles NO et SO de deux tourelles carrées dont une, celle du NO, abrite au rez-de-chaussée une chapelle. Dans une des pièces, décorées de fresques Renaissance, a été

remontée une belle cheminée du XVIe s. provenant du château de Moulin-Lacour, à Marcilly-la-Gueurce. En retour d'équerre au S de cet ensemble, auquel ils étaient jadis rattachés par un élément de bâtiment détruit au XIXe s., les communs consistent en un long bâtiment dont les angles sont flanqués au S de grosses tours rondes et au N de tourelles en surplomb éclairées par de minuscules oculus encadrés d'entrelacs. Au-dessus d'une porte charretière, un cartouche est orné des armoiries des familles de Chanay et Levasseur de Bambecque-Mazinghem.

F.V.

Vauvry (château de)
Voir Ciel.

Vaux-sur-Aisne (château de)
Voir Azé.

Vaux-sous-Targe (château de)
Voir Péronne.

Venière (château de)
Voir Boyer.

Verneuil (château de)
Voir Charnay-lès-Mâcon.

Verosvres
Château du Terreau

Arr. Charolles, c. Saint-Bonnet-de-Joux, Saône-et-Loire.
A 15 km à l'E de Charolles, par la RN 79 et un CV reliant cette route à Verosvres.
Propr. : M. Robert.
On ne visite pas.
Isolé, au pied de la colline sur laquelle se trouve le bourg de Verosvres.
Hist. : Tenue au XIVe s. par la famille de Lespinasse, la terre du Terreau passa en 1461 à Pierre Dubois d'Andelot, avant d'échoir à Pierre Le Roux, dont les descendants en restèrent maîtres jusqu'au début du XVIIe s. Les Thibaud de Noblet leur succédèrent et conservèrent la seigneurie jusqu'à la fin de l'Ancien Régime. Au cours du XIXe s., le château passa entre les mains de multiples propriétaires. Il avait été pillé en 1570 puis fortifié d'une nouvelle tour en 1594. A partir de 1749, il

Le Terreau. Façade S.

fut transformé par Claude-René de Thibaud de Noblet. Des travaux de restauration y furent entrepris au milieu du XIXᵉ s. par Jean-François-Prosper de Villars, avocat à Mâcon, avant que son fils ne procède à une rénovation complète à la fin du siècle.

Descr. : Cerné de fossés asséchés, le château consiste en un corps de logis principal et deux ailes en retour d'équerre encadrant une cour. Couverts de toits à croupes, ces bâtiments comprennent un rez-de-chaussée, un étage carré percés de baies à linteau en arc segmentaire et un étage de comble éclairé par des lucarnes à pignon découvert. Celle qui se trouve au centre de la façade du corps principal donnant sur la cour d'honneur est inscrite entre deux pilastres supportant un fronton cintré et flanquée d'ailerons. La façade O est flanquée sur ses angles de deux tours rondes à base légèrement talutée, vestiges de l'ancienne forteresse. A la tour SO est accolée une tourelle circulaire coiffée, comme elle, d'un toit conique. Une terrasse à balustrade, reliée au parc par un large pont de pierre, règne entre les deux tours. Un pavillon du XIXᵉ s. à un sous-sol, deux étages carrés, un étage-attique et un étage de comble sous un toit brisé est adossé à l'aile N. Il est percé à l'E d'une haute porte-fenêtre en plein cintre donnant sur un balcon courbe à appui-corps en fer forgé. L'ensemble est précédé, au centre d'une grille, d'un portail à piédroits en bossages

surmontés de lions porteurs des armoiries des Thibaud de Noblet et des Saulx-Tavannes.   F.V.

Bibl. : R. Oursel, *Inventaire départ... Cant. de Saint-Bonnet-de-Joux,* Mâcon, 1973, pp. 82-85; L. Villars, *Monographie de la commune de Verosvres,* Mâcon, 1920, 97 p., ill.

La Verrerie (château de)

Voir Le Creusot.

Verzé
Château d'Escole

Arr. Mâcon, c. Mâcon-Nord, Saône-et-Loire.
A 13 km au NO de Mâcon, par la RD 85.
Propriété privée.
On ne visite pas.
Au S du hameau, en fond de vallée.

Hist. : Seigneurie citée dès le XIᵉ s., Escole connut un sort assez confus avant d'échoir en 1366 aux Chevrier. Après une nouvelle période d'obscurité, le fief appartint en 1522 à Hector de Primbois puis, en 1531, à Étienne Fustailler et, en 1560, à Charles Busseuil, avant d'être adjugé par décret en 1620 à Abraham Vallier. Le château, qui consistait en une maison basse, colombier, prison et dépendances, était alors en fort mauvais état, aussi le fils de celui-ci, Abraham-Thomas Vallier, en entreprit-il la reconstruction à partir de 1671. Il y mourut en 1676, victime de la chute d'une pierre et la

demeure ne fut jamais achevée. Par successions, Escole passa en 1791 à Brice Barjot de La Combe, puis, en 1809, à Pierre-Marie Chapuys de Maubou.
Descr. : Le château est bâti sur une petite motte en partie faite de main d'homme. Un colombier circulaire du XVIᵉ s. en occupe l'un des angles. Le logis, de plan rectangulaire, comprend un rez-de-chaussée, un étage carré et un étage de comble, éclairé par des œils-de-bœuf, sous une haute toiture à croupes. La porte principale, qui donne accès au vestibule, en est surmontée d'un fronton cintré.   F.V.
Bibl. : F. Perraud, *Les environs de Mâcon,* 1912, pp. 223-228.

La Vesvre (château de)

Voir La Celle-en-Morvan.

Vieux-Château (château de)

Voir Champlecy.

Vignault (château du)

Voir Bourbon-Lancy.

Villargeault (château de)

Voir L'Abergement-Sainte-Colombe.

Villegaudin
Château de La Marche

Arr. Chalon-sur-Saône, c. Saint-Martin-en-Bresse, Saône-et-Loire.
A 22 km à l'E de Chalon-sur-Saône, en bordure de la RD 162.
Propr. : M. Bedoiseau.
On ne visite pas.
Isolé, en terrain plat, à proximité d'un étang.
Hist. : Dès le XIIᵉ s., il y avait un château à Villegaudin. En 1317, Renaud de La Marche y fonde une chapelle dans sa maison forte. Au XIVᵉ s., plusieurs seigneurs de La Marche sont baillis et maîtres des foires de Chalon. En 1434, Philippe de La Marche, gruyer de Bourgogne, épouse Jeanne Bouton, fille du seigneur du Fay; leur fils Olivier de La Marche, le plus célèbre de la lignée, naquit en 1425 à La Marche, fut page du duc Philippe le Bon, prit part à ses guerres, fut envoyé en mission à Londres

et organisa les fêtes du mariage, à Bruges en 1468, de Charles le Téméraire. Après sa mort, il s'attacha à Marie de Bourgogne et à l'archiduc Maximilien. Il mourut en 1501 à Bruxelles, après avoir écrit de nombreux ouvrages en vers ou en prose, notamment des *Mémoires ou Chroniques* de 1435 à 1492. La terre de La Marche passa ensuite aux Lenoncourt, puis fut vendue aux Fyot, en 1636. Les Fyot firent ériger La Marche en marquisat; plusieurs furent présidents au Parlement de Dijon. A l'emplacement d'une maison forte sur motte, Claude Fyot, abbé commandataire de Saint-Étienne de Dijon, avait fait bâtir en 1682 un vaste château comportant un corps de logis de plan rectangulaire entre deux pavillons en avancée sur ses deux façades que précédait une basse cour. le salon en était peint de fresques représentant le festin des dieux. Il fut détruit par les flammes en 1861; il appartenait alors à Antoine-Félix de Beaurepaire, dernier marquis de La Marche, qui ne le fit pas reconstruire.
Descr. : Du château, il ne reste que des souvenirs : au bord de la route, les écuries percées au rez-de-chaussée de baies en plein cintre et une partie des communs; sur l'emplacement même du château, des douves intactes, car *elles avaient été revêtues en briques et en pierres de taille,* puis deux socles de pierre encadrant quelques marches envahies d'herbes et, enfin, entre deux pilastres en bossages, un portail toujours fermé, surmonté d'armoiries en ferronnerie : un écusson groupant les armoiries des anciens seigneurs de La Marche et celles des Fyot.   P.C.
Bibl. : R. Oursel, *Inventaire départ.... Cant. de Saint-Martin-en-Bresse,* Mâcon, 1978, pp. 99-102.

La Villeneuve (château de)

Voir La Genète.

Vindecy
Château d'Arcy

Arr. Charolles, c. Marcigny, Saône-et-Loire.
A 18 km au SO de Paray-le-Monial, par la RD 982 et un chemin s'embranchant à 16 km en direction de l'O.
Propr. : M. Rollin.
On ne visite pas.
Isolé, en terrain plat.
Hist. : Situé entre la Loire et la route de Marcigny à Paray-le-Monial, ce domaine

faisait partie de la baronnie de Semur-en-Brionnais dont il fut détaché à la fin du XIIᵉ s. ou au début du XIIIᵉ s. pour une branche cadette de la famille de Semur. C'est alors, sans doute, qu'un premier château fut bâti, dans une zone marécageuse, sur une motte artificielle de faible hauteur. Les Semur s'y maintinrent, dans une relative sécurité, jusqu'en 1434. A la mort de Lancelot de Semur, Arcy échut à sa nièce, Béatrix de La Bussière, mariée à Antoine Le Viste qui appartenait à une vieille famille lyonnaise. Jean Le Viste, propriétaire de 1457 à 1501, fit d'importants travaux qu'acheva son héritière, Claude Le Viste, épouse de Geoffroy de Balzac. Elle s'éteignit en 1547 laissant Arcy à sa cousine Jeanne Le Viste, femme de Jean Robertet. Celle-ci, qui ne résida guère sur place, dut faire face aux pillages des Huguenots (1562-1570), puis à ceux des troupes de la Ligue et des armées royales. En 1591, un incendie ravagea le château devenu à peu près inhabitable quand Marie Robertet et André de Guillard en héritèrent vers 1616. Il fut réparé à grands frais par Marie Raguier, veuve de Louis Iᵉʳ de Guillard. Son petit-fils, Paul, bâtit l'aile N et couvrit l'ensemble entre 1645 et 1673. Après sa mort, Arcy fut adjugé, en 1682, à son beau-frère, Antoine de Valadoux. Les Valadoux agrandirent le domaine, firent ériger la terre en marquisat et se ruinèrent. En 1719, Arcy fut vendu à Pierre Larcher, président à la Chambre des comptes de Paris. Son fils, Michel, réalisa de grands travaux entre 1725 et 1735 (comblement des fossés entre cour et basse cour, démolition des portes fortifiées et ponts-levis, percement d'une porte au centre des dépendances E et aménagement d'un portail d'honneur, ouverture d'une allée jusqu'à la route), puis, en 1767, confia à l'architecte Verniquet la construction d'un nouveau château avec façades de pierre de taille et balcons sur consoles sculptés qui ne fut jamais achevé et qui disparut en 1859 après avoir servi de grange. Vidé de son mobilier en 1852 par Georges Thomé de Saint-Cyr, second mari de la dernière des Larcher, le château appartint, de 1857 à 1910, aux Fontenilles de Juigné. Vendu en 1910 à un marchand de biens il fut acquis en 1912 par Jacques Meniaud qui en transforma les appartements et établit dans les dépendances un centre d'élevage intensif.

Descr. : De l'ancienne basse cour située à

l'E il ne reste que deux petits bâtiments à un rez-de-chaussée sous de hautes toitures à croupes, flanqués au S et au N par deux tours rondes et réunis par une porte cochère sans couvrement dont les piliers, décorés de tableaux, portent des vases d'amortissement. De l'ancien château, qui consistait en un quadrilatère cantonné de tours circulaires reliées entre elles par des courtines de 1,30 m d'épaisseur auxquelles s'adossaient à l'O un corps de logis et au N une galerie à deux étages, il subsiste les quatre tours d'angle à deux étages, coiffées de toits coniques, et le corps de logis de plan rectangulaire allongé à un étage carré et un étage de comble, couvert au XVIIᵉ s. d'un toit brisé de même ligne que celui de l'aile N, édifiée à la même époque. A sa façade est adossée une tour d'escalier hexagonale hors œuvre sur le pan dont la porte rectangulaire est surmontée d'un gâble en accolade, entre deux pinacles, dans le tympan duquel est sculpté un écusson aux armes des Le Viste. Les baies à linteau en accolade de cette tour sont les seules qui aient conservé leur mouluration primitive, le percement de grandes fenêtres carrées aux XVIIᵉ et XIXᵉ s. ayant fait disparaître les ouvertures à meneaux et croisillons de la construction du XVᵉ s.   F.V.

Bibl. : A., C.-M. Fleury, *Le château d'Arcy et ses seigneurs,* Macon, 1917, 217 p., ill.

Vinzelles

Arr. Mâcon, c. Mâcon-Sud, Sâone-et-Loire.
A 7 km au SO de Mâcon, par la RD 169 et un chemin vicinal vers l'O.
ISMH.
Propr. : Famille Benoist de Lostende.
On ne visite pas.
Isolé, à flanc de pente, dominant le village.
Hist. : La terre de Vinzelles, propriété aux XIIᵉ et XIIIᵉ s. d'une famille qui en portait le nom, relevait alors du comté de Mâcon. Avec lui elle entra dans le royaume de France en 1226. Du milieu du XIVᵉ s. au milieu du XVᵉ s., elle appartint à la famille de Saint-Amour puis passa, par mariage, à Geoffroi de Germolle qui dut faire face, dans son château solidement fortifié, aux troupes de Louis XI qui s'en emparèrent. Sa fille la porta en 1499 à Jacques de Bellecombe, dont les descendants le conservèrent jusqu'en 1587. Vinzelles revint alors, au terme d'un laborieux procès, à la famille Dormy. En

Vinzelles. Les deux châteaux.

1713 et 1719, Emmanuel puis Abel-Michel Chesnard, titulaires de la seigneurie toute proche de Layé, acquirent la baronnie des héritiers Dormy. Le château, qui avait été soigneusement réparé en 1621, fut alors décrit comme ruiné, situation qui ne fit ensuite qu'empirer, les Chesnard, qui résidaient à Layé, l'ayant abandonné à des fermiers. Saisi en 1796 sur Pierre-Elisabeth Chesnard de Layé, il fut adjugé à Pierre-Marie Canot, négociant à Mâcon. Au cours du XIXᵉ s. les ventes se succédèrent jusqu'à l'achat de Vinzelles et Layé, en 1899, par le comte de Dormy de Thoisy.

Descr. : Le château, de plan pentagonal, conservait encore au XVIIᵉ s. des vestiges de la double enceinte et des fossés qui le défendaient à l'E, au S et à l'O. La courtine orientale, dans laquelle s'ouvrait l'entrée, a disparu, mais quatre côtés de l'enceinte subsistent encore. Les bases des grosses tours rondes qui flanquaient cette entrée, une petite tour barlongue et une tourelle carrée en surplomb à l'O sont les seuls éléments de défense actuellement identifiables. La cour intérieure est bordée de bâtiments sur trois côtés. Au S, une construction massive et presque aveugle, percée de canonnières et défendue vers la cour par une petite bretèche sur consoles à ressauts, comprend au rez-de-chaussée des pièces voûtées d'arêtes et dans son angle NE un escalier en vis; elle est flanquée à l'E et au N d'une galerie ouverte dont la toiture de tuiles

creuses repose sur des colonnes de pierre. Les logis principaux sont situés à l'O. Ce sont des bâtiments à deux étages carrés, couverts de toits à deux versants en tuiles creuses, percés vers la cour de vastes fenêtres à meneau et croisillon. Ils renferment une chapelle voûtée d'arêtes et, au premier étage, une grande salle dont les murs sont recouverts de restes de peintures représentant des scènes de chasse.　　　　　　　　　　F.V.

Bibl. : F. Perraud, *Les environs de Mâcon,* 1912, pp. 732-751, ill.

Vinzelles
Château de Layé

Arr. Mâcon, c. Mâcon-Sud, Saône-et-Loire.
A 7 km au SO de Mâcon, par la RD 169 et un chemin vers l'O dans le village.
ISMH.
Propr. : Famille Benoist de Lostende.
On ne visite pas.
Isolé, à flanc de pente, dominant le village.
Hist. : Construit au XIIIᵉ s. par la famille de Layé, le château appartenait à la fin du XIVᵉ s. à Joceran de Vinzelles, dont la famille avait possédé jusqu'au début de ce même siècle le château de Vinzelles qui s'élève à quelques dizaines de mètres au N. Gauthier de Vaux, l'ayant acquis vers 1415, se trouva dès 1417 en difficulté avec son trop proche voisin, Humbert de

Saint-Amour, seigneur de Vinzelles qui prétendait contraindre les hommes de Layé à faire guet et garde dans son château. Le fief échut ensuite à la famille de L'Aubespin qui le vendit vers 1545 à Claude Bullion, marchand de Mâcon, dont le fils Claude, mort en 1640, qui fut surintendant des Finances et proche collaborateur de Richelieu, passe pour avoir fait reconstruire le château, bien qu'il ait partagé la seigneurie de Layé avec son neveu Pierre. La terre passa par mariage aux Rochechouart dès 1647, puis fut vendue en 1688 à Emmanuel Chesnard, secrétaire du roi, qui fonda une chapelle dans son château en 1696. En 1796, elle fut saisie, en même temps que Vinzelles, sur Pierre-Élisabeth Chesnard de Layé et connut le même sort. Un incendie ayant ravagé les logis, ceux-ci furent rebâtis au XIXe s., vraisemblablement vers 1850 par Humbert, comte de Grille, dont les armoiries sont incrustées au-dessus de la porte S.

Descr. : C'est un vaste bâtiment de plan rectangulaire formé de trois corps et d'une muraille entourant une cour et cantonné de grosses tours carrées fortement saillantes, percées de canonnières, dont les toits en pavillon très élevés, en tuiles plates, contrastent avec ceux, très bas, à deux pentes, en tuiles creuses, des logis. Dans les angles qu'elles forment à l'extérieur avec les murailles N, O et S, se trouvent de petits pavillons de dimensions diverses, qui existaient peut-être aussi à l'E où les travaux du XIXe s. ont modifié l'ordonnance des constructions. Dans la tour SO, une salle voûtée sur croisée d'ogives a sans doute appartenu à la construction primitive. On pénètre dans l'enceinte par deux portes charretières en plein cintre dans un encadrement rectangulaire, percées au centre des façades S et N. Les piédroits en sont prolongés par des pilastres en bossage en table, portant, au niveau de la toiture, un fronton avec oculus. L'encadrement de la porte S est en bossage sculptés de motifs végétaux stylisés. Il est surmonté d'un cartouche à ailerons couronné d'un fronton brisé et d'une bretèche sur consoles, munie d'archères canonnières, qui date manifestement du XIXe s. Au N, une fenêtre à balconnet à encadrement rectangulaire et un fronton dans le tympan duquel apparaît un buste masculin en ronde bosse occupent l'espace compris entre les deux pilastres. Le corps de logis principal forme le côté E du quadrilatère; il comprend un sous-sol voûté d'arêtes, un rez-de-chaussée, un étage carré et un étage-attique. La porte qui y donne accès sur la cour s'ouvre entre deux piles toscanes portant un entablement à triglyphes et un fronton cintré percé d'un oculus oval. A l'E, il est précédé d'un perron à double montée convergente à rampes de fer forgé et une balustrade le couronne. Les ailes N et S, qui comprennent un étage et un demi-

étage, comportent chacune au rez-de-chaussée une galerie ouverte de trois travées à arcades en plein cintre; elles sont éclairées à l'étage par des fenêtres à frontons triangulaires et des oculus. Le château, qui est cerné de fossés sur trois côtés, est précédé au S d'une cour, défendue par deux tours très restaurées, que traversait jadis une longue allée de marronniers. Au N, une seconde cour fermée par une porte charretière sans couronnement et bordée à l'O par une grange abritant des pressoirs du XVIIIe s., le sépare du vieux château de Vinzelles.

F.V.

Bibl. : F. Perraud, *Les environs de Mâcon,* 1912, pp. 347-365, ill.

Viré
Château de Chatillon

Arr. Mâcon, c. Lugny, Saône-et-Loire.

Cypierre. État au début du XIXe s.

A 21 km au N de Mâcon, par la RD 15.
Propriété privée. On ne visite pas.
Dans le village, à flanc de pente.
Hist. : Le petit fief de Chatillon semble
avoir été constitué au début du XVIᵉ s. par
Pierre de Meaux, bourgeois de Mâcon qui
y aménagea une demeure possédant tous
les attributs seigneuriaux, notamment une
tour-porche précédée d'un pont-levis
encore en parfait état en 1640, mais qui a
disparu depuis, sans doute au XIXᵉ s. Il
demeura jusqu'en 1834 entre les mains de
la famille de Meaux, dont les membres y
résidèrent souvent.
Descr. : Le château proprement dit est un
bâtiment rectangulaire à un rez-de-chaussée, un étage carré et un demi-étage,
couvert d'une haute toiture à croupes. Il
est flanqué sur ses angles extérieurs d'une
tour carrée et d'une tourelle circulaire un
peu plus élevées que lui et, sur la façade
donnant sur la cour qui le sépare des
communs, d'une tourelle d'escalier polygonale demi-hors œuvre. Deux tours
rondes, dont l'une renferme un pigeonnier, s'élèvent de part et d'autre des
communs. Un portail moderne en plein
cintre à extrados en escalier donne accès
à la cour.   F.V.
Bibl. : F. Perraud, *Le Mâconnais historique,* 1921,
pp. 49-51, ill.

Visigneux (château de)

Voir Lucenay-l'Évêque.

Volesvres
Château de Cypierre

Arr. Charolles, c. Paray-le-Monial, Saô-
ne-et-Loire.
A 1,5 km au N de la RN 79 allant de
Paray-le-Monial à Charolles.
Propr. : Mᵐᵉ de Bastard. ·
En dehors du village à 2 km au SE de
Volesvres, sur une butte.
Hist. : La maison forte de Cypierre
apparaît pour la première fois dans un
texte de 1262 : elle appartenait alors à
Guillaume de Cypierre qui la tenait en
fief du duc. Au début du XVIᵉ s. elle échut
par mariage à Pierre de Marcilly. Il
ajouta à son nom celui de Cypierre et fut
à l'origine d'une célèbre lignée : son fils
Philibert, bailli d'Autun, acquit de l'évêque de cette cité, qui était son propre
frère, le château et la baronnie de Thoisy,
puis devint gouverneur du futur roi
Charles IX. Leur descendance s'éteignit
en 1628 : Cypierre fut alors vendu, en
même temps que Thoisy, aux Legoux de
La Berchère qui s'en dessaisirent dès 1639
en faveur de Jean Boyveau. Au début du
XVIIIᵉ s. la seigneurie de Cypierre passa
aux Perrin qui la tinrent jusqu'à la fin de
l'Ancien Régime. En 1849 Marguerite
Perrin de Cypierre épousa le fils du
général de Caulaincourt. Leur fille s'unit
à Pierre de Kergolay, grand-père de
l'actuelle propriétaire.
Descr. : Le château est composé de quatre
parties : un donjon de plan massé en
grande partie du XIVᵉ s., élevé sur une
motte forte, une tourelle d'angle du
XVIᵉ s. de plan carré, comprenant un
escalier en vis, un corps de bâtiment élevé
au XVIIIᵉ s. compris dans l'angle formé
par la tourelle et le donjon et enfin, un
corps de bâtiment de plan barlong du
1823 accoté partie au donjon partie à la
tourelle. Une terrasse et un escalier à
deux volées droites avec repos desservent
le bâtiment XVIIIᵉ s. sur la face E. Ces
ajouts successifs ont peu à peu entamé la
motte datant vraisemblablement du XIᵉ s.
Le donjon comprend trois niveaux et un
sous-sol formé par les restes de la motte
féodale, ainsi qu'un étage de comble dont
la hauteur sous faîte équivaut sensible-
ment à celle du bâtiment. La charpente
pyramidale en a été refaite au XVIᵉ s. Des
baies du XVᵉ s., dont l'une a conservé sa
grille d'origine, d'autres datant de la
construction du donjon, avec leurs coussièges, éclairent les pièces. Subsistent
également en partie haute deux bretèches
intactes, et les embrasures de plusieurs
autres dans les murs du comble. Le corps
de logis XVIIIᵉ s. bâti sur un soubassement
comporte deux niveaux et un étage de
comble couvert d'un toit à brisis et
terrasson. Le premier niveau, composé
d'une galerie ouverte au S par cinq
arcades et à l'E par deux arcades, est
desservi par l'escalier à deux volées
droites. Dans le soubassement au-dessus
de la première travée de gauche sur la
façade S, un escalier à volée double, à
montée convergente permet l'accès au
parc. Le corps de logis du XIXᵉ s.
comprend un rez-de-chaussée éclairé par
des baies en arcades, trois étages carrés à
élévation *tant pleine que vide* et un comble
couvert d'un toit à croupes. L'intérieur a
été saccagé en 1944 par les maquisards. A
l'O, à quelques mètres du château, a été
remontée en 1907 une chapelle datant de
1812, comportant une nef d'une travée,
de plan barlong, avec voûte en plein

Cypierre. État actuel.

cintre, et une abside semi-circulaire couverte d'une voûte en cul-de-four. Cette chapelle abrite les sépultures des membres de la famille des propriétaires actuels. La façade percée d'une porte à deux battants voûtée d'un arc en ogive est bâtie dans le style néo-gothique. Elle est encadrée par deux piles avec niches sommées de pinacles. Un fronton-pignon en arc brisé avec en son centre un oculus aveugle couronne l'ensemble. Des dépendances s'élèvent à l'E autour d'une cour ouvrant au N par un portail à porte charretière supportant un pigeonnier, daté 1831. Une tourelle supportant deux bretèches, dont l'une encore complète, est enclavée dans les bâtiments d'exploitation. Elle constitue le seul vestige, en dehors du donjon, du système de défense du château.   B.S.

Iconographie

Les illustrations du *guide des châteaux de France-Saône-et-Loire* sont intégralement reprises de l'édition Berger-Levrault 1981 du *Dictionnaire des châteaux de France : Bourgogne-Nivernais.*

Sources :

Archives départementales de la Côte-d'Or : 110.

Archives départementales de la Saône-et-Loire : 140.

Archives photographiques, Paris : 33b, 47, 60, 80, 82, 94, 103, 136-137, 139, 141, 142b, 167, 174.

Berger-Levrault : 20-21, 32-33, 34, 37, 40, 41, 52a, 58, 61, 105, 106, 111, 117b, 133, 142a, 155, 177.

Berger-Levrault (collection Muraz) : 30, 74, 89, 95, 113, 148, 182.

M. Bouillot : 26, 153.

Caisse régionale des Monuments historiques : 176, 186-187, 189 (M. Plouvier), 28, 35, 76 (M. Porcherot).

Y. Christ : 46, 67, 107, 108-109.

M. Chenu : 31, 77, 86, 112, 159.

Combier : 19b, 25, 27, 36, 51, 52b, 53, 85, 99, 100, 104, 132, 160, 169a, 179, 185.

Ecomusée de la Communauté Le Creusot-Montceau-les-Mines : 69.

M. Gautier de Bellefond : 88.

Giraudon : 81.

Musée de Dijon : 108a.

F. Nicolas : 180.

Rapho (C. Ciccione) : 59.

René-Jacques : 24, 66, 118, 144-145.

Saône-et-Loire Tourisme : 43a, 43b, 48, 91, 114, 124-125, 135, 138, 165.

TOP : 143, 156 ; 128, 147 (M. Desjardins) ; 22a, 22-23, 62-63, 122-123, 125b, 126, 130-131, 134, 151, 157, 170 (N. Nahmias) ; 64-65, 70, 71, 116, 117a, 127, 149 (J. Schnapp).

M. J.-B. de Vaivre : 19a, 39, 49, 79.

Comte R. de Varax : 115.

J. Verroust : 56-57, 172-173, 175.

A. Vignier : 102.

F. Vignier : 169b.

Photo X : 56a.

Photos de couverture :
haut : J. Verroust.
bas : J. Verroust.

Carte : André Leroux.

Achevé d'imprimer le 26 août 1985
sur les presses de l'Imprimerie
Carlo Descamps à Condé-sur-l'Escaut 59163 France

Papier offset Méphisto de 100 g
et carte couchée Ensocoat de 265 g
des Papeteries De Ruysscher.

Reliure système INTEGRA par S.I.R.C.
10350 Marigny-le-Châtel

Dépôt légal : septembre 1985
N° d'imprimeur : 3871
N° d'éditeur : 112